3

권영흠

생사 이치 3

3

스틸로그라프

생사이치 3
발행일 : 2024년 7월 25일
지은이 : 권영홈
표지 디자인 : 김윤정
펴낸곳 : 스틸로그라프 - Stylographe

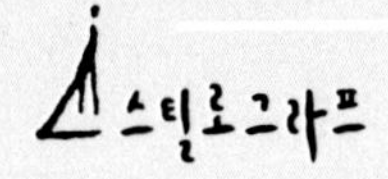

제 2004-9호 (2004. 10. 6)
경상북도 의성군 의성읍 북부길 58-23
+(82)10 - 9560 - 7865
+(82)10 - 9391 - 7865
(+33)6 29 10 36 14
Fax : 054- 832-7865
klaha2100@gmail.com

ISBN 979-11-988232-1-2 93200

생사이치 3

권영흠

3

인간 삶의 가장 중요한 요소인 태어남과 죽음에 관한 생사를 논하는 《생사이치》가 1권과 2권에 이어 마지막 3권에 이르렀다. 생사이치 1권은 개인과 주변 가족 친지들의 삶 속에 숨어있는 '수명이치'를 다루었고, 생사이치 2권은 한 개인의 과거와 현재를 잇는 '윤회의 이치'를 다루었으며, 생사이치 3권은 개인의 삶 속에 내재한 수명이치가 '역사의 이치'로 전환됨을 보여준다.

일장춘몽 부평초 같은 인생은 부단없는 윤회의 강으로 이어지고 강물이 흘러 바다에 이르듯이 개개인의 삶들이 모여 역사를 구성하는데 개개인의 삶 속을 흐르는 수명이치는 역사의 흐름과 진행 법칙과도 동일하기 때문이다.

앞 선 생사이치 1권과 2권의 내용은 이해하기에 어렵지 않으나 생사이치 3권의 내용을 이해하기는 쉽지 않으리라 본다. 자세한 설명이 없는 각종 도표와 도식들이 연이어지기 때문이며 우물의 안과 밖에서 보는 하늘이 다르듯 드넓은 시야의 역사관을 제시하기 때문이다. 따라서 본 서는 현재 세대의 이해를 구하기 보다는 미래 세대를 위해 남겨지는 성격을 지닌다.

인생은 흐르고 역사도 흐른다. 흐르는 인생과 역사에 관한 본문의 서술 중 일부를 소개하며 머리글을 마무리 한다.

역사는 쉬임없이 흐르고 있다.
그 흐르는 역사 속에 내재하는 모종의 법칙과 이치는
흐름의 법칙이자 흐름의 이치이다.

흐르는 역사에 몸을 싣고 움직임의 이치를 따라가노라면
역사는 인간의 손에 의해 산출되는 우연의 연속이 아니라
어떠한 신적인 힘이 부여되어 살아 움직이는 거대한 생물임을 발견할 것이며,
일정한 패턴을 지니고 방향성과 목적성을 지니고 흘러가는
살아있는 역사임을 알게 된다.

살아있는 역사를 발견하는 자는
역사 속에 영원히 살아계시는 하늘의 존재도 발견하게 될 것이며
역사 속에서 하늘을 발견하는 자들은,
아브라함과 이삭과 야곱이 그러했듯이,
하늘 앞에 산 자들이 다 될 것이다.

2024 甲辰年 盛夏
프랑스에서 **權寧欽**

3

생사이치 3권 목차

생사 도표론
生死 圖表論

삶과 죽음이 교차하는
생사로를 걸어가는 우리 인간의 삶을
두가지 측면에서 요약한 표가 있는데,
'수명도식'(壽命圖式)과 '생애도식'(生涯圖式)이 그것이다.
'수명도식'은 앞서 충분히 다루었던 표이며,
'생애도식'은 이제 처음으로 소개하는 도표이다.

[1] '수명도식' 이란 무엇인가?

'수명도식'은 생사이치 1 권과 2 권에서 많이 보았기에,
기억 차원에서 표에 담겨 있는 의미만 간단히 다시 설명한다.

[예 1]
Luther 루터 1483.11.10-1546.2.18 63
계묘 1483 계해 1503 신유 1561 무자 1588 E 105
||______63______||______42______|| 105
1483 1546 1588

1483 년은 '출생년도'이며 1546 년은 '서거년도', 그리고 1588 년은 '천수종결년도'이다.
그리고, 105 년은 '천수'를 말하고 63 년은 실제 살았던 '수명'을 의미하며,
42 년은 천수에 이르지 못함으로 인해 남겨진 '여분수명'을 의미한다.
천수를 구하는 방법은 생사이치 1 권에서 다루었다.

[예 2]
John Ross 죤로스 1842.8.9-1915.8.7 (73)
임인 1842 무신 1848 경술 1850 병자 1876 34
||______34______||______39______|| 73
1842 1876 1915

수명도식 가운데 붉은 색 숫자가 나오면 어떻게 해석할까?
1842 년은 출생년도이지만 다음으로 중간 지점에 나오는 1876 년은 서거년도가 아닌, 천수종결년도이다.
그리고 마지막에 나오는 1915 년이 바로 서거년도이다.
그렇기에, 예 1 에 나오는 도식과는 달리, 34 년은 실제 수명이 아니라 '천수'에 해당하는 년수이고,
붉은 색 39 는 천수를 넘어 더 생존한 세월을 말하고, 73 년이 바로 실제로 누렸던 수명이다.

천수가 60 이 안되는 단명이 생각보다 많으며, 그들 중 일부는 실제로 짧은 생애를 살고가기도 하지만 대부분은
수명전이를 통해 천수보다 오래 사는 것을 본다. 그러므로, 천수가 길다고 마냥 오래 사는 것도 아니요 단명이라고 정말로
이른 나이에 죽는 것이 아니기에, 더더욱 전생과 후생을 통관하여 살피는 수명이치가 필요함을 알 수 있다.

[2] '생애도식' 이란 무엇인가?

'생애도식'(生涯圖式)이란, 사람의 일생을 크게 세 기간으로 나누어 압축적으로 보여주는 도형이다.

태어나서 성장하며 교육받는 생의 전반부 기간과,
평생 임할 분야를 찾아 준비하는 생의 중간 기간과,
자신이 찾은 평생 직업 또는 사명을 수행하는 후반부 기간, 이렇게 세 부분으로 나눌 수 있다.
물론, 은퇴한 후 서거하기 까지의 '여생'이 있겠지만, 논외로 한다.

'생애도식'을 이해하려면 먼저 기본적인 수와 거기에 담긴 의미를 알아야 한다.
1,2,3…과 같은 '수'(數)에 특별한 의미를 붙여 어떤 이치를 추론하는 것을 서양에서는 'numerology'라 부르고
'수리학'(數理學)이라 번역할 수 있겠다. 지금 이곳에서 논하는 것은 거창한 표현인 '학문'과는 당연히 거리가 멀지만,
우리의 논의를 위해 꼭 알아야하는 몇가지 수와 거기에 담긴 의미를 살펴보자.

수가 지닌 의미

먼저, 1 에서부터 10 까지의 수에 대해 간단히 정리하자면,

1	모든 것의 출발과 시작을 의미하는 수
2	쌍을 의미하며 생산이 가능한 첫 단위
3	땅에 착지할 수 있는 정립의 수이자, 최초의 완성된 수 또한, 하늘과 땅 중에 하늘에 속한 수이다
4	땅에 정립한 후 무언가를 건설하기 위한 첫 단위 하늘과 땅 중 땅에 속한 수
5	1 과 10 사이의 중간 수
6	어떤 목표를 달성하기 직전의 불안정을 의미
7	어떤 목표를 달성하여 안정과 성취와 완성을 의미
8	한 단계를 허물고 새롭게 건설하는 재 창조의 의미
9	목표를 향한 성장이 멈추고 완전에 도달하기 직전의 수
10	목표를 달성하고 새로운 출발이 가능한 기반이 되는 수

1+2=3	1 과 2 를 더하면 완성수 3 이 된다
3+4=7	하늘과 땅이 합해지면 7 이 되며
7*3=21	7 을 다시 하늘수와 곱하면 21 이 나온다
3*4=12	하늘과 땅이 어울러지면 12 가 나온다
12*12=144	구원받는 수 14 만 4 천의 기본형
9+9+9=27	성장수 9 가 하늘수 3 번에 걸쳐 일어나는 완전성장수
7+7+7=21	7 수가 하늘수 3 번 거듭되는 이상적인 목표 달성수

'생애도식'은 9 수와 7 수를 기본으로 하여 9 수가 세번 거듭된 9+9+9=27 수와
7 수가 세번 거듭되는 7+7+7=21 수로 구성되어 있다.
사람이 교육을 통해 완전히 성장하기까지는 27 년이 소요되며
맡은 사명을 달성하기 위해서는 21 년이란 기간이 요하며
그리고 두 기간 사이에서 활동을 준비하는 기간이 6 내지 7 년이 걸린다.

생애도식은 아래와 같으며, 생애도식의 총 기간은 27+6/7+21=54/55 년이 된다.

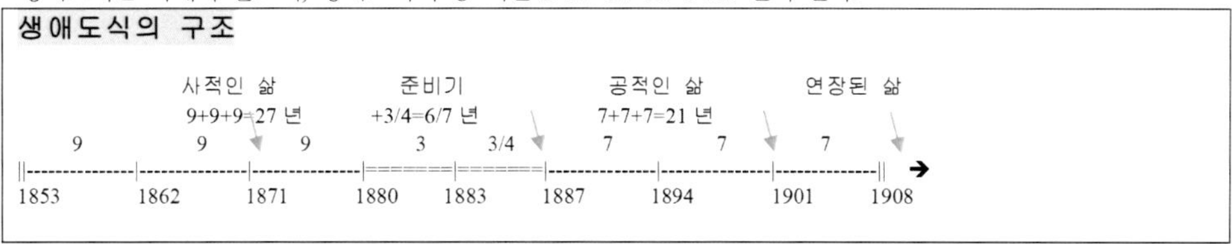

[성장기 27 년] [준비기 6/7 년] [활동기 21 년]
||__9__|__9__|__9__|-------6/7-------|___7___|___7___|___7___||
1483 1510 **1517** 1524 1531 **1538**

생애도식에서는, 정식 활동을 시작하는 년도와 그 활동이 종료되는 년도가 중요하다.

[3] 수명도식과 생애도식의 결합

어떤 사람의 생애와 활동을 살펴보고 분석하기 위해서, 우리는 이제까지 설명한 두가지 도표를 동시에 참고하게 된다. 한 사람의 '수명상황'과 그의 '활동상황'을 총체적으로 알아 볼 수 있기 때문이며, 그 사람의 생애 속에 내재한 '수리적인 흐름'을 볼 수 있기 때문이다.

한가지 참고로 알아 둘 사항은, 생애도식의 한 가운데에는 본격적인 자신만의 고유 사명 21 년을 시작하기 위한 준비 기간이 6/7 년이 있는데, 이 준비기의 중간에 해당하는 시기에 많은 사람들은 특별한 깨달음의 기회를 갖는다는 것이다. 자신의 생애의 목적에 관한 자의식이 뚜렷한 소위 사명자들이 특히 그러하다.
바로 아래 종교개혁자 루터의 경우에도 그러한 사실이 현저하게 나타나고 있다.

(1) 루터 Luther 의 생애

Luther 루터 1483.11.10-1546.2.18 63
계묘 1483 계해 1503 신유 1561 무자 1588 E 105
||======63======|--------42--------|| 105 ← 수명도식
1483 1546 1588

||----------|----------|----------||=====|=====||----------|----------|----------|| ← 생애도식
1483 1492 1501 1510 1513 1517 1524 1531 1538

1483.11.10 독일 싹스 Saxe 지방 아이스레벤 Eisleben 에서 장남으로 출생.
1501 에어프루트 Erfurt 대학 입학
1505.7.2 고향에 갔다가 대학으로 돌아오는 스토튼하임 Stottenheim 길에서 벼락 경험
Help! Saint Anna, I will become a monk!
1505.7.17 법학에 관한 학업을 중단하고 에어프루트의 성 어거스틴 수도원에 들어감
1507.4.3 성직 임명
1508 스승 슈타우비츠 Staupitz 가 설립한 비텐베르그 Wittenberg 대학에서 신학 교수
1510 12 월부터 이듬해 1 월까지 로마 방문
1512 비텐베르그 어거스틴 수도원장
1512.10.19 신학 박사 학위. 스승을 이어 비텐베르그 대학 신학 강의.
주석 작업 : 시편 1513-1515, 로마서 1515-1516, 갈라디아서 1516-, 히브리서 1517-1518
1513 탑의 체험 (죄의 사함과 구원이 행위가 아닌 믿음으로 인한 신의 은총에 의함을 깨침)
1517.10.31 면죄부 판매에 반대하며 교회 정문에 95 개조 반박문 게시, 종교개혁 시작.
1518.10 아우그스부르 Augsbourg 회의에 소환
1519.7 요한 엑 John Eck 과의 라이프치히 Leipzig 논쟁
1520.6.15 교황 레오 10 세 칙령 Exsurge Domine 과 루터의 책 소각 조처
1520.12.10 루터, 교황 칙령과 교회법 공개 소각
1521.1.3 파문 Secret Romanum Pontificem
1521.4.16 보름스 Worms 회의 소환
1521.5.4 프레데릭 현자 Frederic the Wise 의 바르트부르 Wartbourg 성에 피신
1522.1 후텐 Hutten 과 지킹건 Sickingen 에 의한 기사들의 반란
1522.3.9-16 비텐부르그에 되돌아와 8 차에 걸친 설교.
성서 번역 시작 (1522-1534)
1524.6 뮌쩌 Müntzer 의 농민혁명 발발 – 종말 임박을 설파하는 예언자들 등장.
1525.10.29 첫 독일어 미사 집전
1525.6.13 수녀 출신의 카타리나 보라 Katharina von Bora 와 결혼. 여섯 자녀.
1529.3 황제 샤를 5 세에 의한 스피르 Spire 회의 소집
1529.4.19 프로테스탄트 탄생. "우리는 항거한다" Nous protestons
1531.5 슈말칼드 Smalkalde 기사 동맹
1531.10.11 쯔빙글리 전사. 루터와 칼빈 모두 무력에 의한 복음화 반대
1531-1532 터키의 위협 앞에서 샤를 5 세와 프로테스탄트 군주들 연합. 조건부 종교 자유 획득.
1532.7.23 뉘렘베르그 Nuremberg 평화 조약
1535.6.24 아나밥티스트 처형
1546.2.18 1531 년부터 나빠진 건강으로 인해 사망
1546.7.20 슈말칼드 전쟁
1555.10.3 아우그스부르 평화 조약 – 군주의 종교를 신민이 따른다."cujus regio ejus religio"

(2) 칼빈 Calvin 의 생애

Calvin 칼빈 1509.7.10-1564.5.27 55
기사 1509 신미 1511 갑술 1514 갑자 1564 C 55

||======55======|--------0--------|| 55 ← 수명도식
1509 1564 1564

||----------|----------|----------||=====|=====||----------|----------|----------|| ← 생애도식
1509 1518 1527 1536 1539 1543 1550 1557 1564

1509.7.10 프랑스 피카르디 Picardie 지방의 노용 Noyon 에서 출생
1523 빠리로 진학
1528-1529 오를레앙 Orlean 대학에서 법 공부
1529-1531 부르쥬 Bourge 대학
1534.10.17 플라카드 사건 발생
1535 년초 프랑스 떠남
1536.3 스위스 바젤에서 기독교 강요 출간. 이탈리아 여행
1536.8 파렐 Farel 의 요청으로 쥬네브로 가서 교회 조직
1536.11 첫 종교협의회 참석
1538.4.23 쥬네브에서 파렐과 함께 추방된 후 슈트라스부르에서 활동
1538.9.8 수트라스부르에서 첫 설교
1539.8 기독교 강요 라틴어판 발행, 불어판은 1541 년에 나옴
1540 로마서 강해
1540.8 Idelette de Bure 와 결혼
1541.9.13 쥬네브로 다시 초대 받음
1541.11.20 교회법 Ordonnances 제정. 향후 2 세기간의 도덕과 법률의 기준이 됨
1543.1.28 시 의회에 의해 칼빈의 정치 개혁 통과
1553.10.27 미셸 쎄르베 Michel Servet 화형 시킴
1558 테오도르 베자 Theodore Beza, 로잔느를 떠나와 칼빈과 동역
1562.3.1 귀즈 공에 의한 바씨 Wassy 위그노 학살 사건. 종교전쟁 발발.
1563 암부와즈 Amboise 평화 조약
1564.5.27 칼빈 서거. 장례 설교와 찬송 금지. 비석도 남기지 않음.

칼빈의 가장 큰 기여는, 개혁적 시민 (reformed citizens)을 양성한 데 있으며,
그를 바탕으로 새로운 현대문명 (modern civilization)을 탄생 시킨 데 있다.

(3) 윌리엄 William 오랑쥬 공의 생애

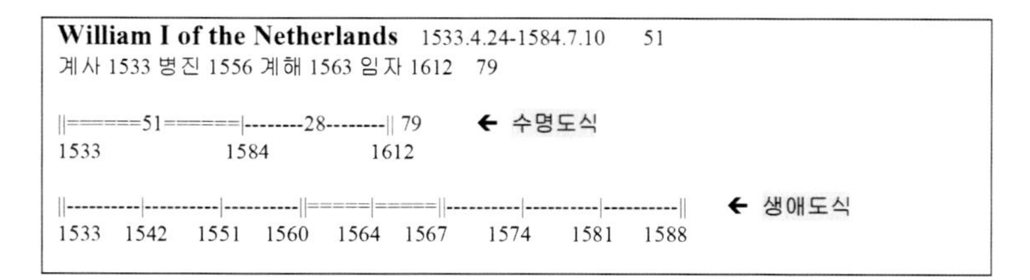
William I of the Netherlands 1533.4.24-1584.7.10 51
계사 1533 병진 1556 계해 1563 임자 1612 79

||======51======|--------28--------|| 79 ← 수명도식
1533 1584 1612

||----------|----------|----------||=====|=====||----------|----------|----------|| ← 생애도식
1533 1542 1551 1560 1564 1567 1574 1581 1588

1551.7.8 Comtesse Anne d'Egmont1533-1584 과 결혼
1555 Abdication
1559 Stathouder
1561.8.25 Anne de Saxe 1544-1577
1565.4.5 Confederacy of Noblemen 결성
개신교도 박해 중지를 요구하며 반카톨릭 입장 공개 표명
1567 카톨릭에 의해 공개 정죄됨으로 duc d'Albe 10000 soldats. 싹스 장인에게로 피신
1568 에그몽과 호른느를 공개 처형함으로 80 년 독립전쟁 시작
1574 라이드 농성, 두 형제 전사
1576 Anvers 약탈 8000 명 학살 당함. 신구교 연합 달성
1575.7.12 앙리 3 세의 딸 샬롯트 드 부르봉 방돔과 세번째 결혼 1546-1582
1579 독립전쟁 재개
1582 필립 2 세에 의한 현상금
1583 프랑스 개신교 군사 지도자 콜리니 제독의 딸 Louise de Coligny 와 혼인
1584 Balthazer Gerard 에게 피살.

(4) 엘리자베스 Elisabeth 여왕의 생애

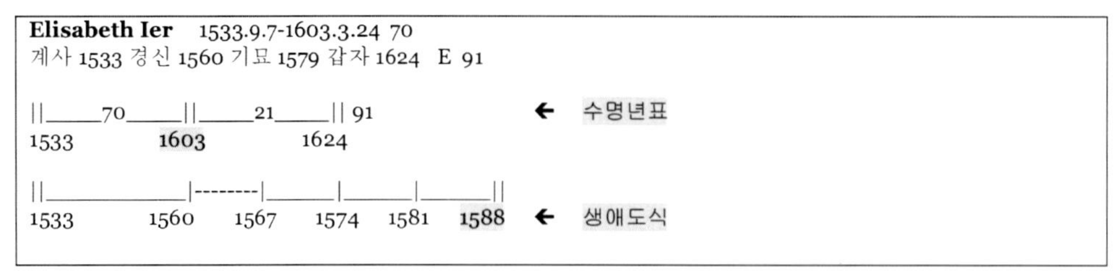

1533.9.7	그리니치에서 핸리 8 세와 제 1 계비 앤볼린 사이에 태생. 3 년만에 어머니는 참수 당함
1547	헨리 8 세 서거. 이복동생 에드워드 6 세 즉위 헨리의 마지막 부인 캐서린 파아는 토마스시모어와 재혼, 엘리자베스 돌봄
1548	시모어와의 밀착관계로 캐서린파아는 파혼했고 엘리자베스는 축출
1558.11.17	이복언니 메리의 병사로 대관.
1559.5.8	헨리 8 세의 수장권을 복구하여 성공회 수장으로 앉음
1563	Book of Common Prayer 39 개조를 통해 성공회 신앙 천명
1568	메리스튜어트 망명
1588	스페인 무적함대 격파
1589	프랑스 까트린느 메디치 서거 앙리 3 세 즉위 앙리 3 세 암살 및 앙리 4 세 등극
1601	에섹스 백작의 반란
1603.3.24	사망

종교개혁 시대를 개척하던 가장 중요한 인물은 루터와 칼빈이다.
만일 정치 영역에서 또다른 인물을 들라면 윌리엄 1 세 오렌지공과
엘리자베스 여왕을 꼽을 수 있다.

[4] 수명도식과 생애도식의 파생 법칙

'파생'(派生)이란 말은, 어떤 것에 연관되어 부수적으로 생성된다는 의미이다.
'수명도식'과 '생애도식'은 그 자체 여러가지 정보를 함축하고 있지만
거기에서 또다른 의미들이 연결되어 생성되는 특이한 성격을 지니고 있다.

'수명도식'은 한 사람의 수명상황에 대한 정보를 수치를 통해 압축하여 담고 있다.
'생애도식'은 한 사람의 전체 생의 흐름을 년도를 통해 함축하여 담고 있다.
이 두 도식에서 파생되는 것이 무엇인지 알아보자.

앞서 우리는 '사명'(使命) 또는 '사명자'(使命者)라는 용어를 언급한 적 있는 데,
수명도식과 생애도식은 모든 사람에게 다 적용이 가능한 일반 도형이긴 하지만
어떠한 특별한 사명을 지닌 사람이 갑자기 사망했을 경우에는,
그 사람의 개인적 생애문제로 끝나지 않고 그의 사명을 잇는 사람의 등장이 있게 된다.
왜냐하면, '사명자'는 서거했을지라도 '사명'은 미완의 상태로 남아있기 때문이다.

'사명자'는 이 땅에 속한 인간이지만, '사명'은 그것을 설정하신 하늘에 속한다.
'사명자'란 어떤 '사명'이 맡겨진 사람을 의미하고, 만일 이 사명자가 사명 수행 중에 서거할 경우에는
하늘은 그를 잇는 또다른 사명자를 찾아 사명을 완수하도록 조처하신다.
사명자의 서거로 인해 초래된 단절에는 두가지 성격이 존재하는 데,
첫째는 사명적 단절이요 두번째는 생명적 단절이다.
이 두가지 단절의 연속성을 위한 하늘의 배려로 등장하는 또 다른 사명자가 바로
사명을 잇는 후자와 생명을 잇는 후자들이다.

'수명도식'에서의 파생을 보노라면, 먼저, 한 사명자가 죽으면 그를 이어 등장하는 새로운 인물로는
수명이치 2 권에서 많이 접해 본 바와 같이 특수재생에 의한 영적 재생으로서의 '**후생자**'가 있다.
이 역시 재생의 법칙을 따라 앞선 사명자의 서거로 인해 등장하는 후발적 사명자에 속한다.
다음으로는, 앞선 사명자가 사망하는 싯점에 곧바로 공생애를 시작하게끔
하늘이 배려하여 준비시키는 사명자들이 있는데 이를 '**생애후자**'라 부른다.

'수명도식'뿐 아니라 '생애도식'을 통해서도 후발적 사명자가 등장한다.
생의 종료와 연관되어 파생되는 '수명도식'과 달리 '생애도식'은 사명자들의 활동, 곧 사명의 종료로 인해 파생된다.

'수명도식'에서는 서거하는 시점이 매우 큰 중요성을 지니지만 어떤 사명자의 '생애도식'의 마지막 지점은 그의 서거가 아닌 그 사명자의 사명기간이 최종적으로 종료되는 지점이며, 이 종료 지점을 기준하여 하늘은 그의 후속 사명자를 또다시 준비하신다. 이 준비된 인물은 앞선 사명자의 공식적인 사명을 계속적으로 수행해 나가기에 '**공생애 후자**'라고 부를 수 있다. 그리고, '공생애'란 어떤 사명자가 자신의 사명을 수행하는 데 소요되는 공식적인 활동기간 21 년의 삶을 의미한다.

'생애도식'의 시작점은 '수명도식'과 마찬가지로 어떤 사명자의 탄생년도이다.
'수명도식'에 있어 탄생년을 중심으로 생명을 잇는 사람을 '후생자'라 한다면,
'생애도식'에서도 탄생년을 중심으로 사명을 잇는 사람이 또한 있어,
앞선 사명자가 탄생한 후 일정한 기간이 지나면 자동으로 등장하는 데,
대략 생년+23/24/25 년 후에 이 후속 사명자가 등장하게끔 하늘은 안배하셨고,

이를 두고 앞선 사명자를 잇는다는 의미로 '**사명후자**'라고 부른다.
재생법칙에 따라 등장하는 '후생자'와는 다른 개념이다.

사람은 한번 태어나면 일생 보다 나은 조건의 생존을 위해 노력하며 살지만
이 세상에는 생래로부터 하늘이 부여하신 모종의 사명에 의해 사는 사람도 많다.
하지만, 그들 대부분은 자신에게 임한 사명을 뚜렷하게 인지하지 못하고 다만
거역할 수 없는 힘과 내면의 소리에 귀기울이며 일생을 양심적으로 살며 헌신적인 삶을 영위하기에
우리는 그들을 '사명자'라고 부르는 것이다.
그리고, 그러한 사명자들은 어떻게 탄생하는가에 대한 근본 이치를 현재 언급하는 중이다.

결론적으로, '수명도식'과 '생애도식'을 통해 하늘이 준비하시는 파생 역사를 현재 소개하는 중이고,
'수명도식'을 통해서는 '**후생자**'와 '**생애후자**'를 준비하시고,
'생애도식'을 통해서는 '**사명후자**'와 '**공생애후자**'를 예비하시는 하늘의 역사 방법을 설명하고 있는 중이다.

(1) 수명도식 파생 법칙

이상의 모든 내용을 알기 쉽게 다시 재정리하고 또 예를 들어 이해도를 높여보자.

후생자 사년+0/1, 사년+3/4, 사년+9/10, 생년+59/60, 천수종결후.
앞 선 사명자가 서거한 후 재생 법칙에 따라 등장하는 후속 사명자.
생사이치 2 권에서 많이 다루었던 내용이다.

생애후자 사년-35/34/33
앞 선 사명자가 서거한 년도에서
역으로 35/34/33 년을 뺀 년도에 탄생하는 후속 사명자
루터의 경우 1546-35/34/33=1511/1512/1513

(2) 생애도식 파생 법칙

공생애후자 생년+20/21/22 [=공생애종결년-35/34/33]
앞 선 사명자와 후속 사명자 사이의 거리는 20/21/22 년 차이이다
루터의 경우 1483/84+20/21/22=1503~1506

사명후자 생년+23/24/25 [=공생애종결년-30/31/32]
앞 선 사명자와 후속 사명자 사이의 거리는 23/24/25 년 차이이다
루터의 경우 1483/84+23/24/25=1506~1509 (칼빈)
루터의 생년은 학자에 따라 두가지로 나뉜다. [1483/1484]

우리는 앞서 '수명도식'을 집중적으로 보아 왔기에 거기에서 파생된
'생애후자'와 '후생자'를 이해하는 데는 큰 어려움이 없다.
하지만, '공생애후자'와 '사명후자'는 용어도 생소하고 이해가 쉽지 않음은
'생애도식'이라는 도형을 이제 처음으로 대하기 때문일 것이다.
'수명도식'과 '생애도식'을 동시에 그려놓고 파생되는 네가지 후발 사명자들 간에

어떤 차이점이 있는지를 잘 연구해보기 바란다.

우리 인간이 천을 짜기 위해 얼실과 날실을 가로 세로로 엮어 직조하듯이
인간 역사를 배후에서 인도하시는 하늘은,
예비하고 불러 세우신 어떤 사명자가 갑자기 서거할 경우를 대비하여
입체적으로 보조 사명자, 대체 사명자, 후속 사명자 등을 예비하신다.
역사의 천을 짜시는 하늘의 섭리 방식의 일환이자,
오직 인간을 통해 역사를 이끌어나가시기에 생기는 현상이다.
달리 말해, 신인 합작의 공정이 그러하다는 말이 된다.

이 역사는 소리없이 흐르고 보이지 않게 진행되기에 신의 '섭리'(攝理)라 부르며,
무형의 신의 섭리에 내재한 구조와 성격을 인간의 오감으로 파악하기 위해서는
수명도식과 생애도식 등의 도표들과 그 속에 있는 수리들이 등장하고,
또 거기에서 파생되는 각종 '수리적 이치'를 통해
우리는 비로소 역사 속에 살아 움직이는 신의 실체를 인지할 수 있게 된다.

신의 부름에 응해 살아가는 수많은 사명자들의 발걸음을 따라가다보면
일정한 방향성을 지니고 흐르는 역사에 편승하게 되고,
그 역사의 주인공이신 신의 존재와도 만나고 신적 의도와 목표도 알게된다.

앞으로, 어떤 사명자를 분석할 때마다
방금의 이 두가지 도표와 거기에서 파생되는 네가지 구도를 그려놓고 관찰할 것이다.
그리고 아래에서 소개되는 예들은,
두 도표와 거기에서 파생되는 네가지 성격의 년도들을
각각 조금씩 다른 형식으로 표기한 것이다.
그것을 참고하여 각자의 취향에 따라 새로운 도표와 표기법도 찾아보기 바란다.

또한, 각각의 수리법칙에 따라 찾아진 여러 인물들은 예비 후보군에 속하기에
그 가운데서 다시금 가장 적절한 인물을 선택하여야 하겠다.
루터의 후속 사명자로 수리적 이치에 의해 부응하는 후보가 여럿일 때,
그 중 칼빈이 만일 보인다면 그를 루터의 후속 사명자로 선택하는 것을 말한다.

이어지는 예들을 통해 지금까지 설명한 내용들이 잘 이해되기를 기대한다.

(3) 종교개혁 시대의 후속 사명자

[표 1]

Luther 1483/84.11.10 - 1546.2.18 (62/63)
계묘 1483 계해 1503 신유 1561 무자 1588 E 105

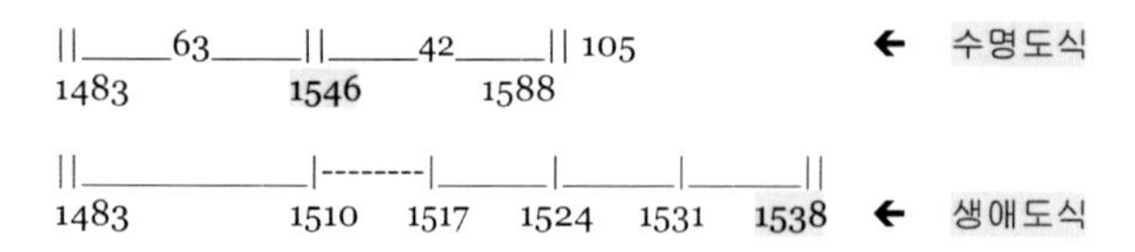

공생애 후자 [생년+20/21/22] [=공생애종결년-35/34/33]	사명후자 [생년+23/24/25] [=공생애종결년-32/31/30]
Henri de Navare 1503-1555 (48) Nostradamus 1503-1566 (63) Philippe Ier de Hesse 1504-1567 (63) J. Heinrich Bullinger 1504-1575 (71) Pierre Robert OLIVETAN v.1505-1538 (33)	Francis Xavier 1506.4.7-1552.12.3 (46) John of Leyden 1508-1536.1.22 (28) 남사고 1509-1571 (62) 칼빈 Jean Calvin, 1509.7.10-1564.5.27 (55)
생애후자 [사년-34/33] [➔앞선 사람의 서거년에 공생애 시작]	후생자 [생년+59/60, 사년+0/1, 사년+3/4, 사년+9/10, 천수종결 후]
John Knox 1513-1572.11.24 (59)	Henry Barrow(e) 1550-1593 (43) Robert Browne 1550-1633 (83) **Johann Adam Schall von Bell** 1591.5.1-1666.8.15 (75)

위에 예시한 표는, 네가지 파생 이치를 네개의 박스 속에 넣어 정리해 본 것이다.
그리고, 아래에 소개되는 예들은
선형 그래프를 이용해 파생되는 움직임을 그려본 것으로서
루터와 칼빈 그리고 네덜란드 윌리엄 공에 대해 정리해 보았다.

역사 속에 등장하는 모든 인물들의 움직임을 이해하기 위해서
항상 이 네가지의 분석 방법을 모두 적용할 필요는 없으나
인물들의 생사에 따른 그들의 연장된 사명과 삶을 가늠해보기 위해서는 필요한 잣대이며
이러한 방법을 적용하는 순간 역사 속에 연속되어 이어지는
어떤 인물들의 삶과 그리고 사명의 움직임을 파악할 수 있게된다.

역사 속에 명멸하는 수많은 인물들의 흐름,
남모르는 사명을 지니고 살아간 수많은 사명자들의 삶을 추적하노라면
우리는 흐르고 이동하는 인생 저 너머로 역사 또한 쉬임없이 흐르고 있음을 알게되고
의미와 목적과 방향성을 지향하던 인간의 삶이 모여져
역사 또한 무의미와 우연의 집합이 아닌
일정한 방향성과 목적을 향해 전진하는 움직이는 역사요
살아있는 역사임을 알게된다.

[표 2]

Luther 1483/84.11.10 - 1546.2.18 (62/63)
계묘 1483 계해 1503 신유 1561 무자 1588 E 105

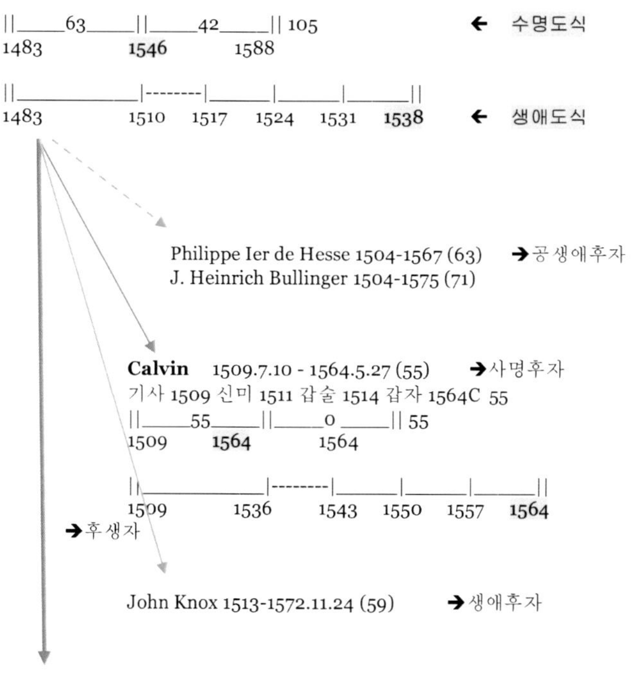

Johann Heinrich Alsted 1588-1638 (50) 독일 종교개혁자, 천년주의자

비록 초기 종교개혁자들은 받아들이기 힘들어 했었지만 종교개혁을 기해 새로운 시대와 천년왕국 도래에 대한 열망이 솟구치게 된다.

Johann Adam Schall von Bell 1591.5.1-1666.8.15 (75)
신묘 1591 임진 1592 갑술 1634 병자 1636 45
||____45____|____30____||75
1591 1636 1666

아담 샬이 루터의 후생자일 경우에는 루터의 생시가 인시생임을 의미한다. 루터 종교개혁의 여파는 먼 동방 중국으로까지 확산되어, 일단은 카톨릭 중국 선교의 역사로 전개되며, 그 순교의 바탕 위에서 개신교 선교 시대가 열린다.

Anne Marbury Hutchinson 1591.7.20-1643.8.20 (52)
신묘 1591 을미 1595 갑오 1654 갑자 1684E 93
||____52____|____41____||93
1591 1643 1684

루터의 여분생 시점에 도미. 신대륙 선교 확산.
유럽에서 시작된 종교개혁의 여파는 바다 건너 아메리카 신대륙으로도 확산된다.

[참조]

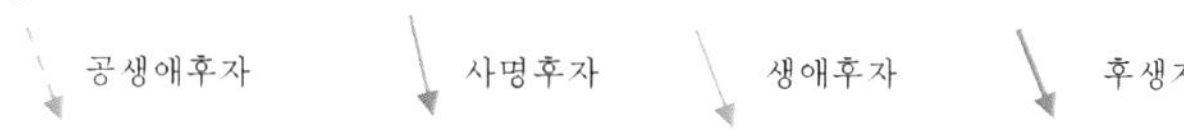

[표 3]

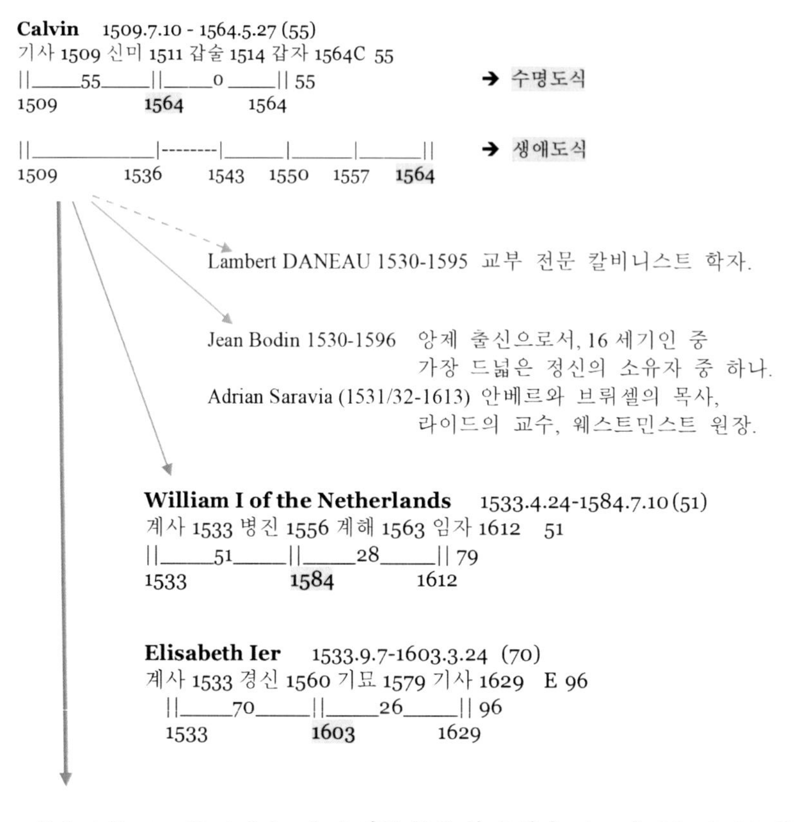

Robert Hunt 1568-1608.6.12 (40) 미국 도착 첫 목회자. 1607 년 John Smith 선장의 인도아래 헌트와 성공회 신부를 포함한 144 명이 제임스 타운에 도착 자그만 모임을 주도했으나 식민지는 오래 가지 못했고 1608 년 1 월의 화재로 인해 교회와 그의 모든 소지품이 소실되었다.

John Smyth (1570 -1612.8.28) 암스테르담 망명 영국 설교가. 회중교회 창시자인 로버트 부라운(1550-1636)의 영향을 받았으며 아나밥티즘을 계승. 양심과 예배의 자유에 따른 정교분리 주장. 영국 침례교의 원조.

Johannes Kepler 1571.12.27-1630.11.15 (59) 독일 수학자이자 천체 물리학 개창자. 범신론자. 선정론을 부정했다.

Frederick IV, Elector Palatine of the Rhine 1574.3.5-1610.9.19 (36) 팔란틴 선제후. 북부 제후들을 결속하여 개신교를 지지했으며 네덜란드 윌리엄 1 세의 딸과 결혼. 복음주의 국가 연합을 주도했고 남부 카톨릭 연맹과 지속적인 충돌을 초래했다.

Samuel de Champlain,1574-1635.12.25 군인 탐험가, 퀘벡 개척자.

John Carver 1575-1621.4.5 필그림 파더. 플리머스 식민지 첫 장관 (1620-1621).

Jakob Boehme 1575.4.24-1624.11.17 (49) 루터란 신비주의자, 신지학자.

John Robinson 1575-1626.2.16 (51) 필그림파더 산파, 목사 . 회중교회인으로 1620 년 메이플라워호를 타고 건너가 플라이모츠 식민지 개척. 1628 년에는 죤윈드롭과 죤코튼이 와서 메사츄세츠 식민지를 개척. 1630 년에는 근본주의 케이커 교도인 토마스 후커가 커네티컷 식민지를 개척한다.

[표 4]

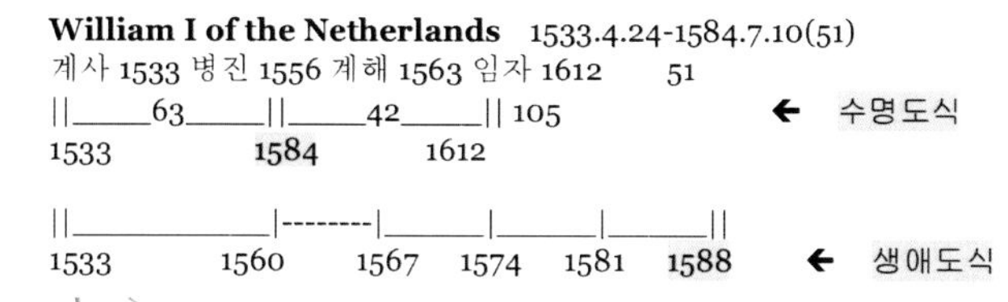

Charles IX 1550.10.4-1611.10.30 스웨덴 왕.
Thomas Helwys 1550-1616 고향인 겐스부르의 분리주의 목회자. 존
Robert Browne 1550-1633.10 (83) 분리주의자 아버지, 회중교회 운동 창시자.
브라우니스트로 알려진 그의 활동에서 이후 Pilgrims 필그림이 나왔고,
Congregationalists 회중교회 Independents 독립파 Separatist 분리주의자
Nonconformists 논컨포어미스트 등으로 다양하게 불리운다.

Henri IV 1553.12.14-1610.5.14 57
Philip William Prince of Orange 1554-1618 64
Walter Raleigh 1554-1618 버지니아 개척
Louise de Chatillon-Coligny 1555-1620 (65)

Stephen Bocskay 1557-1606.12.29 헝가리의 종교개혁 주도 왕족

Johann Heinrich Alsted (1588.3-1638.11) reformateur millenariste allemand.
John WINTHROP 1588-1649 런던 부유한 상인 출신. 카톨릭의 압력이 세어지자
뉴잉글랜드 이주 계획 추진. 1629 년 메사츄세추 주지자가 되었다.
Adolphus Gustavus II 1594.12.9-1632.11.16 (38) 스웨덴 구스타브 1 세의 손자.
Edward Winslow 1595.10.18-1655.5.8 메이플라우어의 일원. 1518 년에 결혼하여
함께 온 부인은 첫 겨울에 사망하자 1521 년 수잔나와 새로 결혼했는데
신세계에서의 첫 정식 결혼식이었다. 인디언과의 유대 관계가 좋았고 영국과
뉴잉글랜드를 오가며 상업과 식민지 장관으로서의 정치적인 역할을 담당했으며
뉴잉글랜드 연안을 개척하였다.

소현세자 [昭顯世子]1612.2.5 광해군 4~1645.5.21 인조 23 (33). 인조와 인렬왕후 한씨의 적장자이다.
성명은 이왕(李汪)이고, 본관은 전주(全州)이며 효종(봉림대군)의 동모형이다. 빈은 우의정
강석기(姜碩期)의 딸 민회빈 강씨이다.

Frederick William 1620.2.16-1688.5.9 (68) 프러시아 브란덴부르 선제후. 개신교 지지. 1685 년 루이
16 세에 의해 낭트칙령이 폐기되고 국외 도피가 금지되었을 때 수천명의 위그노들에게 도피처와 종교의
자유를 허용.

➔ 칼빈의 서거일 양력을 윌리엄의 생년에 적용하여 나오는 음력은 윌리엄의 생일과 일치한다
1564.5.27+ = 4.24-
1533.5.27+ = 4.24-

[표 5] 종합

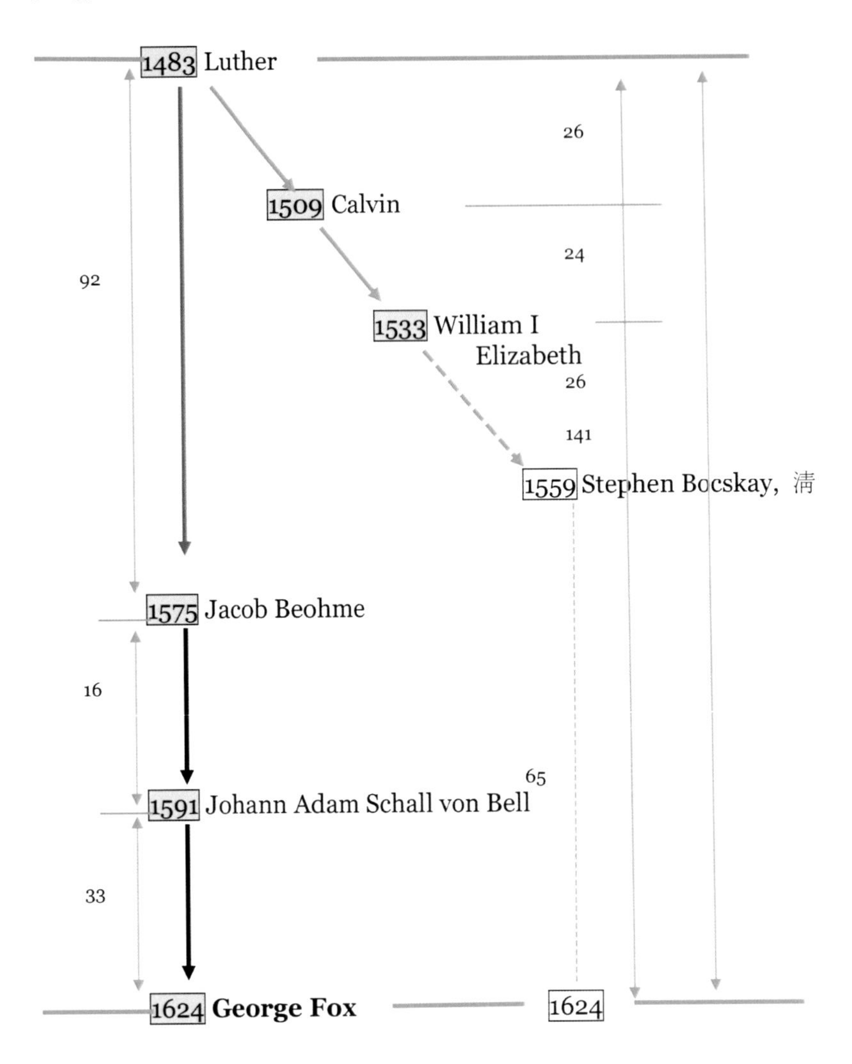

종교개혁을 대표하는 두 인물은 당연히 루터와 칼빈이다.
하지만 또 한 쌍의 인물들을 더 들라면 영국의 엘리자베스 여왕과
동년배인 네덜란드의 윌리엄공을 들 수 있다.

연이은 사명자들로 인해 사명은 연속되고
한 생이 지는 곳에 또 다른 생이 피어남으로 인해
역사는 단절되지 않고 살아 움직이며 흐른다.
그리고, 역사는 살아 움직이는 것을 넘어
일정한 방향과 목적을 향해 부단없이 전진하는
살아 숨쉬는 생명체가 되게 된다.

[5] 생사로 (生死路)

"생사로는 예 있사매 저히고 나난 간다 말도 몾다닛고 가나닛고..."
월명대사의 '제망매가'(齋亡妹歌)의 첫구절이다.

'생사로'가 무엇인가?

'생사로'(生死路)는,
삶과 죽음이 교차되는 재생로(再生路)이며,
생사가 거듭되는 윤회로(輪廻路)이다.

지금까지 다루었던 내용이 사실 '생사로'를 걷기 위한 첫 걸음마였고
우리들은 이미 소리없이 생사로를 걷기 시작했다.
다만, 육적윤회를 따른 생사로가 아닌
'사명'(使命)을 따라 흐르고 이어지는 영적윤회의 생사로였을 뿐이다.

육적윤회를 따라 걸어가는 생사로는
먼 조상으로부터 오늘의 나에게까지 이르는 '족보'(族譜)에 담긴 길이다.
영적윤회를 따라 걸어가는 생사로는
먼 중세로부터 오늘에 이르는 '역사'(歷史)를 구성하는 길이다.

사주팔자를 따져 '천수'를 찾고
단명으로 인한 수명전이를 검토하던 우리들의 길은
어언, 육적윤회를 거쳐 영적윤회의 길로 들어섰었고
사명따라 흐르고 생사가 연이어지는 '생사로'로 들어서는 순간
개개인의 생사이치는
수많은 사람들의 삶이 녹아있는 살아있는 '역사'(歷史)가 되고
인류 역사를 소리없이 인도하시는 신의 섭리가
눈과 귀로 확인되는 수리를 통해
역사의 '생사이치'가 되고 있다.

생사이치를 아는 사람은,
우리들이 익히 보아오고 알고 있는 역사 이면에 감추인
또 하나의 보이지 않는 역사를 발견하게 되고
그 보이지 않는 또다른 역사를 발견하는 자는
그것이 보이지 않는 신의 성스러운 테오파니
'신의 현현'임을 알게된다.

(1) 생사로 산책 1

'수명도식'에는 한 사람의 생몰정보가 압축적으로 담겨있다.
생년과 서거년 그리고 천수종결년도가 그것이며,
그 정보를 바탕으로 '생애후자'와 '후생자'를 찾을 수 있었다.
또한, '생애도식'에는 생년에서 시작하여 공식적인 활동이 종결되는 년도를 담고 있어
그 정보를 통해 '공생애후자'와 '사명후자'를 구할 수 있었다.

한 사람의 수명상황과 사명수행 상황 전체를 관찰하기 위해서는
방금 위에서 열거한 네가지 정보들을 동시에 고려해야만 한다.

이제부터 우리들이 걷고자 하는 '생사로'는
멈추어서 관찰하는 것이 아닌
길을 따라 발길을 옮기고,
흐름에 몸을 맡기기도 하는 산책로이다.
생사로 산책이란 그런 의미이다.

한 사명자의 '수명도식'과 '생애년표'는 또 다른 사명자를 부른다.
생명의 차원과 사명의 차원, 이렇게 두 방향으로 부르며,
그 방향을 따라가게 되면 사명자들의 흐름을 따라 역사도 흐른다.

또한, 우리들의 산책로가 만일 재생의 생사로로 들어선다면,
이 길은 곧바로 과거와 현재 그리고 미래로 흘러가는 길이 된다.
'생사로'가 재생과 윤회의 길인 이유이기도 하다.

그리고,
우리들의 산책길은 마침내
생명과 의미와 목적과 방향성을 지닌
살아있는 역사로 이어지게 되고
역사가 살아있음은 그 속에 무수한 사명자들이 살아 있기 때문이요
그들 사명자를 어제도 오늘도 내일도 살게하는 이는
그들을 부르고 인도하시는 분이자
그들 사명자들의 고백에 의하면
소리없이 역사를 인도하시는 신(神)이자 '하나님'이라 하고,
그 '신'(神)의 역사를 그들은 '섭리사'(攝理史)라 칭한다.

생사로 – 루터 Luther

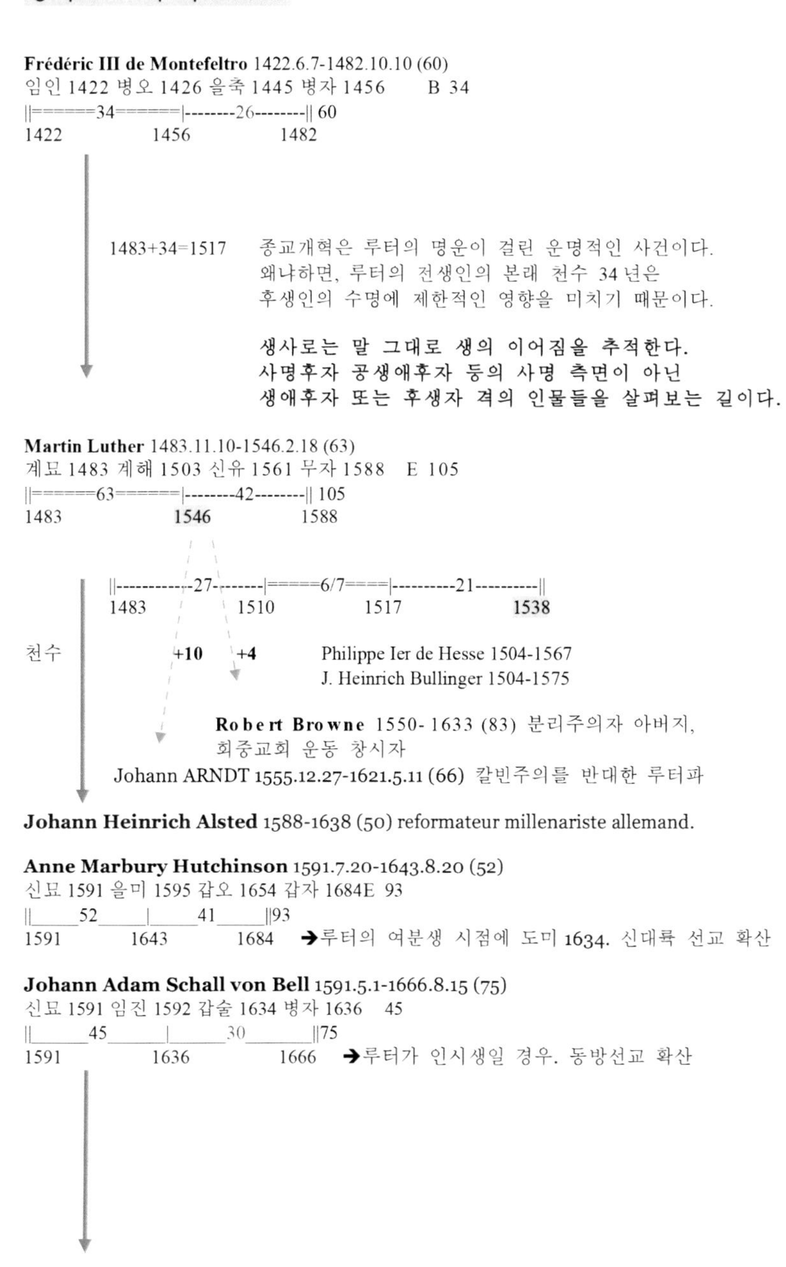

Frédéric III de Montefeltro 1422.6.7-1482.10.10 (60)
임인 1422 병오 1426 을축 1445 병자 1456 B 34
||======34======|--------26--------|| 60
1422 1456 1482

1483+34=1517 종교개혁은 루터의 명운이 걸린 운명적인 사건이다.
왜냐하면, 루터의 전생인의 본래 천수 34 년은
후생인의 수명에 제한적인 영향을 미치기 때문이다.

생사로는 말 그대로 생의 이어짐을 추적한다.
사명후자 공생애후자 등의 사명 측면이 아닌
생애후자 또는 후생자 격의 인물들을 살펴보는 길이다.

Martin Luther 1483.11.10-1546.2.18 (63)
계묘 1483 계해 1503 신유 1561 무자 1588 E 105
||======63======|--------42--------|| 105
1483 1546 1588

||-----------27--------|=====6/7====|----------21----------||
1483 1510 1517 1538

천수 **+10** **+4** Philippe Ier de Hesse 1504-1567
J. Heinrich Bullinger 1504-1575

Robert Browne 1550- 1633 (83) 분리주의자 아버지,
회중교회 운동 창시자
Johann ARNDT 1555.12.27-1621.5.11 (66) 칼빈주의를 반대한 루터파

Johann Heinrich Alsted 1588-1638 (50) reformateur millenariste allemand.

Anne Marbury Hutchinson 1591.7.20-1643.8.20 (52)
신묘 1591 을미 1595 갑오 1654 갑자 1684E 93
||____52____|____41____||93
1591 1643 1684 ➔루터의 여분생 시점에 도미 1634. 신대륙 선교 확산

Johann Adam Schall von Bell 1591.5.1-1666.8.15 (75)
신묘 1591 임진 1592 갑술 1634 병자 1636 45
||______45______|______30______||75
1591 1636 1666 ➔루터가 인시생일 경우. 동방선교 확산

Gottfried Arnold 1666.9.5-1714.5.30 (48) 루터교 신학자, 교회사가

Jean CAVALIER 1676-1749 (73) Sauve 출신 까미자르 예언자.
나중 영국에서 *French Prophets* 로 유명하다.

생사로 – 칼빈 Calvin

Wessel Gansfort 베셀 한스포르 1419-1489.10.4 (70)

루터와 쯔빙글리도 인정한 종교 개혁사상의 효시 중 한 사람. 네덜란드인.
1450 년 경 빠리에서 20 년간 활동하며 루터의 저서를 처음 소개했다

Jean Calvin 칼빈 1509.7.10- 1564.5.27+/4.8- 55
기사 1509 신미 1511 갑술 1514 갑자 1564 C
||_____55_____|_____0_____||55
1509 1564 1564

1564.5.27+ = 4.8-
1575.5.27+ = 4.8- ➔ 칼빈의 사년과 뵈메의 생년 교차 대입 결과 음양력이 일치

Böhme Jakob 뵈메 1575.3.8 - 1624.11.17 49
을해 1575 기묘 1579 병진 1616 무자 1648 C 73
||_____49_____|_____24_____||73
1575 1624 1648

Philipp Jacob Spener 1635.1.13-1705.2.5 (70) 경건주의 아버지
갑술 1634 정축 1637 정축 1697 경자 1720B 86
||_____70_____|_____16_____||86
1635 1705 1720

[천수종결년에 따른 후보]

Jeanne Marie Bouviere de la Motte Guyon 1648.4.13-1717.6.9 (69)
무자 1648 병진 1676 병진 1736 무자 1768+ 120
||_____69_____|_____51_____||120
1648 1717 1768

프랑스의 신비주의 여성 철학자

Kuhlmann, Quirinus 1651.2.25-1689.10.4 (38)
신묘 1651 경인 1710 갑신 1764 갑자 1804 153
||_____38_____|_____115_____||153
1651 1689 1804

독일 시인이자 신비주의자. 천년주의자. 왕정과 교황제도를 부인하고
천년왕국을 건설하려는 과격한 사상으로 인해 모그크바에서 화형당함.

Francois S.M. Fénelon 1651.8.6-1715.1.7 (64)
신묘 1651 을미 1655 병인 1686 무자 1708 D 57
||_____57_____|_____7_____||64
1651 1708 1715

뻬리고르 지방 페넬롱 성에서 태어나 캄브라이에서 서거.
마담 귀용과 함께한 신비주의 철학자 캄브라이 주교 (1695-97)

생사로 – 콜리니 Coligny

[전생자 후보군]

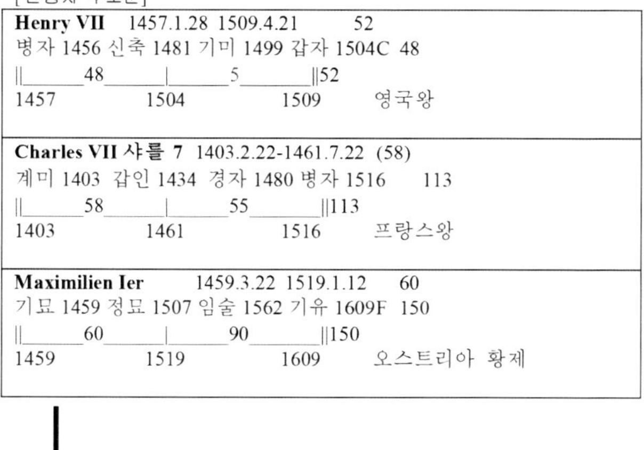

Henry VII 1457.1.28 1509.4.21 52
병자 1456 신축 1481 기미 1499 갑자 1504C 48
||______48______|______5_______||52
1457 1504 1509 영국왕

Charles VII 샤를 7 1403.2.22-1461.7.22 (58)
계미 1403 갑인 1434 경자 1480 병자 1516 113
||______58______|______55_______||113
1403 1461 1516 프랑스왕

Maximilien Ier 1459.3.22 1519.1.12 60
기묘 1459 정묘 1507 임술 1562 기유 1609F 150
||______60______|______90_______||150
1459 1519 1609 오스트리아 황제

↓

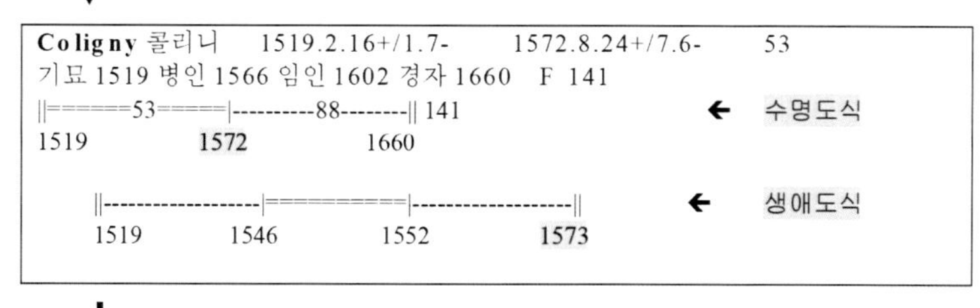

Coligny 콜리니 1519.2.16+/1.7- 1572.8.24+/7.6- 53
기묘 1519 병인 1566 임인 1602 경자 1660 F 141
||======53=====|----------88--------|| 141 ← 수명도식
1519 **1572** 1660

||-------------------|===========|-------------------|| ← 생애도식
1519 1546 1552 **1573**

↓ +60

Henri II de Rohan 1579.8.21+/7.19- ~ 1638.4.13 (59)
기묘 1579 임신 1632 계유 1633 임자 1672 A 93
||______59______|______34_______||93
1579 1638 1672

[참고]

Henry VII 1457.1.28-1509.4.21 (52)
영국 왕(1485-1509)으로서, 프랑스 령 Brittany 에서 영국으로 침공하여
Richard III 를 Bosworth Field 에서 격파하여 몰아낸 후 왕이 된다.
교회 제도를 정비함으로 아들 Henry VIII 헨리 8 세의 종교개혁에 기반을 제공했다

Charles VII 샤를 7 1403.2.22-1461.7.22 (58) 100 년 전쟁, 잔다르크

Maximilien Ier 1459.3.22-1519.1.12 (60) 루터 시대의 황제

Coligny 콜리니 1519.2.16+/1.7- 1572.8.24+/7.6- 53 종교개혁 시대 프랑스 개신교 군사 지도자

Henri II de Rohan 1579.8.21+/7.19- ~ 1638.4.13 (59)
프랑스 브루따뉴 지방의 귀족. 개신교도를 박해하는 왕권에 대항하여
종교전쟁의 최선봉에 섰던 위그노 지도자

생사로 - 콜리니의 후생자 로안 경

Henri II de Rohan 1579.8.21+/7.19- ~ 1638.4.13 (59)
기묘 1579 임신 1632 계유 1633 임자 1672 A 93
||______59______|______34________||93
1579 1638 1672

1638- 34/33=1604/5 생애후자

Roger Williams 1603/4.1.27- 1684.3 (79/80)

천수종결

[후생자 그룹] 까미자르난으로 연결됨을 보여준다

후생자 후보군	후생자의 후생자 후보군
Jean CAVALIER 1676-1749 (73) Sauve 출신 까미자르 예언자.	**+10** **Anne Cutler** 1759-1794.12.29 (35)
Abraham MAZEL 1677.11.5-1710 (33) 정사 1677 경술 1730 갑인 1724 갑자 1744 67 ||______33______|______34________||67 1676 1710 1744	**+60** **Ann Lee Standerlin** 1736.2.29-1784.9.8 (48)
Elie Marion 1678.5.31-1713.11.29+/10.12- (35) 무오 1678 정사 1737 신사 1761 무자 1768 90 ||______35______|______55________||90 1678 1713 1768	Freidrich Schleiermacher 1768-1834 (66) Joshua Marshman 1768.4.20-1837.12.5 (69) William Ward 1769.10.20-1823.3.7 (54) William Jay 1769.5.8-1853.12.27 (84)
Jean Cavalier 1681.11.28-1740.5.17+/4.22- (59) 까미자르 군사지도자. 신유 1681 기해 1719 무술 1778 임자 1792+ D 111 ||______59______|______52________||111 1681 1740 1792	Henry Havelock 1795.4.5-1857.11.24 (62) **Elijah C. Bridgman** 1801.4.22-1861.11.2 (60) Karl Gutzlaff 1803.7.8-1851.8.9 (48)

[참고]
Roger Williams 1603/4.1.27- 1684.3 (79/80) 로드아일랜드 식민지 개척.
Jean CAVALIER 1676-1749 (73) Sauve 출신 까미자르 예언자. 나중 영국에서 *French Prophets* 로 유명해졌다
Abraham MAZEL 1677.11.5-1710 (33) 까미자르 무장 항쟁의 핵심 지도자
Elie Marion 1678.5.31-1713.11.29+/10.12- (35) 까미자르 영적 지도자
Jean Cavalier 1681.11.28-1740.5.17+/4.22- (59) 까미자르 군사 지도자. 예언자 까발리에와 동명이인.
Ann Lee Standerlin 1736.2.29-1784.9.8 (48) 쉐이커 창시자
Anne Cutler 1759-1794.12.29 (35) 영국 감리교 여성 부흥 설교가. 수직공 출신
Freidrich Schleiermacher 1768-1834 (66) 독일의 신학자
Joshua Marshman 1768.4.20-1837.12.5 (69) 영국 침례교 인도 선교사
William Ward 1769.10.20-1823.3.7 (54) 인쇄업자에서 인도 선교에 생을 투입
William Jay 1769.5.8-1853.12.27 (84) 영국 Bath 의 Argyle Chapel 회중교회 목사.
Henry Havelock 1795.4.5-1857.11.24 (62) 영국 군인. 인도 원정 중 영적 체험을 했으며, 버마 전투(1824-26)와 아프간 전투(1838-42)에서 혁혁한 공을 세운 후 1854 년 장군이 된다. 페르시아 전투를 이끌었으며 (1856-57) 영국군대 내 인도 용병들인 세포이 반란 시에 정병 1000 으로 인도군 5000 을 격파하는 와중에 심한 이질로 사망했다.
Elijah C. Bridgman 1801.4.22-1861.11.2 (60) 아메리카 첫 개신교 중국 선교사
➔ 1740.5.17+/4.22- [쟝까발리에와 생몰정보 일치]
Karl Gutzlaff 1803.7.8-1851.8.9 (48) 중국 선교사, 중국학자

전반적인 흐름이, 종교개혁 시기의 프랑스 위그노로부터 까미자르 난으로 이동하며,
유럽 대륙에서 영국을 거쳐 신생 아메리카로 나아간다.

생사로 - 야콥 뵈메

Jean Calvin 칼빈 1509.7.10- 1564.5.27+/4.8- 55
기사 1509 신미 1511 갑술 1514 갑자 1564 C
||______55______|_____0______||55
1509 1564 1564

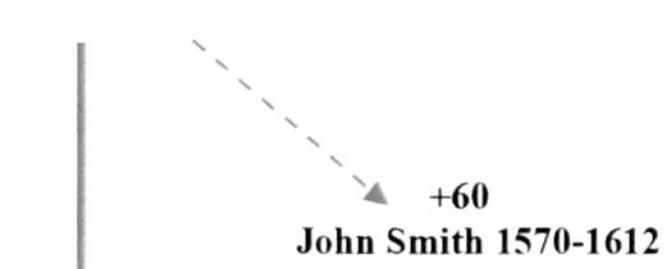

1564.5.27+ = 4.8- / 1575.5.27+ = 4.8-
1575.4.24- = 6.12+ / 1564.4.24-= 6.12+
➔ 서로의 년도에 교차 대입한 결과가 음양력이 일치.
생몰정보의 유사성으로 인해 칼빈의 후생자는 쟈콥 뵈메로 볼 수 있음.

Jakob Boehme 1575.4.24-1624.11.17 (49) 을해 1575 경진 1580 계묘 1603 임자 1612 G 37 ||______37______|______12_______||49 1575 1612 1624	신비주의 운동 선구(17-8 세기). 죠지팍스(1624-1691)에게 영향

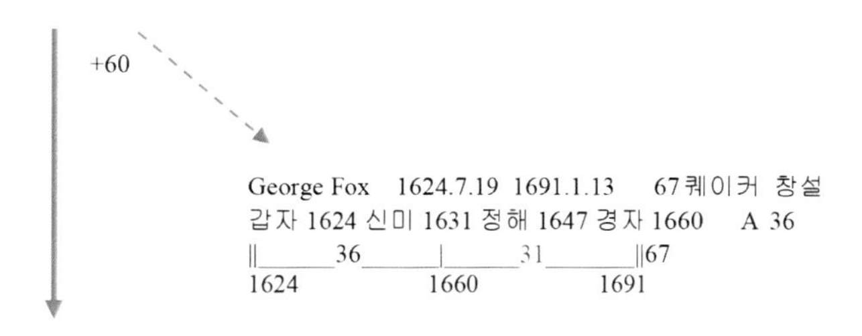

Philipp Jacob Spener 1635.1.13-1705.2.5 (70)
갑술 1634 정축 1637 정축 1697 경자 1720B 86
||______70______|_____16______||86
1635 1705 1720

경건주의 아버지, 1670 경건의 모임 구성.
1675 년 경건주의 교과서 Pia desideria 를 통해
이신득의에 집착하여 성화를 무시한 루터 비판.
칭의를 강조함으로 칼빈주의에 가까움.
계시록 종말론을 신봉함으로 당대에 종말이 도래할 것으로 믿음.

생사로 – 루이즈 콜리니

루이즈는 프랑스 개신교 군사 지도자인 콜리니 제독의 딸이다.

Louise de Chatillon-Coligny 1555.9.23-1620.11.13 (65)
을묘 1555 을유 1585 경인 1590 병자 163681
||______65______|______16_______||81
1555 1620 1636

1620.11.13+/10.20- 1644.10.14+ = 9.14-
1644.11.13+ = 9.13-
루이즈의 양력 서거일을 윌리엄팬의 생년에 대입하여 구한 음력날짜와 팬의 음력 생일이 거의 일치한다.

+3/4 +0/1

Françoise-Marie Jacquelin 1621-1645 (24)
ép. Charles de Saint-Etienne de La Tour 1593-1666 Canada

천수종결

+0/1

George Fox 1624.7.19-1691.1.13 (67)
갑자 1624 신미 1631 정해 1647 경자 1660A 36
||______36______|______31_______||67
1624 1660 1691

퀘이커 창시자, 뵈메의 사년에 탄생. 내면의 빛을 중시하며,
그것은 이성이나 원칙이나 도덕과는 다른, 하나님이 주신 능력.
서로를 친구들이라 불렀기에, '빛의 자녀들' 또는 '친구들'이라 불리었다.

Madeleine de Roybon d'Allone 1646-1718.1.17 (72)
à Montréal une des première femmes en Nouvelle-Franc
Robert de La Salle 1643-1687

William Penn 1644.10.14-1718.7.30 (74)
갑신 1644 갑술 1694 기해 1719 무진 1748 F 104
||______74______|______30_______||104
1644 1718 1748

영국 퀘이커. 팬실바니아 설립자. 죠지팍스의 후계자

Jeanne Marie Bouviere de la Motte Guyon 1648.4.13-1717.6.9 (69)
무자 1648 병진 1676 병진 1736 무자 1768+ E 120
||______69______|______51_______||120
1648 1717 1768

마담 귀용, 신비주의자. 루이즈와 동향인 Montargis 에서 태어나
Blois 에서 서거. 정적주의를 프랑스에 도입

생사로 - 안 마버리 허친슨

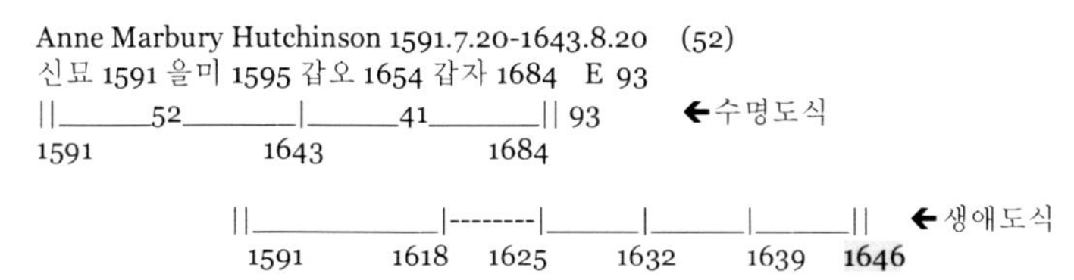

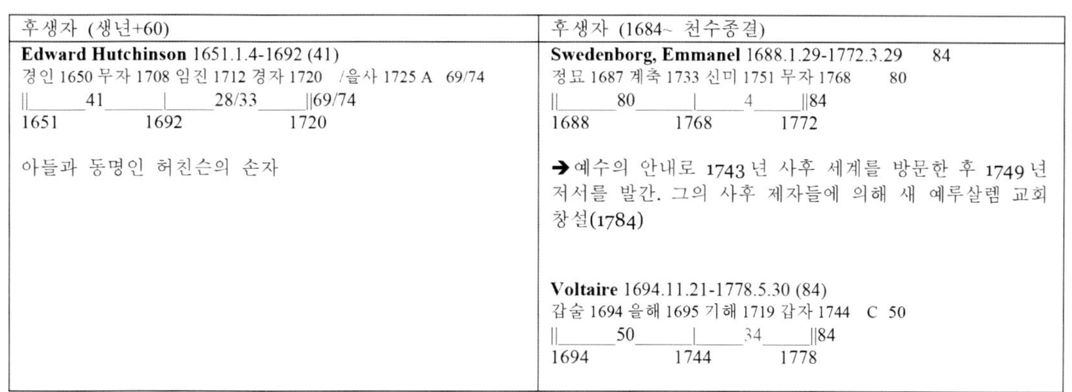

후생자 (생년+60)	후생자 (1684~ 천수종결)
Edward Hutchinson 1651.1.4-1692 (41) 경인 1650 무자 1708 임진 1712 경자 1720 /을사 1725 A 69/74 ||______41______|_____28/33_____||69/74 1651 1692 1720 아들과 동명인 허친슨의 손자	**Swedenborg, Emmanel** 1688.1.29-1772.3.29 84 정묘 1687 계축 1733 신미 1751 무자 1768 80 ||______80______|_____4_____||84 1688 1768 1772 ➔예수의 안내로 1743 년 사후 세계를 방문한 후 1749 년 저서를 발간. 그의 사후 제자들에 의해 새 예루살렘 교회 창설(1784) **Voltaire** 1694.11.21-1778.5.30 (84) 갑술 1694 을해 1695 기해 1719 갑자 1744 C 50 ||______50______|_____34_____||84 1694 1744 1778

허친슨의 후생자는 두 갈래로 나뉘어졌다. 곧 '분령' 현상이 나타났다.
단명이었기에 기존의 재생법칙 +60 을 통해 친족 내에서 재생이 이루어졌고,
천수종결년도를 경과한 후에는 사명 차원의 재생으로 구현되었다.

1591.7.20 영국 Alford 에서 목사의 딸로 출생. 부친은 강직한 성품으로 인해 상부의 미움을 받아 여러차례 투옥된 경력을 지녔다. 열다섯 형제 중 세째였다.
1605 청교도 교육을 받으며 자라다가, 이 해 가족이 런던으로 이사.
1612.8.9 21 살 나이로 평소 알고 지내전 상인 William Hutchinson 과 결혼.
John Cotton (1585-1652) 목사 보스톤 부임
1620.11.9 메리플라워 아메리카 대륙 상륙
1620.12.21 메사츄세츄 Plymouth 식민지 개척
1632 허친슨에게 많은 영향을 끼친 John Coton 목사 앙글리칸 교회에서 축출
이듬해 뉴잉글랜드로 이주. 로저윌리엄스를 배척한 것으로 유명.
1634 남편 William Hutchinson (1586-1641)과 10 아이들을 데리고 1634 년 뉴잉글랜드로 이주.
1637 교리적인 논쟁으로 인한 재판에 회부되어 이단 판결을 받아 추방됨.
1638 메사츄세츠 식민지에서 추방된 후 그녀를 추종하는 35 인 가족을 데리고
로저 윌리엄스가 개척한 로드 아일랜드 포츠머스로 갔다.
1641 남편이 죽은 직후 다시금 지금의 뉴욕인 뉴네덜란드로 이동했다가 인디언 전쟁에 휩쓸려 이미 독립한 첫째 아들 Edward 와 출가한 딸 Faith, Brifget 를 제외한 나머지 아이들과 함께 인디언에게 피살되었다. 당시 가장 어린 Susanna 는 살아남아 인디언들에 길러지다가 몇년 후 풀려나 Cole 과 결혼.

20 년 후 되돌아온 그녀의 지지자 중 한 사람인 Mary Barette Dyer(1610-1660)도 결국 교수형에 처해짐으로, 퀘이커 신앙으로 인한 유일한 여성 순교자가 되었다.

생존한 장남인 Edward (1613-1675)는 다시금 메사츄세츠로 돌아갔고
거기서 가정을 이루어 두명의 부인을 통해 11 명의 자식을 두었고,
군인으로 활약하다가 인디언 전쟁 시 부상으로 인해 사망.

그의 후손으로는 메사츄세츠 장관인 Thomas 를 비롯하여
루즈벨트와 두 부시 대통령 등 세 명의 대통령이 배출되었다.

안 마버리 허친슨의 재생 구조도

Anne Marbury Hutchinson 1591.7.20-1643.8.20 (52)
신묘 1591 을미 1595 갑오 1654 갑자 1684E 93
||_____52______|_____41______|| 93
1591 1643 1684

William Hutchinson 1586-1641 (56) 허친슨의 남편

Edward Hutchinson 1613-1675 (62) 생존한 장남. 두 부인과의 사이에 11 명의 자녀를 둠

1/ Katherine Hamby (?-1649.6.10)

Elishua 1637.11.5- died young
Elizabeth 1639-1728
Elisha 1641-1717
Anne 1643-1717
+60 **William** 1645.1.18- died young ➔ 조부 윌리엄의 후생
Katherine 1648.5.14- died young
Susanna 1649-1716

2/ Abigail Button

Edward 1651.1.4-1692 unmarried ➔ 조모 허친슨의 후생
Katherine 1653-1730
Benjamin 1656.6.2- died young
Hannah 1658.5.16-

Edward Hutchinson 1651.1.4-1692 (41) 아들과 동명인 허친슨의 손자
경인 1650 무자 1708 임진 1712 경자 1720/을사 1725 A69/74
||_____41______|_____28/33_____|| 69/74
1651 1692 1720

1684 천수종결

Swedenborg, Emmanel 1688.1.29-1772.3.29 84
정묘 1687 계축 1733 신미 1751 무자 1768 80
||______80______|_____4_____||84
1688 1768 1772

안마리 허친슨의 가계 내에서의 재생의 흐름을 보여주는 도표이다.
특이한 점은, 여성으로서는 감당하기 힘든 고난의 삶을 살았던 허친슨은,
후일 성을 바꾸어 자신의 손자로 태어났다.
재생 과정에서 성이 바뀌는 것은 매우 드문 경우에 속하며,
하늘만이 아시는 특별한 사연이 있어야만 가능하다.

그의 남편 윌리엄 역시 자신의 손자로 재생하였다.
마리 허친슨은 유일한 혈육인 장남의 둘째 부인의 아들로
그리고 남편은 첫째 부인의 아들로 각각 환생했다.
안마리의 후생인인 손자 에드워드는 일생 독신으로 살았으며
성을 바꾸어 환생했을 경우 흔히 일어나는 현상이다.

생사로 - 로저 윌리엄스

전생자 후보

Robert Harrisson 1543-1584 (41) 회중교회 창시자. Robert Browne 와 함께
Norwich 교회 설립.

+60

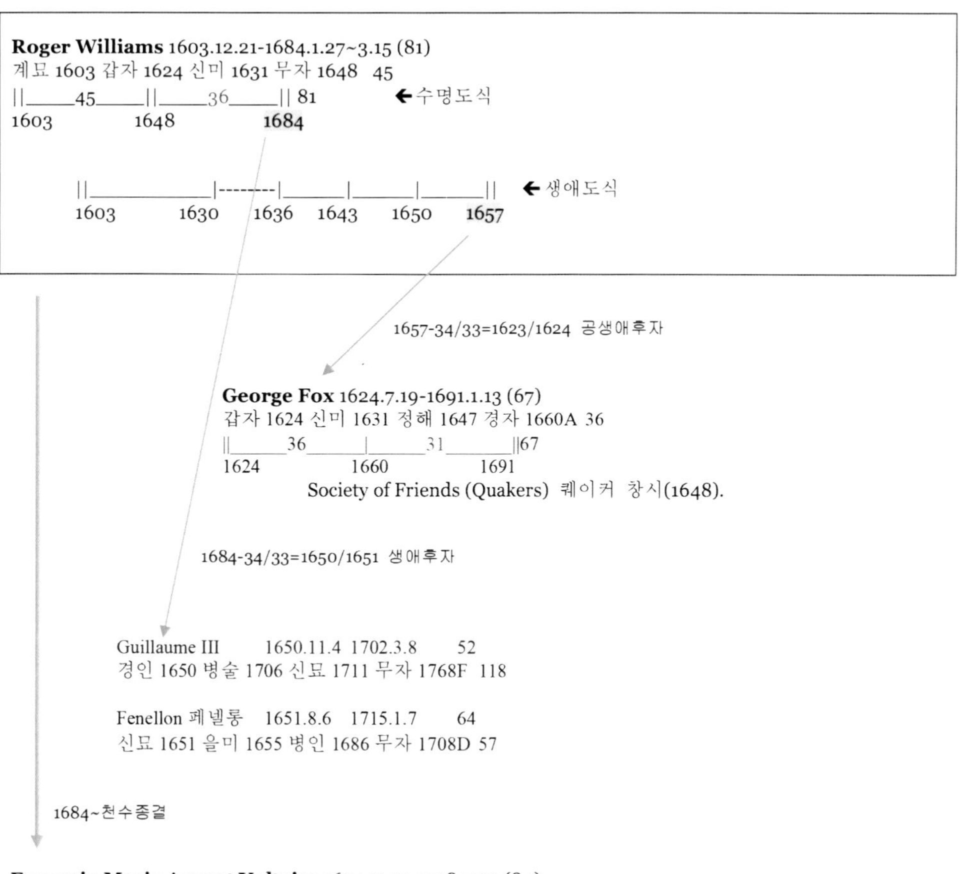

Roger Williams 1603.12.21-1684.1.27~3.15 (81)
계묘 1603 갑자 1624 신미 1631 무자 1648 45
||____45____||____36____|| 81 ← 수명도식
1603 1648 **1684**

||__________|--------|_____|_____|_____|| ← 생애도식
1603 1630 1636 1643 1650 **1657**

1657-34/33=1623/1624 공생애후자

George Fox 1624.7.19-1691.1.13 (67)
갑자 1624 신미 1631 정해 1647 경자 1660A 36
||____36____|____31____||67
1624 1660 1691
Society of Friends (Quakers) 퀘이커 창시(1648).

1684-34/33=1650/1651 생애후자

Guillaume III 1650.11.4 1702.3.8 52
경인 1650 병술 1706 신묘 1711 무자 1768F 118

Fenellon 페넬롱 1651.8.6 1715.1.7 64
신묘 1651 을미 1655 병인 1686 무자 1708D 57

1684~천수종결

Francois-Marie Arouet Voltaire 1694.11.21-1778.5.30 (84)
갑술 1694 을해 1695 기해 1719 갑자 1744C 50
||____50____|____34____||84
1694 1744 1778 ➔ 이성과 상식, 인권과 국민권리를 주창. 대혁명 선구자.

Swedenborg, Emmanel 1688.1.29-1772.3.29 84 ➔앞에서 허친슨과도 연결시켰다
정묘 1687 계축 1733 신미 1751 무자 1768 80
||____80____|____4____||84
1688 1768 1772

Roger Williams 1603.12.21-1684.1.27~3.15 (81)
계묘 1603 갑자 1624 신미 1631 무자 1648 45
||____45____||____36____|| 81 ← 수명도식
1603 1648 1684

||__________|--------|______|______|______|______|| ← 생애도식
1603 1630 1636 1643 1650 1657

1602/3 런던 태생. 캠브리지 신학자 목회자.
1602 년생이든 1603 년생이든 다 단명의 운을 타고났다.

1629 Mary Bernard 1609.9.24-1683.4.1 (74)와 결혼

1630 국교회에 실망, 메사추세츠 식민지와 보스턴 이주.
정교 분리에 대한 과격한 입장으로 교권과 충돌.
예배의 자유와 아메리카 원주민인 인디언들의 권리를 인정.
그들을 존중하며 대지도 구입.

1635 수년간의 식민지 당국과 교회와의 충돌로 인해
John Cotton 에 의해 교회에서 축출됨.

1636 Rhode Island 식민지 개척. 종교 박해에 반대하고 정치적 독립을 보장받는
Providence 프로비던스 식민지를 1636 년 손수 개척한다.
신의 섭리로 그곳에까지 왔음을 고백하는 의미이며
그곳에서 처음 태어난 세째의 이름도 동일하게 지었다.

1637 마사추세츠에서 추방된 Anne Hutchinson 일행과 John Clarke 가 합류했다.

1639 아메리카 최초의 침례교회를 설립. 이후 정형화된 교회당국과의 관계를 끊고
비정형화된 신앙체를 조직 오직 성경과 기독교에 대한 근본신앙을 중시하게 된다.

1644 영국 정부로부터 정식 식민지로 인정받았으며,

1651-54 영국을 방문해 올리버 크롬웰의 전폭적인 지지를 얻고 로저스의 업적이 인정받는다.
그는 아메리카의 진정한 퓨리턴이었으며 그 어느 교단에도 속하지 않은
독립적 복음주의 기독교인의 삶을 살았다.

부인 Mary Bernard 와의 사이에 여섯 자녀를 두었다.
[Mary, Freeborn, Providence, Mercy, Daniel, Joseph]

[참고] 부인의 수명도식

Mary Bernard 1609.9.24-1683.4.1 (74)
기유 1609 계유 1633 을해 1635 병자 1636 27
||____27____||____47____|| 74
1609 1636 1683

➔부부 양인이 모두 단명의 운을 타고났었기에 로저 윌리엄스 선대로부터의 수명전이가 있었거나
아니면 종교적인 특별한 사명을 통한 헌신으로 인해 수명이 연장되어 나갔음을 알 수 있다.

생사로 – 스웨덴보르그

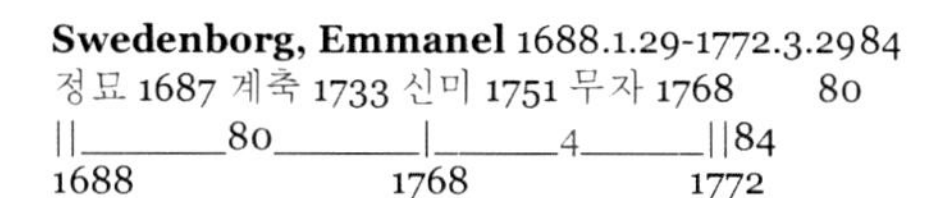

Swedenborg, Emmanel 1688.1.29-1772.3.2984
정묘 1687 계축 1733 신미 1751 무자 1768 80
||______80______|______4______||84
1688 1768 1772

예수의 인도로 1743 년 사후 세계를 방문한 후 1749 년 저서를 발간.
그의 사후 제자들에 의해 새 예루살렘 교회 창설(1784)

Abner Jones 1772.4.28-1841.5.29 (69) 4.9-
임진 1772 갑진 1784 신유 1801 무자 1828 56
||______56______|______13______||69
1772 1828 1841
신앙고백에 의한 분파를 반대해 자신이 직접 뉴잉글랜드 Christian Church 를 설립.

스웨덴보르그의 서거일인 1772.3.29 을 음력으로 놓고
양력을 구하면 4.28 을 얻을 수 있다.

J. Hudson Taylor 1832.5.21-1905.6.3 (73) 중국선교
임진 1832 을사 1845 무술 1898 임자 1912+B 80
||______73______|______7______||80
1832 1905 1912

John Ross 1842.8.9-1915.8.7 (73)
임인 1842 무신 1848 경술 1850 병자 1876 34
||______34______|______39______||73
1842 1876 1915

중국 선교사로서 만주에서 활동.
조선 선교의 문을 연 인물

[참고]

언더우드 선교사

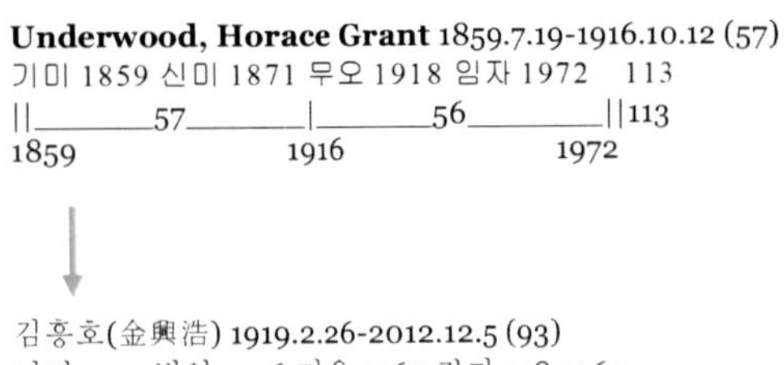

Underwood, Horace Grant 1859.7.19-1916.10.12 (57)
기미 1859 신미 1871 무오 1918 임자 1972 113
||_______57_______|_______56_______||113
1859 1916 1972

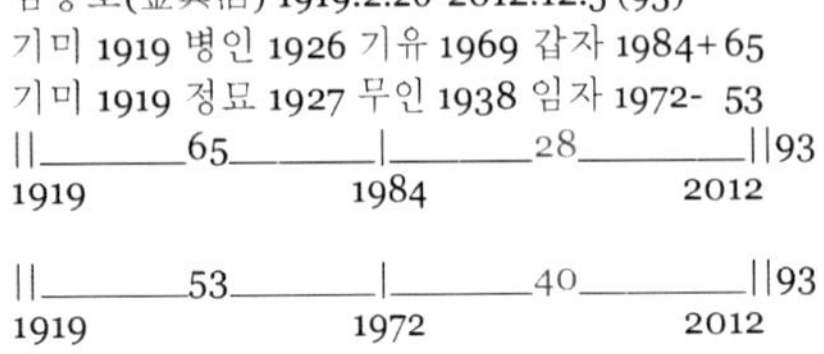

김흥호(金興浩) 1919.2.26-2012.12.5 (93)
기미 1919 병인 1926 기유 1969 갑자 1984+ 65
기미 1919 정묘 1927 무인 1938 임자 1972- 53
||_______65_______|_______28_______||93
1919 1984 2012

||_______53_______|_______40_______||93
1919 1972 2012

천수종결년도에서 유사성을 보인다

장광벽의 후생

18 조 장광벽(張光璧) 1887.7.19-1947 (60)
정해 1887 무신 1908 갑술 1934 갑자 1984- 97
||_______60______|_______37______||97
1887 1947 1984

➔ 일관도 역대조사 정보 : 1889.7.19-1947.8.15+/6.29- (58)

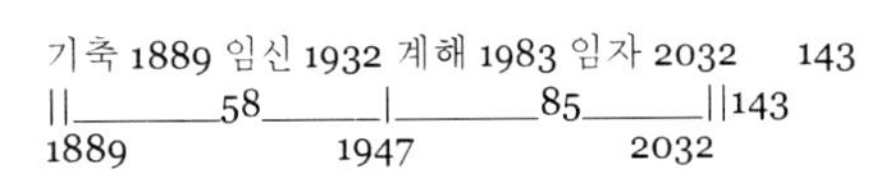

기축 1889 임신 1932 계해 1983 임자 2032 143
||_______58______|_______85______||143
1889 1947 2032

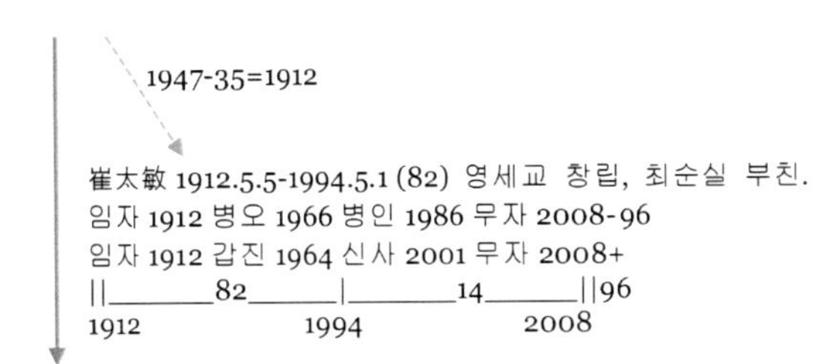

1947-35=1912

崔太敏 1912.5.5-1994.5.1 (82) 영세교 창립, 최순실 부친.
임자 1912 병오 1966 병인 1986 무자 2008-96
임자 1912 갑진 1964 신사 2001 무자 2008+
||_______82______|_______14______||96
1912 1994 2008

허경영 1947.7.13-
정해 1947 정미 1967 계사 2013 임자 2032+ 85
정해 1947 무신 1968 기묘 1999 갑자 2044-97

[참고]
濟空活佛 1129.2.2-/2.28+ ~ 1209.4.11 (80) 남송 불교 禪門 臨濟宗
기유 1129 병인 1146 경술 1190 병자 1216- 87
||_______80______|_______7______||87
1129 1209 1216
기유 1129 병인 1146 신해 1191 무자 1228+ 99 [3.1+/2.3-]

생사로 – 죠나단 에드워즈

	+59/60
Jonathan Edwards 1703.10.5-1758.3.22 (55) 계미 1703 신유 1741 무술 1778 경신 1800B 97 ||______55______|______42_______||97 1703 1758 1800	**Thomas Campbell** 1763.2.1-1854.1.4 (91) 임오 1762 계축 1793 정미 1847 경자 1900E 138 ||______92______|______46_______||138 1762 1854 1900
	1800~ 천수종결
	John Nelson Darby 1800.11.18-1882.4.29 (82) 경신 1800 정해 1827 신해 1851 갑진 1904F 104 ||_____82_____||_____22_____|| 104 1800 **1882** 1904 **Elijah C. Bridgman** 1801.4.22-1861.11.2 (60) 신유 1801 임진 1832 병술 1886 무자 188887 ||_____60_____||_____27_____|| 87 1801 **1861** 1888 아메리카 첫 개신교 중국 선교사 **Gützlaff Karl** 1803.7.8-1851.8.9 (48) 계해 1803 무오 1858 계축 1913 임자 1972G 169 ||_____48_____||_____121_____|| 169 1803 **1851** 1972 중국 선교사, 중국학자 **Jason Lee** 1803.6.28-1845.3.12 (42) 未 계해 1803 무오 1858 계묘 1903 임자 1912/기미 1919 ||____42____||____67/74____||109/116 1803 1845 1912/1919 **David Abeel** 1804.6.12-1846.9.4 (42) 갑자 1804 경오 1810 계사 1833 임자 1852 48 ||______42______|______6_______||48 1804 1846 1852 뉴져지 출신의 의대생에서 중국 버마 샴 인도네시아 말레이를 여행하며 중국어를 익히다가 중국 선교사로 전향. 1838 년 중국으로 가서 1844 년 Amoy 에 네덜란드 개혁교회를 세웠고 . 1845 년 건강 악화로 귀국 이듬해 사망

1758.3.22 = 2.14- 3.22- 4.29- 6.4- 7.8- [Gutzlaff]
1846.9.4 → 3.13 이 나온다

Jonathan Edwards 1703.10.5-1758.3.22 (55)
계미 1703 신유 1741 무술 1778 경신 1800 B 97
||________55______|______42_______||97
1703 1758 1800

+60

1800~ 천수

Thomas Campbell 1763.2.1-1854.1.4 (91)
임오 1762 계축 1793 정미 1847 경자 1900 E 138
||______92______|______46_______||138
1762 1854 1900

+4

Karl Gutzlaff 1803.7.8-1851.8.9 (48)
계해 1803 무오 1858 계축 1913 임자 1972G 169
||______48______|______121_______||169
1803 1851 1972

+60

Henry G. Appenzeller 1858.2.6-1902.1.11 (44)
무오 1858 갑인 1914 경오 1930 병자 1936+D 78
||______44_______||______34_______||78
1858 1902 1 936

+60

James Scarth Gale 1863.2.19-1937.1.31 (74)
계해 1863 갑인 1914 기유 1969 갑자 1984 121
||_____74_____||_____47_____|| 121
1863 1937 1984

||____________|--------|______|______|______||
1863 1890 1897 1904 1911 **1918**

Billy Graham 1918.11.7+/10.4- 2018.2.21 100
무오 1918 임술 1922 무오 1978 임자 2032+ E 114
||______100_______||______14_______||114
1918 2018 2032

➔ 빌리그래함의 생일인 11.7 을
아펜젤러의 서거년인 1902 에 대입하여 구한 11.3 을
다시금 1902 년에 놓고 음력을 구하면 10.4 가 나와,
빌리그래함의 생일 음력과 일치한다.
이처럼, 생몰정보의 유사성은, 표면에서 쉽게 찾을 수도 있지만
대부분 깊이 숨어있다.

생사로 – 조광조 (趙光祖)

조광조 1482.8.10-/8.23+ 1519.12.20-/1520.1.10+
임인 1482 무신 1488 갑신 1524 갑자 1564 E, B 82
||_____37_____||_____45_____|| 82
1482 **1519** 1564

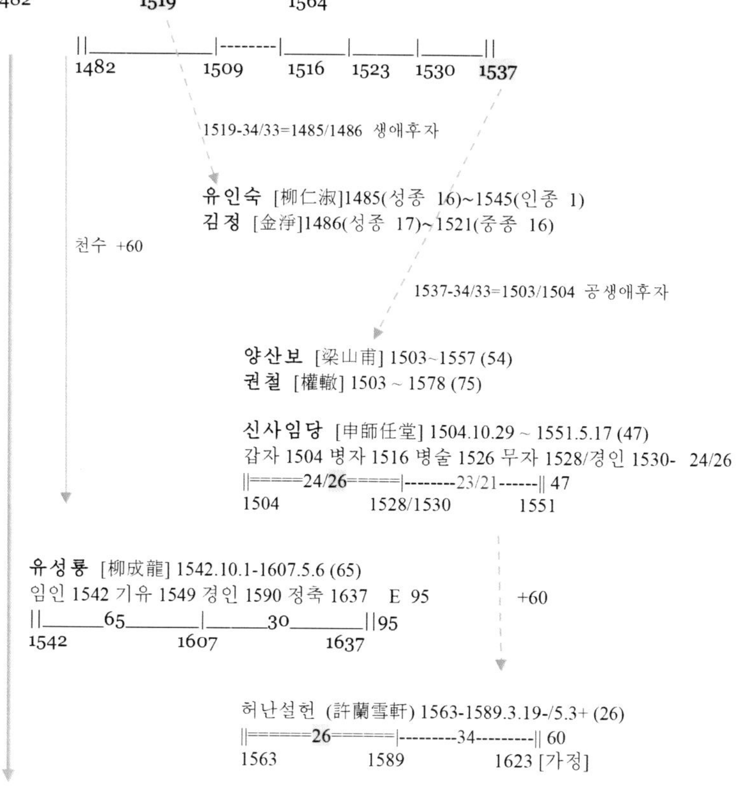

허균 [許筠] 1569.11.3 ~ 1618.8.24 (49)
기사 1569 병자 1576 임신 1632 경자 1660 91
||_____49______|_____42______||91
1569 1618 1660

조선 역사에서, 개벽을 꿈꾸었던 혁명아를 꼽으라면,
조광조와 허균을 들 수 있고, 또 허난설헌을 떠 올릴 수 있다.

조광조의 기개를 양산보가 이었고,
정치적 역량은 유성룡이 발휘했으며,
불굴의 혁명 정신은 허균이 뒤를 이었다.

신사임당과 허난설헌의 운명적인 만남도 도표는 조용히 담고있다.
허난설헌의 생일은 알려져 있지않다.
하지만, 허난설헌의 짧은 년수가 어디에서 연유된 것인지는
이제 생사이치 도표를 통해 가늠할 수 있다.

생사로 – 제임스 길무어

James Gilmour 1843.6.12-1891.5.21 (48) 몽고 선교사. 부인은 Emily Prankard -1885.9.19
계묘 1843 무오 1858 정사 1917 경자 1960 E 117

||======48=====|----------69--------|| 117 ← 수명도식
1843 **1891** 1960

||-----------27--------|======6/7=====|---------21----------|| ← 생애도식
1843 1870 1877 **1898**

+60

길모어 [Gilmore, George William 1858.5.12-1933] 75
무오 1858 정사 1917 을사 1965 병자 1996 G 138

||======75=====|---------63---------|| 138
1858 1933 1996

||---------------------|=============|----------------------||
1858 1885 1891/2 1912/3

Marshall Broomhall 1866.7.17-1937.10.24 (71)
병인 1866 을미 1895 계사 1953 임자 1972 106

||======71=====|---------35--------|| 106
1866 **1937** 1972

Watchman Nee 1903.11.4-1972 (69)
계묘 1903 임술 1922 병신 1956 무자 2008 E 105

||======69=====|----------36--------|| 105
1903 1972 2008

||---------------------|=============|----------------------||
1903 1930 **1937** 1958

참고 1

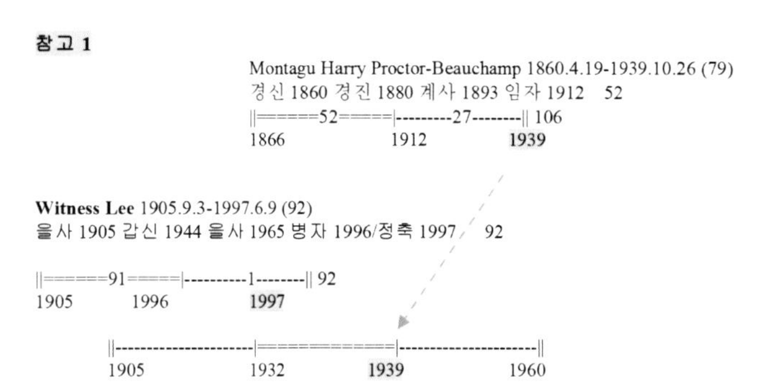
Montagu Harry Proctor-Beauchamp 1860.4.19-1939.10.26 (79)
경신 1860 경진 1880 계사 1893 임자 1912 52

||=====52=====|---------27--------|| 106
1866 1912 **1939**

Witness Lee 1905.9.3-1997.6.9 (92)
을사 1905 갑신 1944 을사 1965 병자 1996/정축 1997 92

||======91=====|----------1--------|| 92
1905 1996 **1997**

||---------------------|=============|---------------------||
1905 1932 **1939** 1960

생사로-강증산(姜甑山)

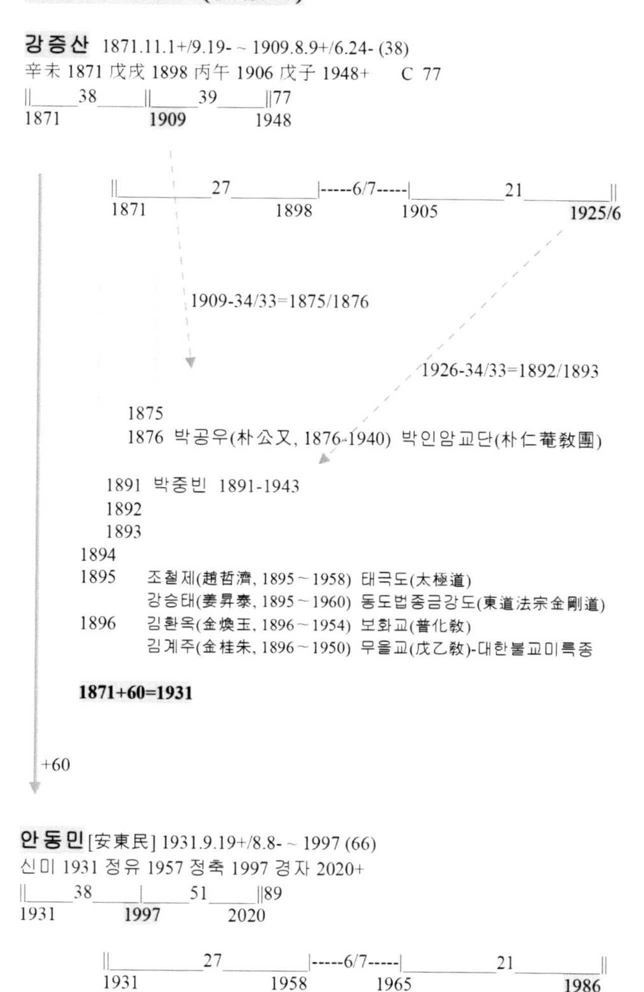

강증산의 음력 생일과 안동민의 양력 생일은 동일하다.
강증산은 단명이었기에 +60 법칙이 적용되었다.

(2) 생사로 산책 2

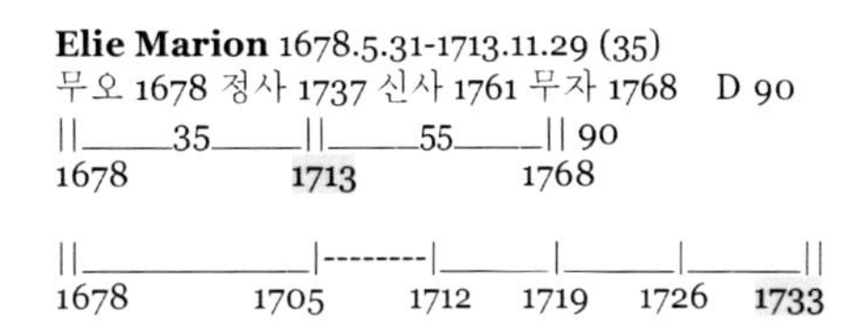

Elie Marion 1678.5.31-1713.11.29 (35)
무오 1678 정사 1737 신사 1761 무자 1768 D 90
||____35____||____55____|| 90
1678 1713 1768

||__________|--------|_____|_____|_____||
1678 1705 1712 1719 1726 1733

1713-34/33=1679/1680 생애후자	1733-34/33=1699/1700 공생애후자
Alexander Mack 1679.7.27-1735.2.19 (56) 기미 1679 신미 1691 계미 1703 임자 1732 53 ||____53____||____3____|| 56 1679 1732 1735	Zinzendorf, Nikolaus-Ludwig von 1700.5.26-1760.5.9 (60) 경진 1700 신사 1701 신미 1751 경자 1780 B 80 ||____60____||____20____|| 80 1700 1760 1780
1678+59/60=1737/1738 후생자(재생법칙)	1768~ 후생자(천수종결)
Joseph Willard 1738.12.29-1804.9.25 (66) 무오 1738 갑자 1744 정묘 1747 경자 1780 42 ||____42____||____24____|| 66 1738 1780 1804 Dan Taylor 1738.12.21-1816.12.2 (78) 무오 1738 갑자 1744 기미 1799 갑자 1804 66 ||____66____||____12____|| 78 1738 1804 1816	Joshua Marshman 1768.4.20-1837.12.5 (69) 무자 1768 병진 1796 임진 1832 경자 1840 72 ||_____69_____|_____3_____||72 1768 1837 1840 William Ward 1769.10.20-1823.3.7 (54) 기축 1769 갑술 1814 경자 1840 병자 1876 107 ||_____54_____|_____53_____||107 1769 1823 1876 인쇄업자에서 인도 선교에 생을 투입한 영국인. 1799 년 인도 선교사 캐리의 인도 복음화 운동을 돕자는 후원 운동에 응해 인도로 가 출판업을 도왔다. Carey, Marshman 과 함께 인도 선교 쎄람포 트리오를 구성. Mary Fountain 미망인과 인도에서 결혼. 1800 년부터 1823 년 서거하기까지 인도 선교 사업에 헌신했다. William Jay 1769.5.8-1853.12.27 (84) 기축 1769 기사 1809 을묘 1855 병자 1876 107 ||_____84_____|_____23_____||107 1769 1853 1876 영국 Bath 의 Argyle Chapel 회중교회 목사 (1791-1853). Tisbury 생 Bath 에서 서거

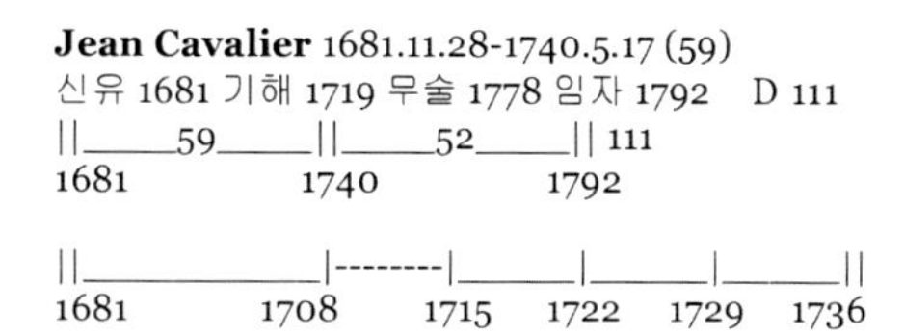

1740-34/33=1706/1707	1736-34/33=1702/1703
Benjamin Franklin 1706.1.17-1790.4.17 (84) Charles Wesley 1707.12.18-1788.3.29 (81)	1702-1704 Guerre des camisards. John Wesley 1703.6.17-1791.3.2 (88) Jonathan Edwards Sr. 1703.10.5-1758.3.22 (55)
1681+59/60=1740/1741 1740+3/4=1743/1744 1740+9/10=1749/1750	1792~
Johann K. Lavater 1741.11.15-1801.1.2 (60) Jean-Bon St. André 1749-1813 (64) 권상연 [權尙然]1750 ~ 1791 (41)	**Elijah C. Bridgman** 1801.4.22-1861.11.2 (60) 신유 1801 임진 1832 병술 1886 무자 1888 87 ||____60____||____27____|| 87 1801 1861 1888 아메리카 첫 개신교 중국 선교사 **John Nelson Darby** 1800.11.18-1882.4.29 (82) 경신 1800 정해 1827 신해 1851 갑진 1904 F 104 ||____82____||____22____|| 104 1800 1882 1904 **Gützlaff Karl**1803.7.8-1851.8.9 (48) 계해 1803 무오 1858 계축 1913 임자 1972 G 169 ||____48____||____121____|| 169 1803 1851 1972 **Jason Lee** 1803.6.28-1845.3.12 (42) 未 계해 1803 무오 1858 계묘 1903 임자 1912/기미 1919 ||____42____||____67/74____||109/116 1803 1845 1912/1919

쟝까발리에의 서거일 1740.5.17(+) 을 음력으로 환산한 날짜 4.22 (-)은 엘리야 브릭만의 양력 생일과 일치한다. 전후생자 간의 연속성에 해당한다. 이렇게 전 후생자 사이에 연속성이 현저하면 전 후생자로 특정할 수 있으며 전후생자를 계속 추적해 나가는 작업이 바로 '생사로' 산책이기도 하다.

Zinzendorf, Nikolaus-Ludwig von 1700.5.26-1760.5.9 (60)
경진 1700 신사 1701 신미 1751 경자 1780 B 80
||____60____||____20____|| 80
1700 1760 1780

||__________|--------|_____|_____|_____||
1700 1727 1734 1741 1748 1755

생애후자 1760-34/33=1726/1727	공생애후자 1755-34/33=1721/1722
Christian F. Schwartz 1726.10.26-1798.2.13 (72) 병오 1726 무술 1778 경신 1800 병자 1816 90 ||____72____||____18____|| 90 1726 1798 1816	Samuel Hopkins 1721.9.17-1803.12.20 (82) 신축 1721 정유 1777 을묘 1795 병자 1816 95 ||____82____||____13____|| 95 1721 1803 1816
후생자 1760+3/4=1763/1764 1760+9/10=1769/1770	후생자 1780~
Thomas Campbell 1763.2.1-1854.1.4 (91) William Ward 1769.10.20-1823.3.7 (54) Georg Wilhelm Friedrich Hegel 1770.8.27-1831.11.14 (61) **William Jay** 1769.5.8-1853.12.27 (84) 기축 1769 기사 1809 을묘 1855 병자 1876 107 ||_____84_____|_____23_____||107 1769 1853 1876	**Robert Maurrison** 1782.1.5-1834.8.1 (52) 신축 1781 경자 1840 경신 1860 병자 1876 F 105 ||_____52_____|_____42_____||105 1782 1834 1876

'중생'과 '성결'의 전통적인 웨슬러 정신 계승, 감리교 창설 2 인 중 하나.
여기에다가 과격파는 '신유'와 '재림'을 성서의 중심사상으로 보고 덧붙임. ➔ 사중복음, 완전한 복음, 순복음

진젠도르프는 엘리마리용의 공생애후자로 위에서 소개되었다.
진젠도르프의 생사로에서 등장하는 인물은 모리슨과 윌리엄제이 두 사람이다.

모리슨은 천수종결이후에 태어나는 후속 사명자이고 윌이엄제이는 사년+10 년에 해당하는 후속 사명자이다.

이렇게, 한 사람이 두 세 명의 재생으로 분산되는 것을 분령이라 하며
역으로 두 세명의 사명자가 한 사람에게로 수렴되는 것은 합령이라 부른다.

John Wesley 1703.6.17-1791.3.2 (88)
계미 1703 무오 1738 무신 1788 임자 1792 B 89

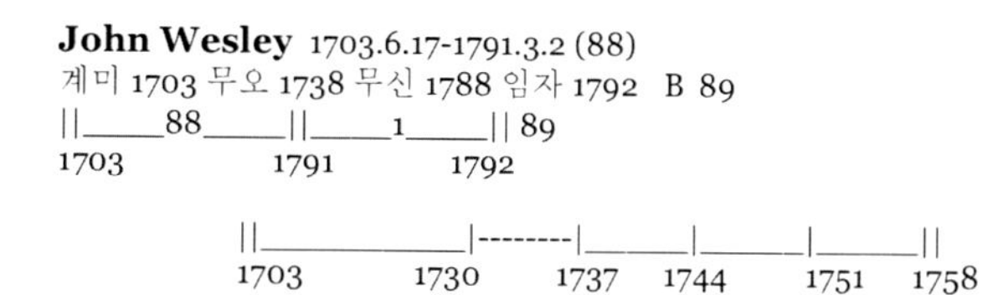

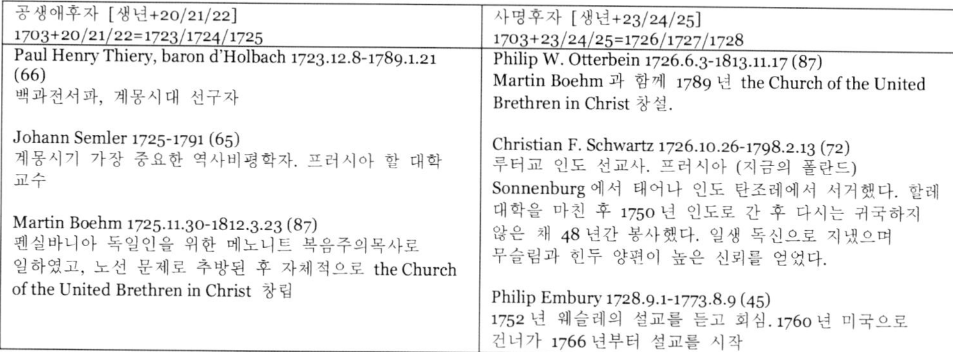

공생애후자 [생년+20/21/22] 1703+20/21/22=1723/1724/1725	사명후자 [생년+23/24/25] 1703+23/24/25=1726/1727/1728
Paul Henry Thiery, baron d'Holbach 1723.12.8-1789.1.21 (66) 백과전서파, 계몽시대 선구자 Johann Semler 1725-1791 (65) 계몽시기 가장 중요한 역사비평학자. 프러시아 할 대학 교수 Martin Boehm 1725.11.30-1812.3.23 (87) 펜실바니아 독일인을 위한 메노니트 복음주의목사로 일하였고, 노선 문제로 추방된 후 자체적으로 the Church of the United Brethren in Christ 창립	Philip W. Otterbein 1726.6.3-1813.11.17 (87) Martin Boehm 과 함께 1789 년 the Church of the United Brethren in Christ 창설. Christian F. Schwartz 1726.10.26-1798.2.13 (72) 루터교 인도 선교사. 프러시아 (지금의 폴란드) Sonnenburg 에서 태어나 인도 탄조레에서 서거했다. 할레 대학을 마친 후 1750 년 인도로 간 후 다시는 귀국하지 않은 채 48 년간 봉사했다. 일생 독신으로 지냈으며 무슬림과 힌두 양편이 높은 신뢰를 얻었다. Philip Embury 1728.9.1-1773.8.9 (45) 1752 년 웨슬레의 설교를 듣고 회심. 1760 년 미국으로 건너가 1766 년부터 설교를 시작

생애후자 [사년-34/33] 1791-34/33=1757/1758	후생자 [사년+0/1, +3/4, +9/10, +59/60]
William McKendree 1757.7.6-1835.3.5 (78) 첫 아메리카 태생의 감리교 에피스코팔 교회 주교 Jesse Lee 1758.3.12-1816.9.12 (58) 감리교 순회 전도사. 프란시스 에즈버리의 조력자. 1814 년에는 의회에도 진출했던 미 감리교의 대표적 리더	John Seybert 1791.7.7-1860.1.4 (69) 펜실바니아 출신의 순회 전도사, 쟈콥 알브라이트를 이어 복음주의 협회 교회의 목회자가 되었다. 그가 일생동안 말을 타고 순회한 거리는 175000 마일 곧 지구를 일곱바퀴 도는 거리였다 Charles Grandison Finney 1792.8.29-1875.8.16 (83) 미국 대각성 시기의 가장 유명한 목회자. 커네티컷 Warren 에서 태어나 오하이오 Oberlin 에서 서거했다. 어려운 환경에서 자라나 1818 년 변호사 사무실에서 일했으나, 1821 년 회심의 경험을 하는 데, 전기가 온 몸을 관통하는 듯 했다한다. 정식 교육과정으로 거치지 않았지만 장로회의 허락으로 얻고 1824 년 목회길로 들어섰으며, 얼마 아니가서 여러 지역을 뒤흔드는 부흥사의 역량을 발휘한다. 성령세례를 처음으로 강조했다. **John Nelson Darby** 1800.11.18-1882.4.29 (82) 19 세기 후반 세대주의적 전천년설주의 대표 지도자. 런던에서 아일랜드 중산층 가정에서 태어나 더블린에서 공부했으며 회심 이후에는 신학을 한 후 1826 년 영국 국교회 사제가 되었다. 하지만 구교의 제도를 그대로 답습하는 데 강력히 항의하며 사제제도의 철폐와 구교 형식에서 벗어날 것을 촉구했고, 모든 신자들에게 설교권이 있음을 강조했다. 사제직을 내던지고 분리주의자들과 만나다가 1832 년 Plymouth Brethren 와 연결되었고, 1837 년 부터는 프랑스와 스위스를 여행하였고, 1840 년 로잔느에서 Vaud 지역의 신도들을 규합하였으니, 다비즘의 탄생이다. 성서를 독일어와 불어로 각각 번역하였으며 여러 저서를 남겼다. 독신으로 지냈다 Elijah C. Bridgman 1801.4.22-1861.11.2 (60) 아메리카 첫 개신교 중국 선교사. American Board of Commissioners for Foreign Missions 의 후원을 받고 1830 년 중국 광동으로 가 Robert Morrison 과 합류. 1832 년에는 문서 선교를 개시 영문판 Chinese Repository 를 발간. 1838 년 부터는 의료 선교도 개시. 1845 년 Eliza J. Gillet (1805-1871)과 결혼. 1947 년에는 상하이로 이동하여 목회와 번역 성서 출판 활동을 하다가 그곳에서 사망.

Ann Lee Standerlin 안 리 스텐더린

19/08/2015 11/11/2016 29/04/2018
22/05/2020 천수적용 수정 추가
01/12/2020 수정 보완

➔사명 차원에서 연결. 안리의 진출 방향이 조선임을 역사의 전이를 담은 산책로를 통해 알 수 있다.

Ann Lee Standerlin 1736.2.29+/1.18- ~ 1784.9.8 (48) 7.24-
병진 1736 경인 1770 계축 1793 임자 1852 F 116
병진 1736 경인 1770 계축 1793 임자 1852 F 116
||_______48_______|_______68________||116
1736 1784 1852

In 1774 Ann Lee and a small group of her followers emigrated from England to New York. After several years, they gathered at Niskayuna, renting land from the Manor of Rensselaerswyck, Albany County, New York (the area now called Colonie). They worshiped by ecstatic dancing or "shaking", which dubbed them as the Shakers. Ann Lee preached to the public and led the Shaker church at a time when few women did either

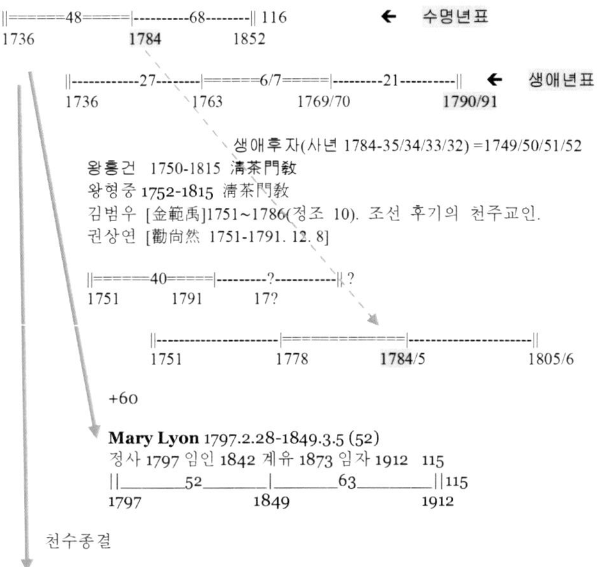

Lillias Stirling Horton Underwood 1851.6.21-1921.10.29 (70) 5.22- 언더우드 부인. 뉴욕 주 알바니 출신.
신해 1851 갑오 1894 무신 1908 임자 1912 61
||_______61_______|_______9________||70
1851 1912 1921

Josephine P. Campbell 1852.4.[21]-1920.11.12 (68) 남감리회 최초의 한국 여선교사. 姜夫人 이란 칭호를 받음
임자 1852 갑진 1904 계축 1913 임자 1972+120
||_______68_______|_______52_______||120
1852 1920 1972

[참고]
Mary Lyon 1797.2.28+/2.2- ~ 1849.3.5 (52)
정사 1797 임인 1842 계유 1873 임자 1912 115
||_____52_____||_____63_____|| 115
1797 1849 1912

메사츄세츠 출신으로서 미국 최초의 여성 사역자 양성 기관인 Holyoke Seminary 홀리요크 마운틴 학교를
80 명의 학생과 함께 1837 년 South Hadley 에 설립 (컬리지 승격 1893)하고 그곳에서 서거시까지 12 년간 학장으로 있었다.
처음엔 교사 생활을 하다가 어느날 갑자기 그만 두고 자금을 모아 여성들을 위한 학교를 세우기로 결심,
홀리요크 마운틴을 통해 3000 여명의 여성 선교사 및 교역자와 교육자를 배출했으며 매년 200 달러씩의 선교 자금을 제공했다.

Robert Maurrison 1782.1.5-1834.8.1 (52) 중국선교의 아버지 1807
신축 1781 경자 1840 경신 1860 병자 1876 95
||_____53_____||_____42_____|| 95 ← 수명년표
1781 1834 1876

||____________|--------|______|______|______||
1781 1808 1815 1822 1829 1836 ← 생애년표

1834-34/33=1800/1801	1836-34/33=1802/1803
John Nelson Darby 1800.11.18-1882.4.29 (82) Elijah C. Bridgman 1801.4.22-1861.11.2 (60) 아메리카 첫 개신교 중국 선교사	Issachar J. Roberts 1802-1871 (69) Jason Lee 1803.6.28-1845.3.12 (42) Karl Gutzlaff 1803.7.8-1851.8.9 (48) David Abeel 1804.6.12-1846.9.4 (42) John Wilson 1804.12.11-1875.12.1 (71) 이운규 1804-1898 (94)
1782+59/60=1841/1842	1876~
Henry Morton Stanley 1841.1.28-1904.5.10 (63) William Eugene Blackstone 1841.10.6-1935.11.7 (94) 이수정 [李樹廷] 1842-1886.5.28 (44) **John Ross** 1842.8.9-1915.8.7 (73) 임인 1842 무신 1848 경술 1850 병자 1876 34 ||_____34_____||_____39_____|| 73 1842 1876 1915	**Evan J. Roberts** 1878.7.8-1951.1.29 (73) 무인 1878 기미 1919 정해 1947 경자 1960 82 ||_____73_____||_____9_____|| 82 1878 1951 1960

1834.8.1+/6.26-
1878.7.8+/6.9-
죤로스 1842.8.9+/7.2- 1842.6.26- = 8.2+ 모리슨과 하루 차이

[참고]
Evan J. Roberts 1878.7.8-1951.1.29 (73)

Wales 지방 Lougher 에서 태어나 웨일즈 Cardiff 에서 서거.

크리스마스 에반스에 이어 100 년만에 두번째 웨일즈 부흥 (1904-6)을 이끈 사람.

20 세기 중엽 그의 설교와 기도로 인해 165000 명이 회개하는 놀라운 영적 역사가 일어났다.

Lougher 에 있는 자신의 가정집 Moriah 에서 집회를 시작하였으며 일생 독신으로 지냈다.

John Nelson Darby 1800.11.18-1882.4.29 (82)
경신 1800 정해 1827 신해 1851 갑진 1904 F 104
||_____82_____||_____22_____|| 104
1800 1882 1904

||____________|--------|______|______|______||
1800 1827 1834 1841 1848 1855

1882-34/33=1848/1849	1855-34/33=1821/1822
백홍준 [白鴻俊] 1848-1893 (45) 서상륜 [徐相崙] 1848. 7. 26-1921. 1 (73) 혼다 요이치[本多庸一] 1848~1912 (67)	김대건 [金大建] 1821.8.21-1846.9.16 (25) 양수청 1821-1856 (35) 태평천국 지도자 최양업 [崔良業] 1821.3.1-1861.6.10 (40)
1882+3/4=1885/1886 1882+9/10=1891/1892	1904~
Paul Tillich 1886.8.20-1965.10.22 (79) Karl Barth 1886.5.10-1968.12.10 (82)	보른캄(Günther Bornkamm, 1905-1990) **Witness Lee** 1905-1997.6.9 (92)

Elijah Colman Bridgman 1801.4.22-1861.11.2 (60)
신유 1801 임진 1832 병술 1886 무자 1888 87
||____60____||____27____|| 87
1801 1861 1888

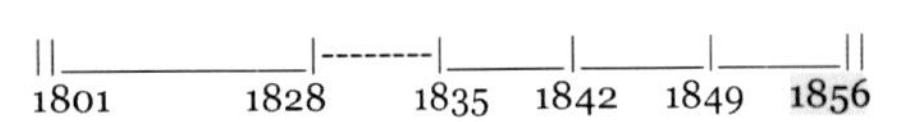

1861-34/33=1827/1828	1856-34/33=1822/1823
최시형 1827-1898 (71) Ellen Gould Harmon 1827-1915 (88) 감리교에서 벗어나 William Miller1782-1849 의 미국 재림사상을 이어 제 7 일 예수 재림교인 안식교를 창시한 여성 지도자. Jean-Henri DUNANT 1828-1910 적십자 창설. 첫 노벨 평화상 수상.	Albrecht Ritschl 1822-1889 (67) Joseph Edkins 1823-1905 토마스와 홍수전 만남
1861+3/4=1864/1865 1861+9/10=1870/1871	1888~
계연수(桂延壽) 1864.5.20-1920.8.15 (56) Louise Hoard McCully 1864.4.24-1945.9.1 (81) Jessie Watson Hirst 1864.12.24-1952.4.25 (88) 의료 선교사. Avison 과 함께 세브란스에서 30 년 봉사. **Kilbourne, Ernest Albert** 1865.3.13-1928.4.13 (63) Robert A. Hardie 1865.6.11-1949.6.30 (84) Rosetta Sherwood Hall 1865.9.19-1951.4.5 (86)	**H. Dodge Appenzeller** (1889.11.6-1953.12.1) 아펜젤러 아들

Gützlaff Karl 1803.7.8 1851.8.9 48
계해 1803 무오 1858 계축 1913 임자 1972 G 169
||____48____||____121____|| 169
1803 1851 1972

||__________|--------|______|______|______||
1803 1830 1837 1844 1851 1858

1851-34/33=1817/1818	1858-34/33=1824/1825
David T. Stoddard 1818.12.2-1857.1.22 (39) Marie Antoin Nicolas Daveluy 1818-1866 (48)	최제우 [崔濟愚] 1824.10.28-1864.3.10 (40) Robert S. Maclay 1824.2.7-1907.8.18 (83) Charles F. Mackenzie 1825.4.10-1862.1.31 (37)
1803+59/60=1862/1863	1972~
James Scarth Gale 1863.2.19-1937.1.31 (74) 계해 1863 갑인 1914 기유 1969 갑자 1984 121 ||____74____||____47____|| 121 1863 1937 1984 헐버트 [Hulbert, Homer Bezaleel] 1863. 1. 26-1949. 8. 5 (86)	

➔ 귀츨라프의 후생자는 게일이다. +60 및 전생인의 여생이 후생인의 천수를 구성하는 법칙에도 부합한다.

➔ 또한, 생몰정보 유사성 측면에서도 확인된다. 게일의 생일 양력을 음력으로 구한 후 그 결과를 음력 상태로 놓고 계속 양력을 찾아 올라가면, 7 월 8 일 귀츨라프의 생일이 얻어진다.

John Ross 1842.8.9-1915.8.7 (73)
임인 1842 무신 1848 경술 1850 병자 1876 34
||____34____||____39____|| 73
1842 1876 **1915**

||__________|--------|_____|_____|_____||
1842 1869 1876 1883 1890 **1897**

1915-34/33=1881/1882	1897-34/33=1863/1864
김상준 [金相濬] 1881.11.11-1933.10.12 (52) 김성도 1882.7.1-1944 (62) 이선평 1882-1956 (74)	James Scarth Gale 1863.2.19-1937.1.31 (74) 헐버트 [Hulbert, Homer Bezaleel] 1863.1.26-1949.8.5 (86) 노리마쓰 마사야스 1863-1921 (58) 계연수 1864.5.20-1920.8.15 (56)
1915+3/4=1918/1919 1915+9/10=1924/1925	1915~
서남동 [徐南同] 1918.7.5-1984.7.19 (66) 문익환 [文益煥] 1918.6.1~1994.1.18 (76) 김흥호 [金興浩] 1919.2.26-2012.12.5 (93) 김준곤 1925-2009 (84)	

1915.8.7+/6.27-
1918.7.5+/5.27-

James Scarth Gale 1863.2.19-1937.1.31 (74)
계해 1863 갑인 1914 기유 1969 갑자 1984 121
||____74____||____47____|| 121
1863 **1937** 1984

||__________|--------|_____|_____|_____||
1863 1890 1897 1904 1911 **1918**

1937-34/33=1903/1904	1918-34/33=1884/1885
	E. Stanley Jones 1884.1.3-1973.1.25 (89) 미국 인도 선교사 Rudolph K. Bultmann 1884-1976 (92) Alice Rebecca Appenzeller 1885.11.9-1950.2.20 (65) 미감리회 여선교사
1937+3/4=1940/1941 1937/9/10=1946/1947	1984~

1937.1.31+/12.19-

Kilbourne, Ernest Albert 1865.3.13-1928.4.13 (63)
을축 1865 기묘 1879 임오 1882 경자 1900 H 35
||____35____||____28____|| 63
1865 1900 **1928**

||__________|--------|_____|_____|_____||
1865 1892 1899 1906 1913 **1920**

1928-34/33=1894/1895	1920-34/33=1886/1887
프레더릭 존 매크레이 목사(Rev. Frederick John Macrae, 孟皓恩, 1894.5.14~1973.1.6) 백낙준 [白樂濬]1895. 3. 9-1985. 1. 3 (90)	James Outram Fraser 1886.8.26-1938.9.25 (52) Karl Barth 1886.5.10-1968.12.10 (82) Paul Tillich 1886.8.20-1965.10.22 (79)
1928+3/4=1931/1932 1928+9/10=1937/1938	1928~
안동민 1931.9.19-1997+ (66) 탁명환 1937.7.8-1994.2.18 Howard Higashi 1937-1998 Yamamori Tetsunao (山森鐵直 1937-)	

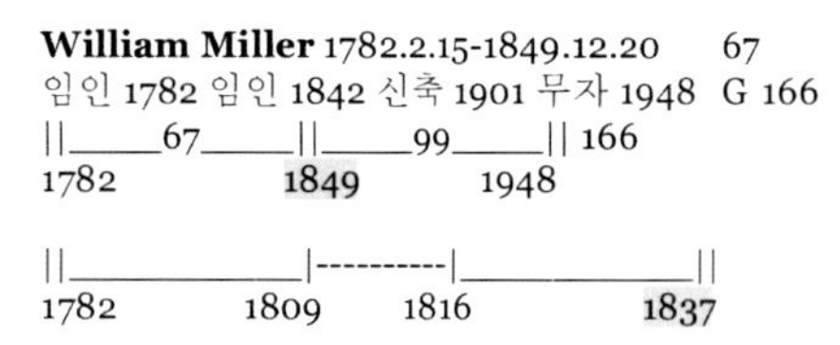

William Miller 1782.2.15-1849.12.20 67

임인 1782 임인 1842 신축 1901 무자 1948 G 166

||____67____||____99____|| 166

1782 **1849** 1948

||__________|----------|__________||

1782 1809 1816 **1837**

1849-34/33=1815/1816	1837-34/33=1803/1804
Hepburn, James Curtis 1815.3.13-1911.9.21 (96)	Gützlaff Karl 1803.7.8-1851.8.9 (48) 이운규 1804-1898 (94)
1849+3/4=1852/1853 1849+9/10=1858/1859	1948~
Charles Taze Russell 1852.2.16-1916.10.31 (64) 1914 종말론, 여호와의 증인 창설 서경조 [徐景祚] 1852-1938.7.28 (86) Martin Wells Knapp 1853.3.27-1901.12.7 (48) Bunker, Dalziel A. 1853.8.10-1932. 11. 23 (79) John W. Heron 1858.6.15-1890.7.26 (32) Appenzeller, Henry Gerhart 1858.2.6-1902.6.11 (44) 최병헌 [崔炳憲] 1858.1.6-1927.5.3 (69) Allen, Horace Newton 1858. 4.23- 1932.12.11 (74) Underwood, Horace Grant 1859.7.19-1916.10.12 (57)	

Hudson Tayler 1832.5.21-1905.6.3 (73)

임진 1832 을사 1845 무술 1898 임자 1912+B 80

||____73____||____7____|| 80

1832 **1905** 1912

||__________|--------|_____|_____|_____||

1832 1859 1866 1873 1880 **1887**

1905-34/33=1871/1872	1887-34/33=1853/1854
강증산 1871-1909 Wilbur C. Swearer 1871.2-1916.9.12 미감리회 선교사 John Elias Williams 1871-1927 남경대부총장, 미 장로교 선교사 Lewis Sperry Chafer 1871.2.27-1952.8.22 세대주의를 학문적으로 전한 달라스 신학자 Alice Hammond Sharp 1871.4.11-1972.9.8 (101) 샤프 선교사 부인 Sharp, Robert Arthur 1872.3.18-1906.3.15 (34)	Martin Wells Knapp 1853.3.27-1901.12.7 (48) 벙커 [Bunker, Dalziel A.] 1853.8.10-1932. 11. 23 (79) Seth Cook Rees 1854.8.6-1933.5.22 (79)
1905+3/4=1908/1909 1905+9/10=1914/1915	1912~
강신명 [姜信明] 1909-1985 (76) 김정준 [金正俊] 1914. 11. 6-1981. 2. 3 (67) 나운몽 1914-2009.11.26 Charles D. Stokes 1915.5.11-1997.1.10 (82) 丁光訓 Kuang Hsun TING 1915.9.20-2012.11.22 (97)	James Hudson Taylor III 1929.8.12-2009.3.20 허드슨 3 세

1929.8.12+ = 7.8 = 6.2

1905.6.3+ =

Knapp Martin 1853.3.27-1901.12.7 (48)
계축 1853 을묘 1855 계사 1893 신유 1921 B 68
||_____48_____||_____20_____|| 68
1853 **1901** 1921

||____________|--------|______|______|______||
1853 1880 1887 1894 1901 **1908**

1901-34/33=1867/1868	1908-34/33=1874/1875
Charles Cowman 1868.3.13-1924.9.25 (56)	Schweitzer 1875.1.14-1965.9.4 (90)
1853+59/60=1912/1913	1921~
Carl Ferdinand Howard HENRY 1913.1.22-2003.12.7 (90) Charles Goodwin 1913-1997 (84)	

Charles Cowman 1868.3.13-1924.9.25 56
무진 1868 을묘 1915 무술 1958 임자 1972+ B 104
||_____56_____||_____48_____|| 104
1868 **1924** 1972

||____________|--------|______|______|______||
1868 1895 1902 1909 1916 **1923**

1924-34/33=1890/1891	1923-34/33=1889/1890
이명직 [李明稙] 1890.1.22-1973.3.30 (83)	Appenzeller Henry Dodge 1889.11.6-1953.12.1 (64) 아펜젤러 아들
1868+59/60=1927/1928	1972~
변선환 1927.9.23-1995.8.7 (68)	

Appenzeller Henry Dodge 1889.11.6 - 1953.12.1 64 아펜젤러 아들
기축 1889 갑술 1934 병술 1946 무자 1948+ A 59
||_____59_____||_____5_____|| 64
1889 1948 **1953**

||____________|--------|______|______|______||
1889 1916 1923 1930 1937 **1944**

1953-34/33=1919/1920	1944-34/33=1910/1911
김홍호 1919.2.26-2012.12.5 (93) 김용옥 [金龍玉] 1920-1981. 1. 30 (61)	이호운 [李浩雲] 1911.5.3-1969. 1 (58) James M. Stuckey 1911.4.14-2000.10.18 (89)
1953+3/4=1956/1957 1953+9/10=1962/1963	1953~

(2) 생사로 산책 3

[윌리암 캐리 이전] - Halle 선교회 3 인

05/07/2018
23/07/2018

1706.7.9 Tranquebar 도착

Heinnrich Plütschau 1676-1752.1.4 (76)

||-------76------|-------?------|| ?
1676 1752 ?

||--------27--------|----7----|-------21--------||
1676 1703 1710 1731

1752-34/33=1718/1719

Nathaniel Seidel 1718.10.2-1782.5.17 (64) 헤른후트 모라비안 교회 목회자.
인도 선교. 진젠도르프 후계자.
David Brainerd 1718.4.20-1747.10.9 (29) 인디언 선교
Joseph Bellamy 1719.2.20-1790.3.6 (71)

1731-34/33=1697/1698

Katharina von Schlegel 1697.10.22-1765 (68) 독일 찬송가 작가
Tersteegen, Gérard 1697-1769 (72)
Christopher Dock 1698-1771 (73) 메노니트 학자

1752+9/10=1761/1762

William Carey 1761.8.17-1834.6.9 (73)

Bartholomäus Ziegenbulg 1682.7.10-1719.2.23 (37)
임술 1682 정미 1727 임오 1762 경자 1780 98

||------37-----|------61------|| 98
1682 1719 1780

||--------27--------|----7----|-------21--------||
1682 1709 1716 1737

1719-34/33=1685/1686

Hans Egede 1686.1.31-1758.11.5 (74)

1737-34/33=1703/1704

Jonathan Edwards Sr. 1703.10.5-1758.3.22 (53)
John Wesley 1703.6.17-1791.3.2 (88)
August G. Spangenberg 1704.7.15-1792.9.18 (88)

1682+59/60=1741/1742

Samuel Kirkland 1741.12.1-1808.2.28 (67) 회중교회 인디언 선교사.
John Murray 1741-1815 (74) 뉴저지, 보스턴 복음주의자
Joseph Brant 1742-1807.11.24 (65) 앙글리칸 Mohawk 인디언 추장.
Isabella Marshall Graham 1742.7.29-1814.7.27 (72)

Christian F. Schwartz 1726.10.26-1798.2.13 (72) 루터교 인도 선교사
병오 1726 무술 1778 경신 1800 병자 1816 90

||------72-----|------18------|| 90
1726 1798 1816

||--------27--------|----7----|-------21--------||
1726 1753 1760 1781

1798-34/33=1764/1765

Samuel Marsden 1764.7.20-1838.5.12 뉴질랜드의 사도로 불리우는 영국 국교회 사제.

1781-34/33=1747/1748

Thomas Coke 1747.9.9-1814.5.3 (67)
Johannes T. Vanderkemp 1747-1811.12.15 (64)
Henry Alline 1748.6.14-1784.2.2 (36)

1798+3/4=1801/1802

George D. Boardman, Sr. 1801.2.8-1831.2.11 (30) 침례교 버마 선교사.
James Evans 1801.1.18-1846.11.23 (45) 영국 출신 카나다 인디언 선교사.
Eli Smith 1801.9.13-1857.1.11 (56) 미 회중교회 선교사, 아랍어 성경을 번역한 학자.
Elijah C. Bridgman 1801.4.22-1861.11.2 (60)
Marcus Whitman 1802.9.4-1847.11.29 (45)

1798+9/10=1807/1808

Eliza Agnew 1807.2.2-1883.6.14 (75) 미국 세일런 선교사
Asahel Grant 1807.8.17-1844.4.24 (37) 페르시아의 네스토리언들에게 간 의료 선교사.
Edmund W. Sehon 1808.4.14-1876.6.7 (68) 미 감리교 남부선교회 회장 역임 (1850-68)

[참조]

Heinnrich Plütschau 1676-1752.1.4 (76) 찌겐발크와 함께 인도에 파견된 첫 독일 선교사.

Plütschau attended Friedrichswerdersches Gymnasium (de) in Berlin with Joachim Lange as rector and then studied theology at the Martin Luther University of Halle-Wittenberg. There he came into contact with August Hermann Francke, the founder of the Francke Foundations. On a request of the Danish King Frederick IV for potential missionaries, Plütschau and his peer Ziegenbalg were suggested by Lange. In 1705, they travelled to the Danish colony of Tranquebar on the southeastern coast of India, known as the Danish-Halle Mission.

The missionaries had already begun during the voyage to learn Portuguese, the lingua franca, and the local Indian language, Tamil. With increasing work, the missionaries shared their community tasks. Plütschau focused on the parishioners, who spoke Portuguese, and Ziegenbalg, because of his particular language skills, on the Tamil-speaking community. In 1711, Plütschau returned to Germany for health reasons. There he brought out Luther's Small Catechism in Tamil and taught mission candidates in the language. In 1714, he received the pastorate of Beidenfleth, ruled at the time by the Danish Crown, where he worked until 1750. He died two years later.

Bartholomew Ziegenbalg 1683.6.14-1719.2.23 (36) first germain lutherian pietist missionary to India. 할레 대학을 마친 1706 년 프레데릭 4 세의 요청에 응해 인도로 갔다. 트랑카바르에 머물면서 1711 년 남부 인도와 스리랑카 언어인 타밀어 첫 신약 성서를 번역했고, 교회와 신학교를 설립하고 여러 교회 교육 자료들을 만들었다. 근대의 첫 선교 단체인 덴마크 할레 선교회의 후원을 받으며 하인리히 플루챠우를 가까이에서 돕다가 이른 나이로 서거했다.

Christian F. Schwartz 1726.10.26-1798.2.13 (72) 루터교 인도 선교사. 프러시아 (지금의 폴란드) Sonnenburg 에서 태어나 인도 탄조레에서 서거했다. 할레 대학을 마친 후 1750 년 인도로 간 후 다시는 귀국하지 않은 채 48 년간 봉사했다. 일생 독신으로 지냈으며 무슬림과 힌두 양편이 높은 신뢰를 얻었다.

Jonathan Edwards Sr. 1703.10.5-1758.3.22 (53) 회중교회 부흥 설교가이자 칼빈주의 신학자. 미국 마사츄세츠 주 노스햄프턴에서 첫번째 대 각성운동 1734-35 을 주도한 목사. 영적 각성과 체험을 한 사람만이 성찬에 초대받을 수 있으며 그들의 자녀들만이 세례를 받을 수 있다는 극단적인 견해로 교회 당국의 반발을 사고 노스햄프턴 교회에서 물러남. 많은 저서를 남겼다.

John Wesley 1703.6.17-1791.3.2 (88) 영국 Epworth 에서 태어나 런던에서 서거했다. 감리교 창립자이자 역사상 위대한 업적을 남긴 복음주의자이다. 19 명의 형제자매들 중 15 번째. 옥스포드에서의 Holy Club 종교활동을 거쳐 아메리카 죠지아로 26 명의 모라비안 동료들과 건너갔었고 (1729-35), 런던으로 돌아와서는 Aldersgate 거리의 St.Paul 에서의 모라비안 집회에서 1738 년 5 월 24 일 개심한다. 이후 영국 스코틀란드 아일랜드 각지를 다니며 설교를 했고 socirties 친교회를 조직하다가, 1744 년 6 월 25 일, 첫번째 감리교 회합이 런던에서 열렸다. 50 년간 일기를 쓴 기록을 갖고 있고, 1751 년 2 월 18 일의 Mary Vazeille (1710-1781.10.8)과의 결혼은 불행한 경험으로 남았는데, 1776 년 그를 떠났기 때문이다. 1740 년에 결성한 감리회는 1784 년까지 공식적으로는 영국 교회에 남았다. 1778 년 Arminian magazine 을 발행했고, 복음을 전하기 위해 말을 타고 25000 마일을 여행했고 40000 번의 설교와 200 여 저술을 남겼다. 그가 애송한 성구는 막 12:34 와 롬 8:1-2 였고, 사후 런던에 있는 City Road Chapel 에 안치되었다.

August G. Spangenberg 1704.7.15-1792.9.18 (88) 모라비안 교회 지도자, 1762 년 진젠도르프를 이었다. 베들레헴 첫 모라비아 교회 수장으로서 북캐롤리나 지역을 이끌었다.

Joseph Brant 1742-1807.11.24 (65) 앙글리칸 Mohawk 인디언 추장. 왕으로부터 카나다 온타리오 후수 주변 땅을 하사받았고 1786 년 상부 카나다에 첫 에피스코팔 교회를 세웠다.

Joseph Bellamy 1719.2.20-1790.3.6 (71) 회중교회 신학자, 교육자, 베들레헴 목사. 죠나단 에드워즈 다음으로 식민지에서 가장 영향력 있는 종교인. 죠나단 에드워즈 쥬니어와 사무엘 홉킨스(1721-1803)와 더불러 뉴잉글랜드 신학을 주도했다.
Thomas Coke 1747.9.9-1814.5.3 (67) 웨일즈 출신으로서 177 년 이래 웨슬리와 교제하다가 1784 년웨슬리에 의해 미국으로 파송되어 Methodist Episcopal Church 첫 감독이 되었다. Francis Asbury 를 후임자로 세우고 1803 년 영국으로 돌아온다. 하지만 다시 인도 세일론 선교길에 나섰다가 사망.

Johannes T. Vanderkemp 1747-1811.12.15 (64) 네덜란드에서 의사로 일하다가 1791 년 부인과 딸이 익사하는 사건을 당한 후 개심 네덜란드 최초의 선교회를 조직 남아프리카로 떠났다. 60 살에 17 살 말라가시 노예 여성과 결혼. 개인 사비로 많은 흑인들을 구했다.

Thomas Coke 1747.9.9-1814.5.3 (67) 웨일즈 출신으로서 177 년 이래 웨슬리와 교제하다가 1784 년웨슬리에 의해 미국으로 파송되어 Methodist Episcopal Church 첫 감독이 되었다. Francis Asbury 를 후임자로 세우고 1803 년 영국으로 돌아온다. 하지만 다시 인도 세일론 선교길에 나섰다가 사망.

Samuel Marsden 1764.7.20-1838.5.12 뉴질랜드의 사도로 불리우는 영국 국교회 사제.
Henry Alline 1748.6.14-1784.2.2 (36) 로드아일랜드 Newport 에서 태어나 뉴햄프셔 New Hampton 에서 서거한, Nova Scotia 대부흥 운동의 지도자. 1760 년 가족이 Falmouth 로 이주했고, 1775 년 3 월 26 일 개종, 부흥사가 되어 연안 각지를 순회했다. 그의 활동으로 인해 New Light Congregational Churches 와 Baptist Churchs 의 각성과 성장이 이루어졌으며, 1783 년 뉴잉글랜드로 돌아와 더욱 열성적으로 순회부흥 사역을 전개하다가 폐결핵으로 사망한다. 그가 남긴 저서로 The Anti-Traditionalist (1783)와 William Law 의 영향을 담은 Two Mites (1802)가 있으며, 500 여개의 찬송가를 지었는 데, 그의 Hymns and Spiritual Songs (1786) 은 Free Will Baptists of New England 에 의해 인쇄 출간 되었다.

Elijah C. Bridgman 1801.4.22-1861.11.2 (60) 아메리카 첫 개신교 중국 선교사. American Board of Commissioners for Foreign Missions 의 후원을 받고 1830 년 중국 광동으로 가 Robert Morrison 과 합류. 1832 년에는 문서 선교를 개시 영문판 Chinese Repository 를 발간. 1838 년 부터는 의료 선교도 개시. 1845 년 Eliza J. Gillet (1805-1871)과 결혼. 1947 년에는 상하이로 이동하여 목회와 번역 성서 출판 활동을 하다가 그곳에서 사망.

Marcus Whitman 1802.9.4-1847.11.29 (45) 뉴욕 출신의 의사로서, 태평양 연안에 개신교 교회를 처음 설립했고 오레곤 주 성립에 기여했다. 왈왈라 부근의와이야츄 카유즈 인디언들과 집중 교제하였고 워싱턴과 보스턴 등지를 오가며 선교에 힘썼으나, 백인들이 자신들의 영토를 빼앗고 계속 침탈하는 데 대한 두려움과 분노를 느낀 카유즈 인디언에 의해 그와 부인 그리고 일곱명의 선교사들이 모두 살해당하였다.

Serampore Trio

21/05/2018
23/07/2018

"Marshman taught, Ward printed, and Carey translated and preached"

William Carey 1761.8.17-1834.6.9 (73) Dorothy Plackett (-1807) Charlotte Rumohr (1761-1821) Grace Hughes	Joshua Marshman 1768.4.20-1837.12.5 (69) Hannah Shepherd	William Ward 1769.10.20-1823.3.7 (54) Mary Fountain

William Carey 윌리엄캐리1761.8.17 1834.6.9 73
신사 1761 병신 1776 갑인 1794 갑자 1804 B 43
||------43-----|------30-----|| 73 ||-------27-------|---7---|-------21-------||
1761 1804 1834 1761 1788 1795 1816

1834-34/33=1800/1801
DARBY, John Nelson (1800-1882)
George D. Boardman, Sr. 1801.2.8-1831.2.11 침례교 버마 선교사.
Brigham Young 1801-1877 몰몬교

1816-34/33=1782/1783
Robert Maurrison 1782.1.5-1834.8.1 (52)
William Miller (1782.2.15-1849.12.20 67) Adventiste 운동의 기원.
Samuel J. Mills 1783.4.21-1818.6.16 (35) 미국 해외 선교의 아버지.
Luther Rice 1783.3.25-1836.9.25

1834+4=1838
William Miller 1838.1.13-1923.7 (85) 스코틀랜드 인도 선교사, 마드라스
정유 1837 계축 1853 신유 1861 무자 1888 51
||------50-----|------35------|| 85
1838 1888 1923

Joshua Marshman 1768.4.20-1837.12.5 (69)
무자 1768 병진 1796 임진 1832 경자 1840 72
||------69-----|------3------|| 72 ||-------27-------|---7---|-------21-------||
1768 1837 1840 1768 1795 1802 1823

1837-34/33=1803/1804
Sarah Hall Boardman Judson 1803-1845
Karl Friedrich August Gutzlaff 1803-1851
David Abeel 1804-1846 미국 남중국해 선교사

1823-34/33=1789/1790
Ann Hasseltine Judson 1789.12.22-1826.10.24 (37) 아도니람 져슨의 첫 부인
Samuel H. Turner 1790-1861

1837+10=1847
James Hannington 1847.9.3-1885.10.29 (38) 영국 앙글리칸 비숍, 동 적도 아프리카 선교
정미 1847 무신 1848 신축 1901 무자 1948 101
||------38-----|------63------|| 101
1847 1885 1948

William Ward 1769.10.20-1823.3.7 (54)
기축 1769 갑술 1814 경자 1840 병자 1876 107
||------54-----|------53-----|| 107 ||-------27-------|---7---|-------21-------||
1769 1823 1876 1769 1796 1803 1824

1823-34/33=1789/1790
Ann Hasseltine Judson 1789.12.22-1826.10.24 (37) 아도니람 져슨의 첫 부인
Samuel H. Turner 1790-1861

1824-34/33=1790/1791
Samuel H. Turner 1790-1861
Sarah Martin 1791.6-1843 여성 사회복지가.

1769+60=1829
John Livingstone Nevius 1829.3.4-1893.10.19 (64) 미국, 중국 산동 선교사
기축 1829 병인 1866 갑자 1924 갑자 1984 155
||------64-----|------91-------|| 155
1829 1893 1984

[참조]

William Carey 1761.8.17-1834.6.9 (73) 근대 선교사의 아버지. 인도 선교사.

1761.8.17 영국 Paulersbury 에서 출생
1779 앵글리칸에서 18 세 때 침례교로 전향했고
1781 Dorothy Plackett 와 결혼
하지만 세 아이들이 병으로 죽고 부인마저 정신질환에 시달리는 어려움을 겪으며 생계에 곤란을 느꼈으나
결국 Mudnabatti 지역에 교회를 세웠고 방갈리와 힌두스타니와 산스크리트 언어로 설교했으며
해외선교부의 협조를 얻는 가운데 서서히 그들 언어로 성서를 번역했다.
1786 Moulton 사역
1790 라이체스터 교회에서 사역. 항해사들의 보고서에 크게 영향받아 해외선교의 필요성을 처음으로 촉구했고
1792 Baptist Missionary Society 를 창설 인도로 선교사를 파견함과 동시에 자신도 가족을 데리고
1793 인도로 건너갔다.
1800 덴마크 관활인 세람포에 정착한 후 William Ward1769-1823 와 Joshua Marsham 1768-1837 의 협조를 얻어
유명한 Trio Serampore 를 형성하여 남동아시아의 문화 무역 중심지를 탄생시켰으며,
1802 식민 당국의 반대에도 불구하고 1802 년 인도인들에게 침례를 실시했다.
1807 Dorothy Plackett 정신질환으로 인해 사망
1808 Charlotte Rumohr (1761-1821)와 재혼. 불구자이자 재력가로서 건강상 이유로 인도에 와 있었던 여성.
1822 Grace Hughes 와 또다시 결혼.
1827 세람포 트리오를 중심한 그의 독자로선에 불만을 품은 침례선교협회와 사이가 틀어졌고
이러한 관계는 그가 죽은 지 3 년후인 1837 년까지 지속되었다.
장남 펠릭스 캐리는 미얀마 선교사가 된다.
윌리엄 커리는 식민지 초기 시대에 있어 해외 선교의 조상이 되었고,
두번의 결혼과 세번의 상처를 겪으면서 다시는 조국으로 되돌아가지 않았다.
학교를 세우고 사전을 발간했으며 남편과 함께 부인을 화장하는 싸티 풍속을 몰아내기 위해 노력하였으며
농업 기술 향상에도 기여하였다
1834.6.9 인도 세람포에서 서거.

Joshua Marshman 1768.4.20-1837.12.5 (69) 영국 침례교 인도 선교사.

1768.4.20 영국 Westbury Leigh 에서 출생. 선교사가 되기 전에는 포목 무역상이었다.
1791 Hannah Shepherd 와 결혼 6 자녀를 두었다.
1799 William Ward 를 비롯한 몇몇 동료들과 함께 인도로 가서 William Carey 와 합류,
이내 Serampore Trio 라는 명성을 얻는다.
"Marshman taught, Ward printed, and Carey translated and preached"
1818 벵갈 언어로 된 첫 신문 Mirror of News 를 내었고,
1821 첫 영자 월간지 Friend of Indians 를 내었으며,
1827 침례교 교회로 발전했다.
유능한 동양학자로서 마슈만은 중국어 성경도 번역 발간하였으며,
그의 부인 한나 역시 자신의 여섯 아이들 뿐 아니라
가정사로 인해 어려움을 겪던 캐리의 가족 및 여러 선교사들의 미망인들과 고아들을 돌보았다.
1837 캘커타에서 서거

William Ward 1769.10.20-1823.3.7 (54) 인쇄업자에서 인도 선교에 생을 투입한 영국인.

1769.10.20 인도 Derby 에서 출생
1799 인도 선교사 캐리를 돕자는 공개적 요청에 응해 워드와 함께 인도로 가
Carey, Marshman 과 함께 인도 선교 쎄람포 트리오를 구성.
Mary Fountaun 미망인과 인도에서 결혼.
1800 년부터죽기까지 인도 선교 사업에 헌신했다.
1823 캘커다에서 서거

[Scotland 인도 선교사 3 인]

John Wilson 1804.12.11-1875.12.1 (71)
갑자 1804 병자 1816 을미 1835 병자 1876 72
||------71-----|------1------|| 72
1804 1875 1876

||------27-----|------7------|-----21-----||
1804 1831 1838 1859

1875-34/33=1841/1842 Henry Morton Stanley 1841.1.28-1904.5.10 (63)

1859-34/33=1825/1826 Charles F. Mackenzie 1825.4.10-1862.1.31 스코틀랜드 출신, 성공회 아프리카 선교사.

1875+3/4=1878/1879
1875+9/10=1884/1885 E. Stanley Jones 1884.1.3-1973.1.25 (89) 미국 인도 선교사
Thomas A. Lambie 1885.2.8-1954.4.14 펜실바니아 출신의 아프리카 의료 선교사

Alexander Duff 1806.4.15-1878.2.12 (72) 윌리암캐리 후세대, 스코틀랜드 인도 선교사, 캘커타
병인 1806 임진 1832 을사 1845 병자 1876 70
||------70-----|------2------|| 72
1806 1876 1878

||------27-----|------7------|-----21-----||
1806 1833 1840 1861

1878-34/33=1844/1845 George L. Mackay 1844-1901 카나다 장로교 대만선교사
John Franklin Goucher (1845.6.7-1922.7.19) 1883 민영익 만남

1861-34/33=1827/1828 William A. Martin 1827.4.10-1916.12.18 미 장로교 중국 선교사
Jonathan Goble 1827-1896 일본도착 1860
Ellen Gould Harmon 1827-1915 감리교에서 벗어나 William Miller1782-1849 의 미국 재림사상을 이어 제7일 예수 재림교인 안식교를 창시한 여성 지도자.

1878+3/4=1881/1882 V.D. Chaffin (1881-1916) 1913
Bliss W. Billings 1881.1.7-1969.3.8 (88) 미감리회 선교사. 한국명 변영서(邊永瑞)
Marion B. Stokes 1882.12.12-1968.7.4 (86) 조선 선교사. 도마련(都瑪蓮)

1878+9/10=1887/1888 Frank William Cunningham 1887.12.19-1981. 8.18 (94)
한영신 [韓永信] 1887. 7. 22- 1969. 2. 20 (82)
E. Akerholm (1888-1920) 구세군
로사 B. 베어(Bair, Blanche Rosa, 裵義禮, 1888-1938)

William Miller 1838.1.13-1923.7 (85) 스코틀랜드 인도 선교사, 마드라스
정유 1837 계축 1853 신유 1861 무자 1888 51
||------50-----|------35------|| 85
1838 1888 1923

||------27-----|------7------|-----21-----||
1838 1865 1872 1893

1893-34/33=1859/1860 Underwood, Horace Grant 1859. 7. 19- 1916. 10. 12 미북장로회 한국선교사
William James Hall (1860.1.16-1894.11.24) 로제타 홀의 남편.
Benjamin Davidson 1860.9.14-1948.6.23 스코틀랜드 출신, 세일런과 인도 선교연합 창설

1923-34/33=1889/1890 Frank William Schofield 1889.3.15-1970.4.12 (81) 카나다 조선 선교사
에셀 빅토리아 딕슨 양(Miss Ethel. V. Dixon, 德順伊, 1889-1975.7.5) 호주 간호 선교사
엘리스 진 데이비스 의사(Dr. Elice Jean Davis, 代至安, 1889.3.9~1981.6.15) 호주 여의사

Christiana Tsai 1890.2.12-1984.8.25 (94) 중국 남경에서 태생 맹인 여 복음주의자, 작가.

1923+3/4=1926/1927
1923+9/10=1932/1933

[참고]

Nathaniel Seidel 1718.10.2-1782.5.17 (64) 헤른후트 모라비안 교회 목회자. 인도 선교. 진젠도르프 후계자.

Hans Egede 1686.1.31-1758.11.5 (74) 노르웨이 루터란 목회자 선교사. 그릴랜드 에스키모인의 사도. 그의 아들 Paul 은 그린랜드 언어로 신약 성경 번역.

John Hunt 1812.6.13-1848.10.4 (36) 영국 태생 피지 선교사. 1838 년 런던 웨슬리언 선교 협회에 의해 파송되어 1839 년 피지 섬에 도착. 성서도 번역했다.

Bigandet Paul Ambrose 1813-1894 (71) 버마 선교

David Livingstone 1813.3.19-1873.5.1 (60) 스코틀랜드 Blantyre 에서 태어나 목화 공장에서 일하였으나 학구욕으로 인해 의학과 신학을 공부함. 20 살에 Dick's 의 Philosophy of the Future State 를읽고 개심. 1840 년 목회자가 되어 런던선교협회 소속으로 1841 년 보츠와나 Kuruman 에 도착하여 그곳에서 11 년간 머물면서 여러 곳에 선교 본부를 설치한다. 1845 년 선교사 Robert Moffat 의 딸 Mary Moffat (1821-1862.4.27)과 결혼, 18 년간의 결혼 생활 중 반 이상을 헤어져 지냈으나 잠베지 슈프노아에서 부인의 임종을 지켰다. 그의 목회는 복음 전파 뿐 아니라, 병자를 돌보고 아프리카 지리를 연구하고 포르투칼의 노예장사를 막았으며 나일강의 근원을 찾는 탐험을 병행했다. 1853 년부터 영국 정부 산하 왕립지질협회 후원으로 아프리카 내지와 동부 탐험에 나섰고 1 차 탐험 시에 발견한 잠베지 강의 근원을 2 차 탐험시에 찾아 나섰으며, 1866 년의 3 차 탐험 시에 도달한 탄자카 대 호수 지역 니아사의 Ujij 에서 Morton Stanly 1841-1904 를 만났다. 병을 얻고 쇄약으로 인해 잠비아 치탐보에서 사망했다. 심장은 현지에 묻혔고 그의 육신은 1874 년 4 월 18 일 영국 웨스트민스터 사원에 안치되었다.

Robert Jermain Thomas 1839/40-1866 (27) 제너럴샤만호 사건

George Smith 1840.3.26-1876.8.19 (36) 런던 첼시 출신의 시리아 학자. 니느웨 발굴과 노아 홍수 설화를 담은 칼데아 문자 해독에 성공했다. 열병에 걸려 터키 알렙포에서 사망했다.

Alexander Duff 1806-1878 (72) 윌리암캐리 후세대, 스코틀랜드 인도 선교사, 캘커타

William Miller 1838.1.13-1923.7 (85) 스코틀랜드 인도 선교사, 마드라스

Henry Morton Stanley 1841.1.28-1904.5.10 (63) 탐험가. 뉴욕 헤럴드 기자 신분으로, 실종된 리빙서턴을 1871 년 중앙아프리카에서 찾았다. 정교 학교를 다니지 않고 홀로 떠돌이 생활 중 스텐리라는 상인에게 입양된다. 남북전쟁 시에는 양쪽에서 싸우기도 했고 리빙스턴의 삶에 감동받고 개심. 리빙스턴을 이어 아프리카 대륙을 지도를 작성하며 탐험(1874-88), 벨기에의 콩고 개설을 도왔고 우간다 선교도 하였다. 1890 년 7 월 12 일 Dorothy Tennant 와 결혼.

George L. Mackay 1844.3.21-1901.6.2 (57)
카나다장로교 대만선교사. 카나다 장로교회의 최초 해외 선교사. 대만 북부 장로교회를 개척. 29 년 동안 60 개 교회 개척. 카나다 온타리오주 Zorra 에서 태어나 10 살 때 영국 장로교 중국 선교사 윌리엄 샬머 번즈의 간증을 듣고 선교사가 되기로 결심. 그가 다니던 시골 교회는 38 명의 선교사를 배출. 1871 년 10 월 카나다를 떠나 센프란시스코를 경유 중국으로 향했고 1872 년 3 월 9 일 대만 북부 탄세이(淡水) 마을에 도착. 후에 최초의 교회를 우구에 설립하고 교세를 확장. 대만 여인 장총명과 결혼하였고 두 딸도 현지인과 결혼하였으며 아들도 현지 선교사가 되었다. 1881 년 안식년을 맞이하여 귀국 간증회를 가졌으며 그가 과거에 그러했던 것처럼 10 세 소년이 그의 간증을 듣고 대만 선교사가 된 청년이 바로 윌리엄 가울드 William Gauld 1861-1923 목사이다. 의료 기술을 익혀 의료선교도 겸했으며 후일 맥카이 병원으로 발전했다. 대만 최초의 현대식 학교인 옥스포드 학당도 지었으며 1914 년 타이페이 양명산의 대만신학원이 되었다. 여성 교육에도 기여하다가 1901 년 6 월 2 일 후두암으로 사망했다.

James Outram Fraser 1886.8.26-1938.9.25 (52) 중국 변방 산간지방의 티벳 버마 리수족 (미얀마)선교에 헌신한 영국 선교사. 이소벨의 멘토. 1919 년경에는 600 명의 세례자를 둘 정도로 발전. 1924 년 귀국시 이소벨을 만남. 1929 년 쿤밍 선교사의 딸 Roxie Dymond 와 결혼. 임신한 아내와 두 자녀를 남기고 이른 나이로 운남 서쪽 바오산에서 말라리아에 희생. 딸인 Eileen Crossman (1932.9.21-2016.9.1) 이 전기를 남겼다.

Frank William Schofield 1889.3.15-1970.4.12 (81) 카나다 조선 선교사

미국의 인도 선교

22/05/2018
23/07/2018

Luther Rice 1783.3.25-1836.9.25 (53)
계묘 1783 을묘 1795 갑신 1824 갑자 1864　81

||------53-----|------28-----|| 81　　　||-------27-------|---7---|-------21-------||
1783　　1836　　1864　　　1783　　1810　1817　　1838

1836-34/33=1802/1803
Issachar J. Roberts 1802-1871 홍수전에 영향끼친 침례교 목사
Karl Friedrich August Gutzlaff 1803-1851
Sarah Hall Boardman Judson 1803.11.4-1845.9.1 (42) 져슨의 두번째 부인

1838-34/33=1804/1805
David Abeel 1804-1846 미국 남중국해 선교사
John Wilson 1804.12.11-1875.12.1 (71) 스코틀랜드 인도 선교사.
Joseph Smith 1805.12.23-1844.6.27 (39) 말일성도예수그리스도 교회
George Müller 1805.9.27-1898.3.10 (93) 고아의 아버지, 플리머스 형제단 지도자

1783+59/60=1842/1843
John Ross 1842.8.9-1915.8.7 (73) 스코틀랜드 장로교 목사, 중국 선교사
Daniel Crosby Green 1843-1913 일본도착 1869
Albert Benjamin Simpson (1843-1919) 사중복음 기원자
Cyrus Ingerson Scofield 1843-1921
James Gilmour 1843.6.12-1891.5.21 (48) 스코틀랜드 회중교회 몽고 선교사

Gordon Hall 1784.4.8-1826.3.20 (42)
갑진 1784 무진 1808 갑진 1844 갑자 1864　80

||------42-----|------38-----|| 80　　　||-------27-------|---7---|-------21-------||
1784　　1826　　1864　　　1784　　1811　1818　　1839

1826-34/33=1792/1793
Charles Grandison Finney 1792-1875 미국 대각성 시기의 가장 유명한 목회자.
Harriet Atwood Newell 1793.10.10-1812.11.30 (19) 뉴웰의 부인
John Scudder 1793.9.3-1855.1.13 (62)

1839-34/33=1805/1806
Joseph Smith 1805.12.23-1844.6.27 (39) 말일성도예수그리스도 교회
George Müller 1805.9.27-1898.3.10 (93) 고아의 아버지, 플리머스 형제단 지도자
Alexander Duff 1806.4.15-1878.2.12 (72) 윌리암캐리 후세대, 인도

1784+59/60=1843/1844
Daniel Crosby Green 1843-1913 일본도착 1869
Albert Benjamin Simpson (1843-1919) 사중복음 기원자
Cyrus Ingerson Scofield 1843-1921
James Gilmour 1843.6.12-1891.5.21 (48) 스코틀랜드 회중교회 몽고 선교사
George L. mackay 1844-1901 카나다장로교 대만선교사

Samuel Newell 1785.7.25-1821.3.20 (36)
을사 1785 계미 1823 정유 1837 경자 1840　55

||------36-----|------19-----|| 55　　　||-------27-------|---7---|-------21-------||
1785　　1821　　1840　　　1785　　1812　1819　　1840

1821-34/33=1788/1789
Adoniram Judson (1788-1850) 해외선교회 출신 버마선교사
Samuel Nott 1788.9.11-1869.6.1 (81)
Ann Hasseltine Judson 1789.12.22-1826.10.24 (37) 져슨의 첫 부인

1840-34/33=1806/1807
Alexander Duff 1806.4.15-1878.2.12 (72) 윌리암캐리 후세대, 인도
Asahel Grant 1807.8.17-1844.4.24 페르시아의 네스토리언들에게 보내진 미 의료 선교사

1785+59/60=1844/1845
George L. Mackay 1844.3.21-1901.6.2 (57) 카나다 대만 선교사
John Franklin Goucher (1845.6.7-1922.7.19) 1883 민영익 만남

Arthur H. Smith 1845.7.18-1932.8.31 (87) 미 회중교회 중국 선교사
Timothy Richard 1845.10.10-1919.4.17 영국, 중국 선교사

Samuel Nott 1788.9.11-1869.6.1 (81)
무신 1788 신유 1801 신축 1841 무자 1888 100

||------81-----|------19-----|| 100 ||-------27-------|---7---|-------21-------||
1788 1869 1888 1788 1815 1822 1843

1869-34/33=1835/1836 Young John Allen 1836-1907 미감리교 청조 선교사(=임락지)
James Laidlaw Maxwell Senior 1836-1921 영국 장로교 대만 선교사
모리스볼드윈 (1836-1904) 카나다

1843-34/33=1809/1810 David Cagill 1809-1845 피지 첫 선교사
Charles P.T. Chiniquy 1809.7.30-1899.1.16 (90)
Samuel R. Brown 1810.6.16-1880.6.20 미국 장로교 중국 일본 마카오 선교사

1869+3/4=1872/1873 Robert Arthur Sharp 1872.3.18-1906.3.15 (34)
Robert A. Jaffray 1873.12.16-1945.7.29 (72)

1869+9/10=1878/1879 Charles F. McKoy 1878.7.24-1965.3.12 (87)

Adoniram Judson 1788.8.9-1850.4.12 (62)
무신 1788 경신 1800 무진 1808 임자 1852 64

||------62-----|------2------|| 64 ||-------27-------|---7---|-------21-------||
1788 1850 1852 1788 1815 1822 1843

1850-34/33=1816/1817 Emily Chubbuck Judson 1817.8.22-1854.6.1 (37)

1843-34/33=1809/1810 David Cagill 1809-1845 피지 첫 선교사
Charles P.T. Chiniquy 1809.7.30-1899.1.16 (90)
Elias Riggs 1810.11.19-1901.1.17 미국 터키 중동 선교사

1850+3/4=1853/1854 벙커 [Bunker, Dalziel A.] 1853.8.10-1932. 11. 23 (78) 미감리회 선교사
Martin Wells Knapp 1853.3.27-1901.12.7 (48)
Harlan P. Beach 1854.4.4-1933.3.4 미 회중교회 중국 선교사

1850+9/10=1859/1860 Underwood, Horace Grant 1859. 7. 19- 1916. 10. 12 미북장로회 한국선교사
William James Hall (1860.1.16-1894.11.24) 로제타 홀의 남편.
Benjamin Davidson 1860.9.14-1948.6.23 스코틀랜드 출신, 세일런과 인도 선교연합 창설

[져슨의 부인들]

Ann Hasseltine Judson 1789.12.22-1826.10.24 (37)
기유 1789 병자 1816 무자 1828 임자 1852 63

||------37-----|------26------|| 63
1789 1826 1852

1789+59/60=1848/1849 Mary M. Slessor 1848.12.2-1915.1.15 스코틀랜드 연합 장로교 나이제리아 여 선교사
ElizabethV. Duncan Dawson-Baker 1849-1915

Sarah Hall Boardman Judson 1803.11.4-1845.9.1 (42) [1834 결혼 1845 여행 중 사망]
계해 1803 임술 1862 임자 1912 경자 1960 157

||------42-----|------115------|| 157
1803 1845 1960

1803+59/60=1862/63 Meta Howard 1862.6.13-1930.7.28 (68) 조선 여 의료 선교사.
Malla P. Moe 1863.9.12-1953.10.16 노르웨이 출신의 남아프리카 스와질랜드 여 선교사.

Emily Chubbuck Judson 1817.8.22-1854.6.1 (37) [1846 결혼]
정축 1817 무신 1848 임자 1852 경자 1900 83

||------37-----|------46------|| 83
1817 1854 1900

1817+59/60=1876/77 박에스더 [朴愛施德] 1876.3.16-1910. 4 .13 (34)

[참조]

Luther Rice 1783.3.25-1836.9.25 (53) 미국 침례교인. *American Board of Commissioners for Foreign Missions* 을 설립 해외 선교를 적극 지지, 1812 년 Hall 과 Nott 와 함께 인도로 갔으나 이내 관계가 끊어지고 1813 년 William Ward 의 침례교 해외 선교회와 연결되어 국내로 되돌아 온 후 다시금 *American Baptist Home Missionary Socirty* 를 조직했다. 1814 년 필라델피아에서 침례교 첫 총회를 개최했고 이후 침례교 선교와 교육에 헌신했다. 또한 아메리카 침례교 출판 협회를 창설하여 1822 년 첫 침례교 주간지인 *The Columbian Star* 를 발간했으며 그의 서거 즈음에는 100 여명의 선교사를 배출했다.워싱턴에 묻혔다.

Gordon Hall 1784.4.8-1826.3.20 (42) 아메리카 첫 인도 선교사. ABCFM 에 의해 파송된 다섯 선교사 중 1 인. 1808 년 윌리엄 컬리지에서 개심, 1812 년 Nott, Rice 와 함께 인도 봄베이로 가서 13 년간 시무했다. Margaret Lewis 와 1816 년 12 월 19 일 결혼. 아들 둘이 병사하자 부인과 남은 두 아들은 1825 년 귀국했고 이듬해 홀도 콜레라 환자를 돌보다가 감염되어 병사한다. 남중 인도어인 마하라타어 신약성서를 완성했고, 35 개 학교를 개설하며 교육과 복음화에 기여했다.

Adoniram Judson 1788.8.9-1850.4.12 (62) 역사상 가장 이름난 선교사 중 한 사람. 1813 년 첫 침례교 선교사가 되어 버마로 갔으며, 친한 친구의 자살로 인해 개심 안도버 신학교로 진학했다. 1812 년 Ann Hasseltine 과 결혼했으나 이내 Newell 과 함께 인도를 거쳐 1813 년 버마로 갔다. 6 년의 노고 끝에 신자를 얻고 교회를 설립. 영국과 버마와의 전쟁으로 인해 17 개월간 조악한 환경 속에서 투옥되었었고 석방되던 해인 1826 년 부인이 서거한다. 1834 에 결혼한 그의 둘째 부인 Sarah Boardman 의 병세 악화로 인해 아메리카로 귀국을 서둘렀으나 1845 년 귀국 길에 부인이 서거했으며, 다시 Emily Chubbuck 과 1846 년 결혼했다. 버마어로 성경을 번역했으며 영어버마 사전도 발간했다 (1849). 자녀 열명 중 일곱이 어린 나이에 죽었으며 자신도 건강상 이유로 배를 타고 휴식하다가 사망했으며 바다에 수장되었다. 100 명의 목사들과 7000 명의 교인들을 탄생시켰다.

John Scudder 1793.9.3-1855.1.13 (62) 아메리카 선교회(ABCFM)가 인도와 스리랑카에 파송한 첫 의료 선교사 (1819). 마드라스에 병원과 학교를 설립(1836-42). 중간에 건강 문제로 귀국했다가 다시 현장에 나가 일생 봉사하였다. 열세 자녀들 중 일곱이 인도 선교사가 되었고 손녀인 Ida Scudder 는 아시아 최초의 여성 의료학교를 개설하는 등, 전체 가족이 봉사한 기간은 1100 년이 넘는다. 뉴져지 생이고 남아프리카 윈베르그에 묻혔다.

Samuel Newell 1785.7.25-1821.3.30 인도 선교사. Juson, Nott, Rice, Hall 과 함께 1812 년 2 월 6 일 임명된 후 져슨과 함께 인도로 출발. 캘커타 상륙이 불허되고 프랑스령 섬으로 이동 중 해상에서 딸을 잃고 현지에서 1812 년 11 월 30 일 또다시 부인 Harriet 를 잃음. 홀과 노트와 함께 봄베이에서 활동하다가 그 역시 콜레라로 희생.

Samuel Nott 1788.9.11-1869.6.1 (81) 인도로 1812 년 파견된 5 인 중 1 인. Roxanna Peck 과 결혼. 간 질병으로 인해 중도에 아메리카로 돌아와 뉴욕 갈웨이 등지에서 목회.

John Wilson 1804.12.11-1875.12.1 (71) 스코틀랜드 인도 선교사. 1829 년 인도에 가서 교육 선교에 힘쓰며 영국 식민지 당국도 자문을 구하는 영향력을 행사했으며 1857 년 봄베이 대학을 설립했다. 10 개 국어에 능통했다.

Meta Howard 1862.6.13-1930.7.28 (68) 조선 여 의료 선교사. 1887 년부터 2 년간 봉사하고 건강 악화로 귀국해서 여러 해 동안 각지를 여행하며 독서를 통해 건강을 회복한 후 1893 년부터 자신의 동네 알비온에서 의료영업을 하였으며 일생 독신으로 지냈다.

Robert A. Jaffray 1873.12.16-1945.7.29 (72) 카나다 온타리오 토론토 출신 네덜란드 동인도 선교사. 1897 년 남중국 선교사로 파송되었으며 결혼 후에는 프랑스령 월남에서도 선교.

Maud Cary 1877.11.19-1967.7.15 (90) 미네소타 출신의 모로코 여 선교사. 1901 년 복음 선교협회의 다른 네명의`동료와 함께 스페인 남쪽 지역으로 가 50 년의 사역을 시작한다. 아랍어와 베베르어를 배우면서 23 년을 보냈지만 별다른 수확없이 첫 귀국한 후, 47 세로 다시 모로코로 돌아갔고, 1951 년에 성경 학교 개설하고 1955 년 은퇴한다. 통신 성경 공부를 통해 3 만명의 모슬렘을 전도했으나 1967 년 모든 외국 선교사들의 활동이 금지되었다. 미주리 Liberty 에 90 세의 나이로 잠들었다.

Charles F. McKoy 1878.7.24-1965.3.12 (87) 일생 독신으로 목회에 종사하고 퇴직한 71 살에 인도 선교사가 되어 세계 각지를 돌며 순회 설교와 선교 활동을 펼쳤다. 53 개국을 방문하여 28000 명의 개심자를 얻은 후 캘커타에 묻혔다.

E. Stanley Jones 1884.1.3-1973.1.25 (89) 미 감리교 인도 선교사. 스탠리 존스는 1884 년 미국 동부의 메릴랜드주에서 태어나 애즈베리대학에서 수학한 뒤, 1907 년부터 감리교 선교사로 인도에서 평생 사역했다. 1920 년대 초반 그는 마하트마 간디, 타고르 등과 함께 아슈람(Ashram)운동에 참여했으며, 1930 년대부터는 기독교 아슈람운동을 펼치며 간디의 정신적 지도력을 바탕으로 한 크리스타그라하(Kristagraha) 운동을 전개한다. 그리고 1940 년 미국 뉴욕에 할렘 아슈람(Harlem Ashram)을 세우면서 그의 기독교 아슈람운동은 인도를 넘어 미국과 유럽 등 여러 국가들로 퍼져 나갔다.
1938 년 12 월 12 일자 [타임]지는 스탠리 존스를 "세계에서 가장 위대한 선교사"로 소개했다. 1961 년에는 "간디 평화상"을 수상했으며, 인도 독립운동과 연관된 활동과 제 2 차 세계대전 중에 펼친 평화활동 등으로 두 차례 노벨평화상 후보로 지명되기도 했다. 그는 철저한 복음주의자로 살면서 열린 마음으로 인도인들에게 다가갔으며, 그들의 문화와 전통을 존중하면서도, 유일하신 예수 그리스도의 복음을 효과적으로 전했던 인물이었다.

아프리카 탐험과 운명의 세 사람

17/05/2018

Henry Martyn 1781.2.18-1812.10.16 (31)
신축 1781 경인 1830 기해 1839 갑자 1864

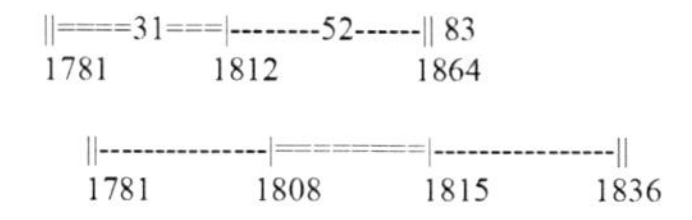

누이의 수년간에 걸친 기도와 부친의 갑작스런 사망으로 개심, 선교사가 되어 1806 년 인도로 가 동인도 회사의 목사가 되었으며, 신약을 인도어로 옮겼다. 폐가 약해 1811 년 보다 나은 기후를 가진 페르시아(이란)로 갔고 신약을 이란어로 번역했다. 말을 타고 영국을 향해 가다가 사막에서 사망.

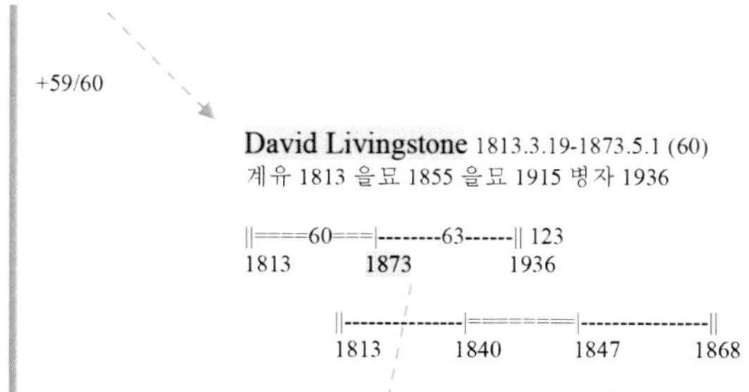

David Livingstone 1813.3.19-1873.5.1 (60)
계유 1813 을묘 1855 을묘 1915 병자 1936

스코틀랜드 Blantyre 에서 태어나 목화 공장에서 일하였으나 학구욕으로 인해 의학과 신학을 공부함. 20 살에 Dick's 의 Philosophy of the Future State 를읽고 개심. 1840 년 목회자가 되어 런던선교협회 소속으로 1841 년 보츠와나 Kuruman 에 도착하여 그곳에서 11 년간 머물면서 여러 곳에 선교 본부를 설치한다. 1845 년 선교사 Robert Moffat 의 딸 Mary Moffat (1821-1862.4.27)과 결혼, 18 년간의 결혼 생활 중 반 이상을 헤어져 지냈으나 잠베지 슈프노아에서 부인의 임종을 지켰다.
그의 목회는 복음 전파 뿐 아니라, 병자를 돌보고, 아프리카 지리를 연구하고, 포르투칼의 노예장사를 막았으며, 나일강의 근원을 찾는 탐험을 병행했다.
1853 년부터 영국 정부 산하 왕립지질협회 후원으로 아프리카 내지와 동부 탐험에 나섰고 1 차 탐험 시에 발견한 잠베지 강의 근원을 2 차 탐험시에 찾아 나섰으며, 1866 년의 3 차 탐험 시에 도달한 탄자카 대 호수 지역 니아사의 Ujij 에서 Morton Stanly 1841-1904 를 만났다. 병을 얻고 쇄약으로 인해 잠비아 치탐보에서 사망했다. 심장은 현지에 묻혔고 그의 육신은 1874 년 4 월 18 일 영국 웨스트민스터 사원에 안치되었다.

Henry Morton Stanley 1841.1.28-1904.5.10 (63)
경자 1840 기축 1889 임진 1892 경자 1900

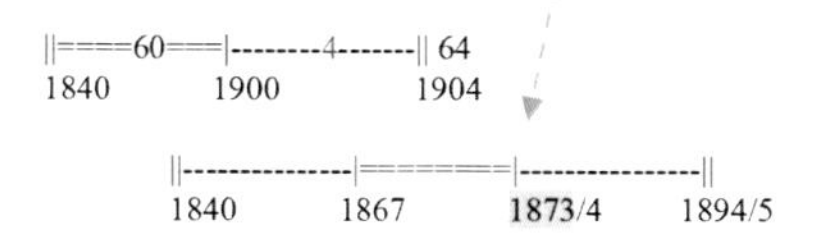

탐험가. 뉴욕 헤럴드 기자 신분으로, 실종된 리빙서턴을 1871 년 중앙아프리카에서 찾았다. 정교 학교를 다니지 않고 홀로 떠돌이 생활 중 스텐리라는 상인에게 입양된다. 남북전쟁 시에는 양쪽에서 싸우기도 했고 리빙스턴의 삶에 감동받고 개심. 리빙스턴을 이어 아프리카 대륙을 지도를 작성하며 탐험(1874-88), 벨기에의 콩고 개설을 도왔고 우간다 선교도 하였다. 1890 년 7 월 12 일 Dorothy Tennant 와 결혼.

카나다의 종교개혁자 찰스 쉬니키

20/06/2018

Charles Chiniqui 1809.7.30-1899.1.16 (90)

James Gardiner 1688.1.11-1745.9.21 (57)
정묘 1687 계축 1733 계축 1793 임자 1852 165
||------58-----|-----107------|| 165
1687 1745 1852

||-------27------|---6/7----|------21---------||
1687 1714 1720/1 1741/2

1745-34/33=1711/2

Henry Alline 1748.6.14-1784.2.2 (36) 대각성 시기의 노바스코티아의 리더. 복음주의 설교가.
무진 1748 무오 1798 임인 1842 경자 1900 152
||-------36-----|------116------|| 152
1748 1784 1900

||-------27-------|----7----|---------|---------|---------||
1748 1775 1782 1789 1796 1803

1784-34/33=1750/51

Charles Chiniqui 1809.7.30-1899.1.16 (90)
기사 1809 신미 1811 정미 1847 경자 1900 C 91
||-------90-----|------1------|| 91
1809 1899 1900

||-------27-------|----7----|---------|---------|---------||
1809 1836 1843 1850 1857 1864

1899-34/33=1865/1866

Victor Willington Peters 1902.9.29-2012.8.12 (110)
임인 1902 기유 1909 을묘 1915 병자 1936 34
||-------34-----|------76------|| 110
1902 1936 2012

||-------27-----|---6/7----|------21------||
1902 1929 1935/6 1956/7

⇨ 시무언 이용도와의 운명의 만남을 가진다

James Gardiner 1688.1.11- 1745.9.21 (57)
스코틀랜드 출신의 영국 군인으로서, Carriden 에서 태어나 Prestonpans 에서 서거했다.
말보로 공작 죤 처칠 경의 전쟁에서 두각을 나타내었으며, 1685 년 루이 14 세의 낭트칙령 폐기와 함께 시작된 프랑스 위그노 탄압에 앞장 선 악명 높은 드라고나드의 지휘관이 되었다.
하지만, Doddridge 가 남긴 *Life of Colonel Gardiner* 를 보면,
탄압이 한창이던 1719 년 7 월내지 10 월에 우연하게 집어 든 위그노의 종교서적을 읽은 후 크게 회심했으며,
이후 싸움하는 것보다 죄를 짓는 것이 더욱 무섭다고 고백하며 경건한 생활을 했다고 한다.
스코틀란드 그의 고향 부근 전투에서 자신의 부하들에게 피살되었다.
1719- 1688=31 / 1745- 1719=26 /

Henry Alline 1748.6.14- 1784.2.2 (36)
로드아일랜드 Newport 에서 태어나 뉴햄프셔 New Hampton 에서 서거한, Nova Scotia 대부흥 운동의 지도자.
1760 년 가족이 Falmouth 로 이주했고, 1775 년 3 월 26 일 개종, 부흥사가 되어 연안 각지를 순회했다. 그의 활동으로 인해 New Light Congregational Churches 와 Baptist Churchs 의 각성과 성장이 이루어졌으며, 1783 년 뉴잉글랜드로 돌아와 더욱 열성적으로 순회부흥 사역을 전개하다가 폐결핵으로 사망한다. 그가 남긴 저서로 *The Anti- Traditionalist* (1783)와 William Law 의 영향을 담은 *Two Mites* (1802)가 있으며, 500 여개의 찬송가를 지었는데, 그의 *Hymns and Spiritual Songs* (1786) 은 Free Will Baptists of New England 에 의해 인쇄 출간 되었다.
1775- 1748=27 / 1784- 1775=9 /

Charles Chiniqui 1809.7.30- 1899.1.16 (90)
퀘벡시 동쪽에 위치한 Kamouraska 출생, 퀘벡주 몽레알에서 서거했다.
카톨릭 사제에서 장로교로 돌아서서 일생 카톨릭을 대항해 싸웠다.
1833 년 사제로 서품받았고 1846 년까지 퀘벡에서 사제직을 수행했다.
1839 년부터 시작한 절제운동으로 유명해짐. Ultramontanism 에 대한 회의로 개혁의 의지를 갖게되었고,
1851 년 일리노이주 디트로이트를 방문하던 중 그곳에 사는 7500 프렌치 카나다인들의 참상을 보고
그들을 위한 사역을 하기위해 일리노이주 St. Anne 식민지 사역을 맡았으나
1856 년 교구의 정직 조치로 인해 카톨릭과 대립하게 되었고 링컨이 변호사를 맡기도 했음.
1858 년 출교와 함께 그를 지지하는 일리노이 교인들과 독립하여 Canadian Presbyterian Church 와 연합한 후 그곳에서 1888 년까지 목회를 함으로써 오늘날의 First Presbyterian Church 가 탄생한다.
몽레알 그랑린 선교회의 Theodore Lafleur 목사와의 만남과 [너희는 값으로 사신 것이니 사람의 종이 되지 말라]라는 고전 7:23 을 통해 회심의 경험을 한 것으로 유명하다. 장로교 목사로 활동하는 그에게 생명의 위협을 비롯한 온갖 핍박이 가해졌으나 맞서 싸워나감.
1864 년 일리노이주 쌩안느의 Euphemie Allard 와 결혼 아들 하나와 두 딸을 두었으나 아들은 어릴때 죽었고 두 딸은 목사와 결혼.
1888 년 은퇴한 이후 죽기까지 카나다 전역과 영국 호주 유럽을 돌며 부흥회와 강의를 함.
그가 남긴 *Fifty Years in the Churuch of Rome* (1886)은 널리 읽혔으며, 몽레알 시 공원에 그의 석상이 있다.
1839- 1809=30 / 1851- 1809=42 / 1856- 1809=47 / 1858- 1809=49
1898- 1851=47 / 1899- 1858=41 /

Victor Willington Peters 1902.9.29- 2012.8.12 (110)
남감리회 선교사. 한국명 피도수(皮道秀). 미국 미주리주 Kansas City 에서 출생. 110 세 장수를 향유하고 라스베가스에서 서거, 로스엔젤레스 카운티의 Whittier 로즈힐 파크에 안장되었다. 1928 년 2 월 12 일 프린스턴신학교 주일예배에서 귀에 들린 "한국에 가서 복음을 전하라"는 소리를 듣고 주한 선교부에 연락하였고, 이에 선교 요청을 받아 내한하기로 결심하였다고 한다. 이를 계시로 여긴 피터스는 부모에게 편지하여 이 사실을 알렸는데, 아버지 피터스(F.N. Peters) 역시 이미 계시를 받아 알고 있었다는 일화가 있다. 1928 년 프린스턴신학교 대학원을 마친 후 그 해 8 월 29 일 미국 남감리회 선교사로 파송받아 내한하였다. 안식년을 제외한 12 년간 한국 선교를 위해 봉사했다. 자신의 생일보다 오히려 중생을 체험한 날(1922. 1. 7)을 중히 여긴 그는 수많은 부흥집회를 통해 무엇보다 교인의 중생을 강조하였다. 부흥운동가 이용도(李龍道) 목사와도 개인적인 깊은 유대관계를 맺고 그를 지원하였으며, 이용도가 별세한 후 3 년이 지난 1936 년 *The Korea Mission Field* 에 "시므온, 한국의 신비 운동가"(Simeon, a Korean Mystic)라는 제목으로 12 회에 걸쳐 그의 생애를 정리하여 발표하였다.

1936- 1687=249 / 58+36+910+34=218 / 249- 218=31

[카나다 조선 선교사 19 인]

10/07/2018
03/09/2018 최선수 저 참고 추가
19/12/2022

George L. Mackay 1844.3.21-1901.6.2 (57)
갑진 1844 정묘 1867 경자 1900 병자 1936 F 92

```
||------57-----|------35------|| 92          ||------27-----|------7------|-----21-----||
1844        1901        1936                 1844        1871      1878       1899
```

1901-34/33=1867/1868
- George Heber Jones 1867.8.14-1919.5.11 (52) 감리교 선교사
- W.D. Reynolds 1867.12.11-1951 (84) 1892
- Solomon Ginsburg 1867.6.8-1927.3.31 브라질 아마존 침례교 선교사

1899-34/33=1865/1866
- Kilbourne, Ernest Albert 1865.3.13-1928.4.13 (63)
- Herbert George Brand 1865-1942 (77) 노리마쓰를 전도한 영국 플리머스 형제단 선교사, 1898 년엔 서울로 옴
- Robert A. Hardie 1865.6.11-1949.6.30 (84)
- Rosetta Sherwood Hall 1865.9.19-1951.4.5 (86)
- Wilfred T. Grenfell 1865.2.28-1940.10.9 영국, 라브라도르 에스키모 선교사
- Wilifrid B. Grubb 1865-1930 스코틀랜드 앙글리칸 파라구아이 선교사
- W.A. Noble 1866.9.13-1945.1.6 (79) 1892
- John White 1866.1.6-1933.8.7 영국 웨슬리안 감리회 로데지아 선교사

1844+59/60=1903/1904
- Watchman Nee 1903.11.4-1972.5.30 (69)
- 정경옥 [鄭景玉] 1903. 5. 24 - 1945. 4. 1 (42)
- Lily O'Hanlon 1904-1982 (78) 네팔 여 선교사

Avison, Oliver R. 1860.6.30-1956.8.29 (96)
경신 1860 임자 1912 을사 1965 병자 1996 G 136

```
||------96-----|------40------|| 136         ||------27-----|------7------|-----21-----||
1860        1956        1996                 1860        1887      1894       1915
```

1956-34/33=1922/1923

1915-34/33=1881/1882
- V.D. Chaffin (1881-1916) 1913
- Bliss W. Billings 1881.1.7-1969.3.8
- Ellasue Wagner 1881.8.4- ?
- Tommie Titcombe 1881.9.17-1968.5.29 영국 태생으로 나이제리아 Yagba 부족 선교사.
- Guy W. Playfair 1882.9.12-1963.9.10 카나다 마니토바 Baldur 태생의 수단 선교사.
- Leslie M. Anglin 1882.2.23-1942.9.5 (60)

1956+3/4=1959/1960
1956+9/10=1965/1966

Margaret Jane Avison 1862-1936.9.15 (74) Smith Falls 생
Agnes Gertrude Avison 1880-? Enfield, Hartford County, Connecticut, US 둘째 부인

Hall, William James1860.1.16-1894.11.24 (34)
기미 1859 정축 1877 기미 1919 갑자 1924 F 65

```
||------34-----|------30------|| 64          ||------27-----|------7------|-----21-----||
1860        1894        1924                 1860        1887      1894       1915
```

1894-34/33=1860/1861
- Avison, Oliver R. 1860.6.30-1956.8.29 (96)
- 벙커 부인 [Bunker, Annie Ellers 1860.8.31-1938. 10. 8]
- Harriet Elisabeth Gibson Heron 1860.6.11-1908.3.29 (48) 헤론의 미망인.
- Charles T. Studd 1860-1931 중국과 아프리카 선교
- Barclay Fowell Buxton 1860.8.16-1946.2.5 (86) 성공회 신부, 일본 성결운동의 아버지, 마쓰에(松江)벤드, 일본전도단 (Japan Evangilistic Band=JEB)
- William John Mckenzie 1861.7.15-1895.6.21 (34)
- 그래함 리 [Lee, Graham 1861- 1916. 12. 2] 미북장로회 한국 선교사
- George W. Hunter 1861-1946 중국내지선교회 투르키스탄 선교

1915-34/33=1881/1882
- V.D. Chaffin (1881-1916) 1913
- Bliss W. Billings 1881.1.7-1969.3.8
- Ellasue Wagner 1881.8.4- ?
- Tommie Titcombe 1881.9.17-1968.5.29 영국 태생으로 나이제리아 Yagba 부족 선교사.

Guy W. Playfair 1882.9.12-1963.9.10 카나다 마니토바 Baldur 태생의 수단 선교사.
Leslie M. Anglin 1882.2.23-1942.9.5 (60)

1860+59/60=1919/1920

김흥호(金興浩) 1919.2.26-2012.12.5 (93)
문선명(文鮮明, 1920.1.6(음), 2.25(양)~ 2012.9.3 (92)

William John Mckenzie 1861.7.15-1895.6.21 (34)
신유 1861 을미 1895 을축 1925 병자 1936 D 75
||------34-----|------41------|| 75
1861 1895 1936

||------27-----|------7------|-----21-----||
1861 1888 1895 1916

1895-34/33=1861/1862

William John Mckenzie 1861.7.15-1895.6.21 (34)
그래함 리 [Lee, Graham] 1861- 1916. 12. 2 (55) 미북장로회 한국 선교사
George W. Hunter 1861-1946 중국내지선교회 투르키스탄 선교
William Martyn Baird, 1862.6.16~1931.11.28 (69)
Herbert Welch 1862.11.7-1969.4.4 (107) 미 감리회 감독

1916-34/33=1882/1883

Guy W. Playfair 1882.9.12-1963.9.10 카나다 마니토바 Baldur 태생의 수단 선교사.
Leslie M. Anglin 1882.2.23-1942.9.5 (60)
R.R. Kendrik 1883.1.28-1908.6.19 (25) 1907 미국 남감리회 여선교사
Frank Earl Cranston Williams 1883.8.4-1962.6.9 (78) 미감리회 선교사
Chaffin, Anna Bair, 蔡富仁, 1883.9.26~1977.6 (94) 미감리회 여선교사

1861+59/60=1920/1921

문선명(文鮮明, 1920.1.6(음), 2.25(양)~ 2012.9.3 (92)
Max THURIAN 1921-1996 (75) 테제 공동체 신부
정진경 1921.9.14~2009.9.3 (88)성결교 목사, 신학자
신유 1921 정유 1957 경진 2000 병자 2056 135
||------88-----|------47------|| 135
1921 2009 2056

참고 -
Louise Hoard McCully 1864.4.24-1945.9.1 (81)
갑자 1864 무진 1868 기미 1919 갑자 1924 C 60
||------60-----|------19------|| 81
1864 1924 1945

James Scarth Gale 1863.2.19-1937.1.31 (74)
계해 1863 갑인 1914 기유 1969 갑자 1984 121
||------74-----|------47------|| 121
1863 1937 1984

||------27-----|------7------|-----21-----||
1863 1891 1898 1919

1937-34/33=1903/1904

Watchman Nee 1903.11.4-1972.5.30 (69)
정경옥 [鄭景玉] 1903. 5. 24 - 1945. 4. 1 (42)
Lily O'Hanlon 1904-1982 (78) 네팔 여 선교사

1919-34/33=1885/1886

Thomas A. Lambie 1885.2.8-1954.4.14 펜실바니아 출신의 아프리카 의료 선교사
Alice Rebecca Appenzeller 1885.11.9-1950.2.20 (65) 미감리회 여선교사. 아펜젤러의 장녀.
James Outram Fraser 1886.8.26-1938.9.25 (52)

1937+3/4=1940/1941
1937+9/10=1946/1947

Kilbourne, Ernest Albert 1865.3.13-1928.4.13 (63)
을축 1865 기묘 1879 임오 1882 경자 1900 H 35
||------35-----|------28------|| 63
1865 1900 1928

||------27-----|------7------|-----21-----||
1865 1892 1899 1920

1928-34/33=1894/1895

Frederick John Macrae 1894.5.14-1973.1.6 (79)
정남수 [鄭南洙 1895-1965. 7. 8]
백낙준 [白樂濬 1895. 3. 9-1985. 1. 3]

1920-34/33=1886/1887

James Outram Fraser 1886.8.26-1938.9.25 (52)
Kate E. Cooper 1886.6.25-1978 (92) 남감리회 여선교사
Mrs. Cunningham 1886.2.1-1976.11.18 (90)
Frank William Cunningham 1887.12.19-1981. 8.18 (94)
한영신 [韓永信] 1887. 7. 22- 1969. 2. 20 (82)

1928+3/4=1931/1932
1928+9/10=1937/1938

Julia Bertha Pittinger Kilbourne 1866-1935.4.12 (69)

Robert A. Hardie 1865.6.11-1949.6.30 (84) 온타리오주 칼레도니아
을축 1865 임오 1882 임자 1912 경자 1960 95
||------84-----|------11------|| 95 ||------27-----|------7------|-----21-----||
1865 1949 1960 1865 1892 1899 1920

1949-34/33=1915/1916 Charles D. Stokes 1915.5.11-1997.1.10 (82) 조선 선교사
Roger SCHUTZ 1915-2005 프레르 로제, 테제 기도원의 창설자

1920-34/33=1886/1887 James Outram Fraser 1886.8.26-1938.9.25 (52)
Kate E. Cooper 1886.6.25-1978 (92) 남감리회 여선교사
Mrs. Cunningham 1886.2.1-1976.11.18 (90)
Frank William Cunningham 1887.12.19-1981. 8.18 (94)
한영신 [韓永信] 1887. 7. 22- 1969. 2. 20 (82)

1949+3/4=1952/1953
1949+9/10=1958/1959

Rosetta Sherwood Hall 1865.9.19-1951.4.5 (86) 뉴욕주 리버티
을축 1865 을유 1885 임진 1892 경자 1900 B 35
||------35-----|------51------|| 86 ||------27-----|------7------|-----21-----||
1865 1900 1951 1865 1892 1899 1920

1951-34/33=1917/1918 Torrey (1918-2001) 대천덕, 성공회
서남동 [徐南同] 1918.7.5-1984.7.19 (66)
Billy Graham 1918- 전후 미국 최고 부흥사.
1951+3/4=1954/1955 이정섭 1955.5.26+/4.5- 을미 1955 신사 2001 정해 2007 신해 2031 76 (1988 결혼)
1951+9/10=1960/1961

1920-34/33=1886/1887 James Outram Fraser 1886.8.26-1938.9.25 (52)
Kate E. Cooper 1886.6.25-1978 (92) 남감리회 여선교사
Mrs. Cunningham 1886.2.1-1976.11.18 (90)
Frank William Cunningham 1887.12.19-1981. 8.18 (94)
한영신 [韓永信] 1887. 7. 22- 1969. 2. 20 (82)

Robert Grierson 1868.2.15-1965.5.8 (97) 할리팍스
무진 1868 갑인 1914 신미 1931 무자 1948 80
||------80-----|------17------|| 97 ||------27-----|------7------|-----21-----||
1868 1948 1965 1868 1895 1902 1923

1965+3/4=1968/1969
1965+9/10=1974/1975
1923-34/33=1889/1890
1965-34/33=1931/1932

Duncan Murdoch MacRae 1868.11.15-1949.12.5 (81) 노바스코시아 캐이프 브래튼 생, 베덱 소천
무진 1868 계해 1923 을사 1965 병자 1996 128
||------81-----|------47------|| 128 ||------27-----|------7------|-----21-----||
1868 1949 1996 1868 1895 1902 1923

1949-34/33=1915/1916
1949+3/4=1952/1953
1949+9/10=1958/1959
1923-34/33=1889/1890

Edith Francis MacRae ?-1956

Robert Arthur Sharp 1872.3.18-1906.3.5 (34) Caistorville, Naiagara
임신 1872 계묘 1903 갑자 1924 갑자 1984 112
||------34-----|------78------|| 112 ||------27-----|------7------|-----21-----||
1872 1906 1984 1872 1899 1906 1927

1906-34/33=1872/1873
1927-34/33=1893/1894 Hall Sherwood 1893.11.10-1991.4.5 (98) 1926 로제나 홀의 아들
J.B. Reynolds (1894-1970) 1920

Frederick John Macrae, 孟皓恩, 1894.5.14~1973.1.6 (79)
Murray Florence Jessie 1894.2.16-1975.4.14 (81) 1901 래한, 20 년간 봉사한 여 의료선교사

1872+59/60=1931/1932

Alice H. Sharp 1871.4.11-1972.9.8 (101) 샤프 선교사 부인
신미 1871 임진 1892 임오 1942 경자 1960 89

||------89-----|------12------|| 101
1871 1960 1972

||------27-----|------7------|-----21-----||
1871 1898 1905 1926

1972-34/33=1938/1939
1926-34/33=1892/1893

릴리안 베데(Lillian Beede 한국명: 安義理, 1892-1934)
A.E. Chadwell (1892-1967) 1926 성공회
펄벅(Pearl Sydenstricker Buck, 1892.6.26-1973.3.6)
Florence E. Root 1892.12.21-1995 (103)
Hall Sherwood 1893.11.10-1991.4.5 (98) 1926 로제나 홀의 아들

1972+3/4=1975/1976
1972+9/10=1981/1982

Frank William Schofield 1889.3.15-1970.4.12 (81)
기축 1889 정묘 1927 경인 1950 병자 1996 107

||------81-----|------26------|| 107
1889 1970 1996

||------27-----|------7------|-----21-----||
1889 1916 1923 1944

1970-34/33=1936/1937
1944-34/33=1910/1911

David Howard Adeney 1911-1994
James M. Stuckey, 徐德基, 1911.4.14-2000.10.18)

1970+3/4=1973/1974
1970+9/10=1979/1980

Stanley Haviland Martin 1890.6.23-1941.7.24 (51)
경인 1890 임오 1942 을해 1995 병자 1996 106

||------51-----|------55------|| 106
1890 1941 1996

||------27-----|------7------|-----21-----||
1890 1917 1924 1945

1941-34/33=1907/1908
1890+60=1950
1945-34/33=1911/1912

Sherwood Hall 1893.11.10-1991.4 (98) 조선태생 첫 외국인, 양화진 안장
계사 1893 계해 1923 신해 1971 무자 2008 115

||------98-----|------17------|| 115
1893 1991 2008

||------27-----|------7------|-----21-----||
1893 1920 1927 1948

1991-34/33=1957/1958
1991+3/4=1994/1995
1991+9/10=2000/2001
1948-34/33=1914/1915

Marian Bottomley Hall 1896.6-1991.9 (95)

Murray Florence Jessie 1894.2.16-1975.4.14 (81)
갑오 1894 병인 1926 기축 1949 갑자 1984 90

||------81-----|------9-------|| 90
1894 1975 1984

||------27-----|------7------|-----21-----||
1894 1921 1928 1949

1975-34/33=1941/1942
1949-34/33=1915/1916

Charles D. Stokes 1915.5.11-1997.1.10 (82) 조선 선교사

1975+3/4=1978/1979
1975+9/10=1984/1985

Archibald H. Barker ? - 1929

Rebecca Barclay Watson Born: 1883.7.5 Upper Kintore, Victoria County, New Brunswick, Canada
Marriage: 1909.9.15 in York County, New Brunswick, Canada
Died: 1938.7.22 Fredericton, York County

Frank William Schofield 1889.3.15-1970.4.12 (81)
기축 1889 정묘 1927 경인 1950 병자 1996 107

||------81-----|------26------|| 107 ||------27-----|------7------|-----21-----||
1889 1970 1996 1889 1916 1923 1944

1970-34/33=1936/1937
1970+3/4=1973/1974
1970+9/10=1979/1980
1944-34/33=1910/1911

대한 민국 국가보훈처 - 네 사람 독립유공자 선교사들

Robert Grierson (具禮善, 캐나다장로회, 1968 년 독립장)
Stanley Martin (閔山海, 캐나다장로회, 1968 년 독립장),
A. H. Barker (朴傑, 캐나다장로회, 1968 년 독립장),
F. W. Schofield (石虎弼, 캐나다장로회, 1968 년 독립장)

[1833 년 비영국권 선교 허용이후]

1833 미국 장로교회 편잡
1841 미국 루터교회
1856 미국 감리교회
1865 미 침례교회 소속 존클라우 박사 부부

[참고]

Nathaniel Seidel 1718.10.2-1782.5.17 (64) 헤른후트 모라비안 교회 목회자. 인도 선교. 진젠도르프 후계자.

Hans Egede 1686.1.31-1758.11.5 (74) 노르웨이 루터란 목회자 선교사. 그릴랜드 에스키모인의 사도. 그의 아들 Paul 은 그린랜드 언어로 신약 성경 번역.

John Hunt 1812.6.13-1848.10.4 (36) 영국 태생 피지 선교사. 1838 년 런던 웨슬리언 선교 협회에 의해 파송되어 1839 년 피지 섬에 도착. 성서도 번역했다.

Bigandet Paul Ambrose 1813-1894 (71) 버마 선교

David Livingstone 1813.3.19-1873.5.1 (60) 스코틀랜드 Blantyre 에서 태어나 목화 공장에서 일하였으나 학구욕으로 인해 의학과 신학을 공부함. 20 살에 Dick's 의 Philosophy of the Future State 를읽고 개심. 1840 년 목회자가 되어 런던선교협회 소속으로 1841 년 보츠와나 Kuruman 에 도착하여 그곳에서 11 년간 머물면서 여러 곳에 선교 본부를 설치한다. 1845 년 선교사 Robert Moffat 의 딸 Mary Moffat (1821-1862.4.27)과 결혼, 18 년간의 결혼 생활 중 반 이상을 헤어져 지냈으나 잠베지 슈프노아에서 부인의 임종을 지켰다. 그의 목회는 복음 전파 뿐 아니라, 병자를 돌보고 아프리카 지리를 연구하고 포르투칼의 노예장사를 막았으며 나일강의 근원을 찾는 탐험을 병행했다. 1853 년부터 영국 정부 산하 왕립지질협회 후원으로 아프리카 내지와 동부 탐험에 나섰고 1 차 탐험 시에 발견한 잠베지 강의 근원을 2 차 탐험시에 찾아 나섰으며, 1866 년의 3 차 탐험 시에 도달한 탄자카 대 호수 지역 니아사의 Ujij 에서 Morton Stanly 1841-1904 를 만났다. 병을 얻고 쇄약으로 인해 잠비아 치탐보에서 사망했다. 심장은 현지에 묻혔고 그의 육신은 1874 년 4 월 18 일 영국 웨스트민스터 사원에 안치되었다.

Robert Jermain Thomas 1839/40-1866 (27) 제너럴샤만호 사건

George Smith 1840.3.26-1876.8.19 (36) 런던 첼시 출신의 시리아 학자. 니느웨 발굴과 노아 홍수 설화를 담은 칼데아 문자 해독에 성공했다. 열병에 걸려 터키 알렙포에서 사망했다.

Alexander Duff 1806-1878 (72) 윌리암캐리 후세대, 스코틀랜드 인도 선교사, 캘커타

William Miller 1838.1.13-1923.7 (85) 스코틀랜드 인도 선교사, 마드라스

Henry Morton Stanley 1841.1.28-1904.5.10 (63) 탐험가. 뉴욕 헤럴드 기자 신분으로, 실종된 리빙서턴을 1871 년 중앙아프리카에서 찾았다. 정교 학교를 다니지 않고 홀로 떠돌이 생활 중 스텐리라는 상인에게 입양된다. 남북전쟁 시에는 양쪽에서 싸우기도 했고

리빙스턴의 삶에 감동받고 개심. 리빙스턴을 이어 아프리카 대륙을 지도를 작성하며 탐험(1874-88), 벨기에의 콩고 개설을 도왔고 우간다 선교도 하였다. 1890 년 7 월 12 일 Dorothy Tennant 와 결혼.

George L. Mackay 1844.3.21-1901.6.2 (57)
갑진 1844 정묘 1867 경자 1900 병자 1936 F 92
||------57-----|------35------|| 92
1844 1901 1936

카나다장로교 대만선교사. 카나다 장로교회의 최초 해외 선교사. 대만 북부 장로교회를 개척. 29 년 동안 60 개 교회 개척. 카나다 온타리오주 Zorra 에서 태어나 10 살 때 영국 장로교 중국 선교사 윌리엄 샬머 번즈의 간증을 듣고 선교사가 되기로 결심. 그가 다니던 시골 교회는 38 명의 선교사를 배출. 1871 년 10 월 카나다를 떠나 샌프란시스코를 경유 중국으로 향했고 1872 년 3 월 9 일 대만 북부 탄세이(淡水) 마을에 도착. 후에 최초의 교회를 우구에 설립하고 교세를 확장. 대만 여인 장총명과 결혼하였고 두 딸도 현지인과 결혼하였으며 아들도 현지 선교사가 되었다. 1881 년 안식년을 맞이하여 귀국 간증회를 가졌으며 그가 과거에 그러했던 것처럼 10 세 소년이 그의 간증을 듣고 대만 선교사가 된 청년이 바로 윌리엄 가울드 William Gauld 1861-1923 목사이다. 의료 기술을 익혀 의료선교도 겸했으며 후일 맥카이 병원으로 발전했다. 대만 최초의 현대식 학교인 옥스포드 학당도 지었으며 1914 년 타이페이 양명산의 대만신학원이 되었다. 여성 교육에도 기여하다가 1901 년 6 월 2 일 후두암으로 사망했다.

James Outram Fraser 1886.8.26-1938.9.25+/8.2- (52)
병술 1886 병신 1896 무오 1918 임자 1972+ 86
||_____52_____|______34_____||86
1886 1938 1972
병술 1886 정유 1897 병술 1946 무자 1948- 62
||_____52_____|______10_____||62
1886 1938 1948

중국 변방 산간지방의 티벳 버마 리수족 (미얀마)선교에 헌신한 영국 선교사.
이소벨(1901.12.17-1957.3.20)의 멘토. 1919 년경에는 600 명의 세례자를 둘 정도로 발전.
1924 년 귀국시 이소벨을 만남. 1929 년 쿤밍 선교사의 딸 Roxie Dymond 와 결혼.
임신한 아내와 두 자녀를 남기고 이른 나이로 운남 서쪽 바오산에서 말라리아에 희생.
딸인 Eileen Crossman (1932.9.21-2016.9.1) 이 전기를 남겼다.

Leslie M. Anglin 1882.2.23-1942.9.5 Home of Onesiphorus 의 설립자. Ava (1884.7.28-1952.9.28)와 1904 년 결혼 후 1910 년 중국 선교를 떠남. 1916 년 미망인 한명과 다섯 아이들과 구제 사역 시작. 1937 년 Samuel Hsiao 를 데리고 미국으로 귀국. 중국으로 다시 갔다가 2 차 대전 와중에 포로가 되어 수용소에서 사망.

Florence E. Root 1892.12.21-1995 (103) 유화례, 미 여선교사, 메사츄세츠 스미스칼리지 졸업 후 1927 년 래한, 광주 지역에서 51 년 봉사 후 1978 년 이한. 버지니아에서 103 세로 서거.

Watchman Nee 1903.11.4-1972.5.30 (69) 근세사 중국 최고의 부흥사
계묘 1903 임술 1922 병신 1956 무자 2008+ 105
계묘 1903 갑자 1924 갑신 1944 갑자 1984- 81

Witness Lee 1905.9.3-1997.6.9 (92) 근세사 중국 최고의 부흥사
을사 1905 갑신 1944 을사 1965 병자 1996+ 91
을사 1905 을유 1945 계유 1993 임자 2032- 127

정경옥 (鄭景玉) 1903. 5. 24 - 1945. 4. 1 (42)
감리교 목사, 조직신학자. 전남 진도에서 출생. 진도에서 초등교육을 마치고 상경하여 제일고등보통학교와 YMCA 영어반을 수료한 후 일본으로 건너가 도시샤(同志社)대학을 중퇴하고 귀국하여, 1927 년 감리교협성신학교를 졸업했다. 그 해 9 월 다시 미국에 유학 캐릿신학교와 노드웨스턴대학원을 마치고 31 년 귀국, 감리교 협성신학교 조직신학 교수가 되었다. 강단에 선 그는 서구의 신진신학을 소개하는 한편 <신학세계> 주간을 맡으면서 60 여편의 논문을 발표했으며 32 년에는 한국 최초로 바르트(Karl Barth)의 「위기의 신학」을 소개했다. 또한 34 년에는 한국인 최초의 조직신학서인 《기독교의 원리》를 저술, 발간했다. 이후 39 년 만주로 건너가 사평가신학교 교장을 역임한 후 41 년 귀국하여 요양 중, 친미파로 지목되어 일경에 검속되었으며, 43 년 이래 전남 광주교회에서 목회하던 중 해방을 4 개월 앞두고 복막염으로 요절하고 말았다. 주요 저서로는 《기독교신학개론》과 《그는 이렇게 살았다》가 있다.

김흥호 (金興浩) 1919.2.26 - 2012.12.5 (93)
황해도 서흥에서 김성항 목사와 황성룡 모친 사이에 태어났다. 목사, 종교학자, 감신교수, 이대교수. 한국의 대표적 철학자인 다석 류영모(1890~1981)의 제자인 김 명예교수는 스승과 함께 평생 하루 한 끼만 먹는 삶을 실천했다. 유족으로 부인 배인숙씨(전 금란여고 교장)와 아들 동철(평택대 교수) 동근씨(이대 교수)가 있다.

3

역사 대칭론
歷史 對稱論

'역사 대칭론' 에서 다루어지는
'역사의 대칭' 이란 어떤 의미인가?
역사 속에는 우리 눈에는 보이지 않는 '거울' 이 놓여있다.
그리고 그 거울을 통해 투사되는 상에는 두가지가 있는데,
시간적 가로 투사로서의 '평행선 대칭' 과
공간적 세로 투사로서의 '거울축 대칭' 이 그것이다.
그리고, 역사는 복합적으로 흘러가기에,
이 두가지 대칭 역시 시공간 속에서 서로 공존하고 있다.
또한, 거울을 통한 상이 굴절이 되거나 확대 축소가 되듯이
역사의 거울 역시 굴절 및 확대 축소 현상이 일어난다.

생사이치 7편 : 역사 대칭론 (歷史 對稱論)

26/10/2020

갑자년 거울축 대칭

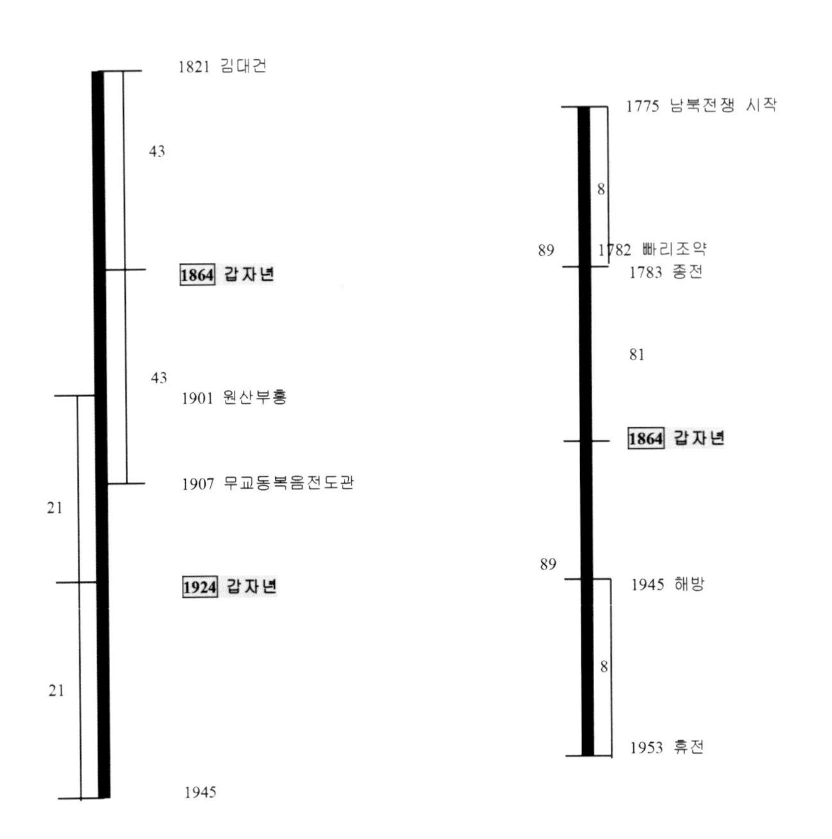

역사 속에 놓여 있다는 거울은 어디에 위치하고 있을까?
우주의 순환을 60갑자로 표현한 동양 이론 체계에서 볼 때
그 거울은 주로 매 60갑자가 출발하는 갑자년에 놓여있으며
갑자년 거울은 물체를 반사하는 면임과 동시에 일종의 축의 역할을 하기에
갑자년을 중심으로 상하 좌우로 역사적 사건이나 인물의 자리를 투영하고 있다.

위 표에서 보면, 1864갑자년이나 1924 갑자년을 중심축으로 하여
상하로 유사한 사건들이 동일한 거리를 두고 위치하며
역사상 유사한 사건이 일정한 시기와 위치에 되풀이해서 나타나는
소위 역사의 동시성과는 다른 양태의 결과를 드러내고 있어
이를두고 우리는 갑자년 거울축 대칭이라 부르고자 한다.

종교개혁 거울 축 이치

03/11/2017
22/07/2019

1483 거울 축 이치

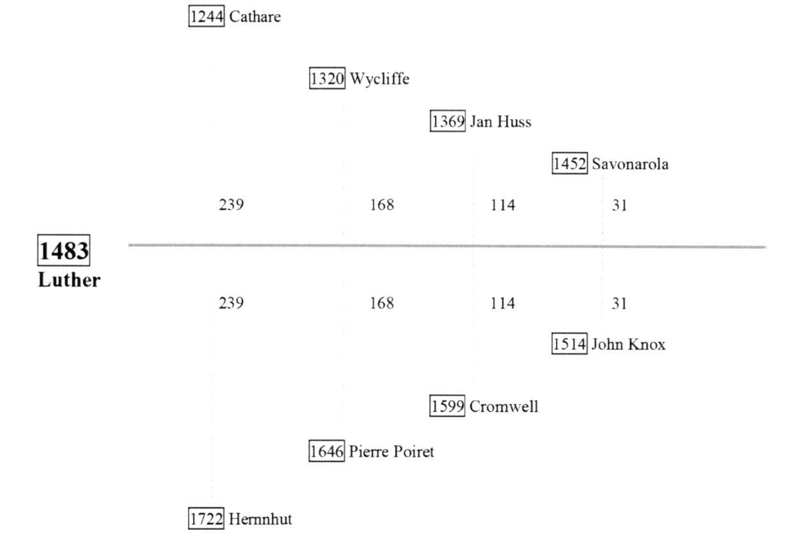

1517 거울 축 이치

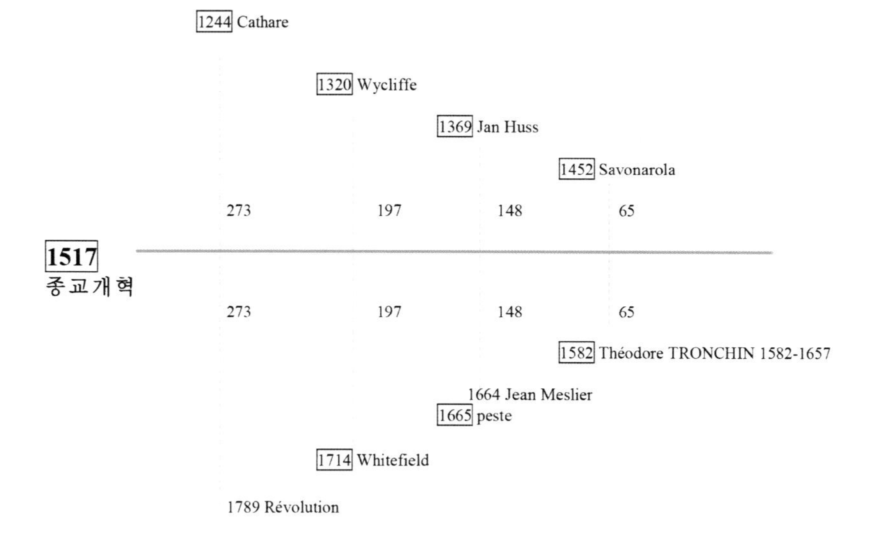

갑자년과 루터의 종교개혁

1414 Concile de Constance, Unité de l'Eglise, condamnation de Wiclef et de J. Huss. 문종
1415 Jan Hus est brûlé à Constance.

1417 Henri V d'Angleterre débarque ses troupes à l'embouchure de la Touques (aujourd'hui Trouville-sur-Mer), et entreprend la conquête de la Normandie

1417 Fin du Grand Schisme d'Occident. Le concile se sépare en avril 1418.

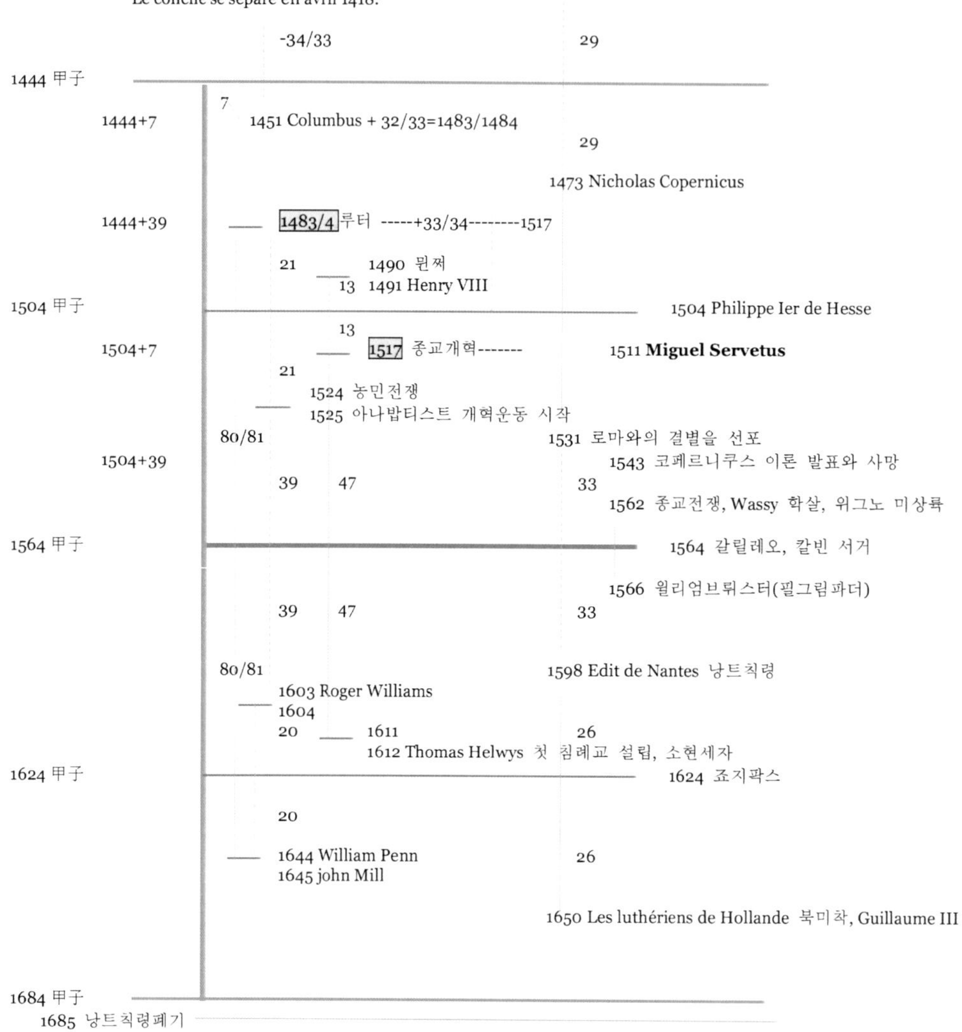

갑자년 평행 대칭

03/11/2017

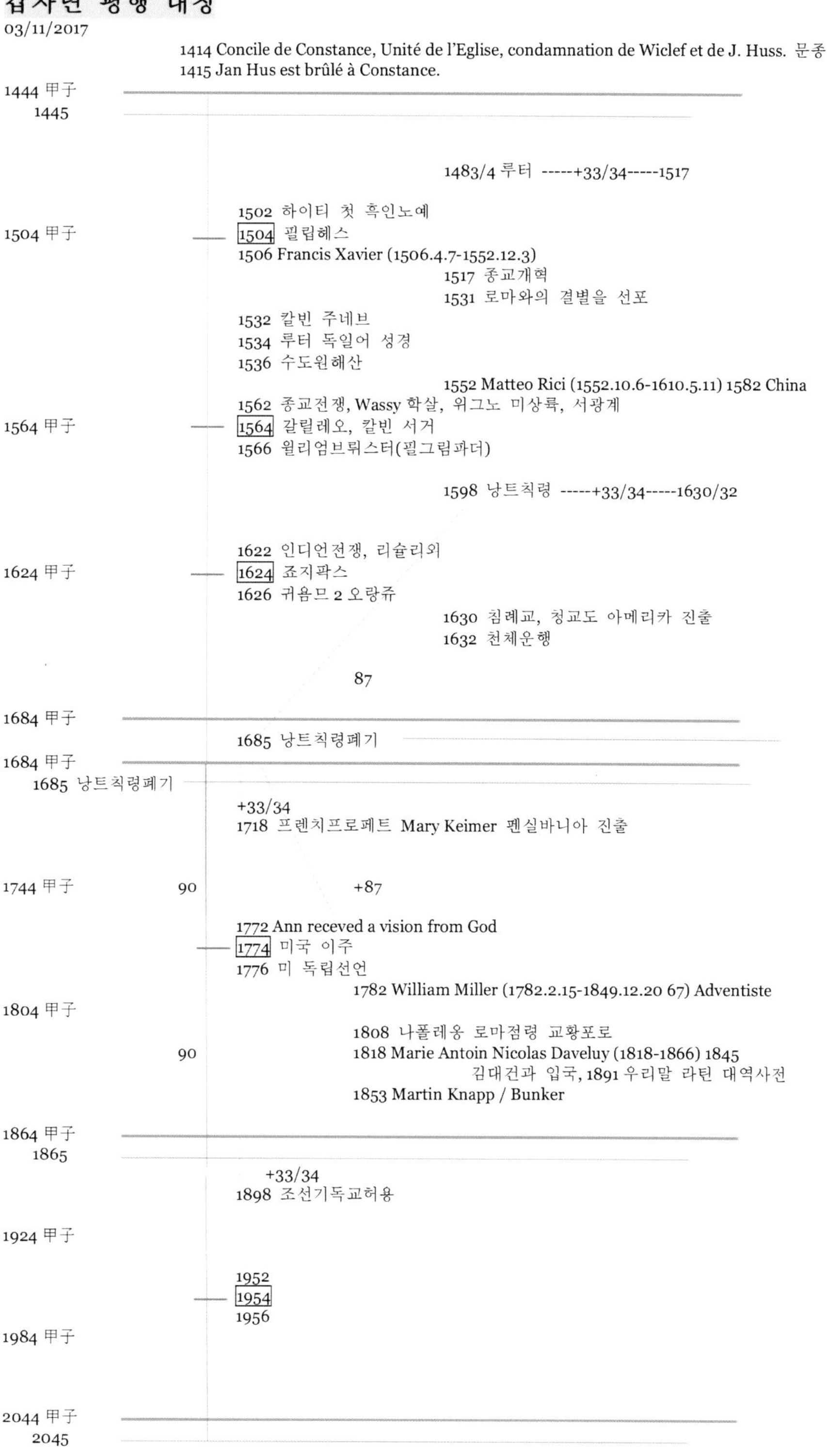

1685년 거울 축 이치

03/11/2017

1414 Concile de Constance, Unité de l'Eglise, condamnation de Wiclef et de J. Huss. 문종
1415 Jan Hus est brûlé à Constance.

1418 성삼문, 안평대군

1450 William Warham 1450-1532 헨리 8세 시 캔터베리 대주교,
1531 로마와의 결별을 선포

1506 Francis Xavier (1506.4.7-1552.12.3)

1517 종교개혁

1552 Matteo Rici (1552.10.6-1610.5.11) 1582 China

92

1562 종교전쟁 시작, 서광계

1588 Johann Heinrich Alsted (1588-1638)
reformateur millenariste allemand

1594 Adolphus Gustavus II 1594-1632 스웨덴 구스타브 1 세의 손자

1598 낭트칙령

+33
1630 침례교, 청교도 아메리카 진출

87 168 97

1685

낭트칙령폐기

87 91 123 133 168 97

+33
1718 프렌치프로페트 Mary Keimer 펜실바니아 진출

1772 Ann receved a vision from God

1774

1776 미 독립선언

1782 William Miller (1782.2.15-1849.12.20 67)
Adventiste

1808 나폴레옹 로마점령 교황포로

92

90 88

1818 Marie Antoin Nicolas Daveluy (1818-1866) 1845
김대건과 입국, 1891 우리말 라틴 대역사전

56

1853 Martin Knapp / Bunker

1864

+33
1897
1898 조선기독교허용

56

88

92 90

1920

1952

1954

1956

갑자년이 아닐지라도 역사 상 매우 중요한 사건도 그 자체 힘을 지니고 있어 거울축과 같은 역할과 기능을 발휘한다.
1685년은 퐁텐블로 조약이라는 낭트칙령을 폐기하는 포고문이 반포된 해이며 이 해와 사건을 변곡점으로 하여 프랑스에 임하던 모종의 하늘의 역사가 멈추고 이웃 나라인 영국으로 이동하게 되는 매우 중요한 해이다.

역사의 등거리 대칭

갑자+7/+39 법칙

➔매 갑자년+7/+39 되는 해를 기점으로 하고 중심축 년도도 표기하면 전체 역사지도를 구성할 수 있다.

갑자		+7		+39
1444	+6 +7 +8	1450 Gutenberg 1451 Christopher **Columbus** 1452 Leonardo da Vinci, Savonarola	+38 +39 +40	1482 Johannes Oecolampadius 1483 **Martin Luther,** Nikolaus von Amsdorf, 왕간 1484 Ulrich Zwingli, George of Brandenberg
1504	+5 +6 +7	1509 **Jean Calvin**, Juan de VALDES 1510 JEAN DE LEYDE 1510-1536 1511 **Miguel Servetus,** Pierre Viret	+37 +38 +39	1541 칼빈 제네바, 기독교 강요 1542 Saint François-Xavier aux Indes, 유성룡 1543 Robert Harrisson 회중교회 창시자 1543 코페르니쿠스 이론 발표와 사망
1564	+6 +7 +8	1570 John Smyth, 회중교회 탄생 1571 Johannes Kepler, 이지조 1572 *La Saint-Barthélémy*	+38 +39 +40	1602 동인도회사 설립 1603 제임스 1 세, 에도시대, **로저윌리암스** 1604 John Eliot (인디언 선교, 성경)
1624	+6 +7 +8	1630 침례교 미국 진출 1631 Philip Henry, Michael Wigglesworth 1632 Galilée 천체운행, Spinoza, John Locke	+38 +39 +40	1662 *Acte d'uniformité* de l'Eglise d'Angleterre. Quaker Act 1663 Fondation du M.E.P., Auguste Hermann Francke 1664 **Jean Meslier** 1664-1729 (65) 무신론 신부
1684	+6 +7 +8	1690 Christian David 헤른후트 설립자 1691 Frelinghuysen 1692 □□□ □□□□	+38 +39 +40	1722 모라비안 신앙 공동체인 Herrnhut 탄생 1723 Paul Henry Thiery, baron d'Holbach 1724 Immanuel Kant
1744	+6 +7 +8	1750 David Bogue 1751 George Liele 1752 Freeborn Garrettson	+38 +39 +40	1782 미 독립비준 **Robert Maurrison, William Miller** 1783 Paix de Verseilles (indépendance des Etats-Unis). 미 합중국에 남아있던 앵글리칸들이 프로테스탄트 감독교회를 조직 1784 Constitution du méthodisme sous l'impulsion de John Wesley, 명례당, Gordon Hall
1804	+6 +7 +8	1810 리챠드스펄링, 미국 오순절 운동 1811 **Bernard J. Betterlheim** 1812 John Hunt	+38 +39 +40	1842 **죤 로스** [Ross, John 1843 죠지밀러가 주장한 재림 해, Simpson, Scofield 1844 Accord franco-chinois sur les missions (passeports)
1864	+6 +7 +8	1870 中田重治나까다쥬지, 최중진, 이순화 1871 강증산, Lewis Sperry Chafer, Pieters 1872 샤프, 구니아히데	+38 +39 +40	1902 손양원, 한경직, 빅토르윌링턴피터스 1903 원산부흥, 일본전도단, **워치만니** 1903 Premier vol des frères Wright en aéroplane. 1904 안식교, 성결교 도입, 러일전쟁, 유관순
1924	+6 +7 +8	1930 최경식 1931 안동민, 조희성, 박보희, 이만희 1932 법정	+38 +39 +40	1962-1965 Concile de Vatican II : 1962 제 2 차 바티칸 공의회(요한 23 세), 안철수 1963 Montréal : Assemblée de travail de la Commission 'Foi et Constitution' : les relations Ecriture-Tradition et la signification ecclésiologique du Conseil oecuménique des Eglises. 1963 Assassinat de Kennedy, 임찬순 1964 La Fédération Luthérienne Mondiale demande l'instauration d'un dialogue avec l'Eglise catholique. 1964 Eglise Réformée : accession des femmes au ministère pastoral.
1984	+6 +7 +8	1990 1991 1992	+38 +39 +40	2022 2023 2024
2044	+6 +7 +8	2050 2051 2052	+38 +39 +40	2082 2083 2084

역사의 등거리 대칭이란,
갑자년을 기준으로 하여 일정한 거리를 두고 사건이나 인물이 배치되는 현상을 말하며
갑자년 축을 중심으로 대칭되게 투사되는 것이 아닌
동시성적 성격으로 배치되는 것을 말한다.
유럽 역사에서 가장 두드러지는 종교개혁 시대를 원형으로 하면
지나간 2 천년 역사 전체의 지도를 구성할 수 있다.

사건/인물 +33/34 법칙 33년은 예수의 생애를 원형으로 한다

[예] 1483/4 루터 ----- +33/34 ----- 1517 종교개혁
1598 낭트칙령 ----- +33/34 ----- 1630/32 1630 침례교, 청교도 아메리카 진출

1451	컬럼버스	1483/4	루터	1517	종교개혁				
1517	종교개혁	1550	로버트부라운	1583	마태오리치중국착				
1490	토마스뮌쩌	1524	농민전쟁	1557	죤낙스개혁				
1557	죤낙스개혁	1591	아마버리허친슨	1624	죠지팍스				
1564	갈릴레오	1598	낭트칙령	1632	천체운행				
1570	회중교회	1603	에도시대	1636	데지마				
1570	회중교회	1603	로저윌리엄스	1636	프로비던스				
1572	쌩바르텔르미	1607	제임스타운						
1598	낭트칙령	1630	침례교, 청교도 아메리카 진출						
		1632	천체운행						
1624	죠비팍스	1658	햄프턴코트 Hampton Court						
1685	낭트칙령폐기	1718	프렌치프로페트, Mary Keimer 펜실바니아 진출						
1754	루이 16	1787	루이 16 종교자유	1820	부흥운동	1853	마틴냅	1854	일본개항
1864	천명신교	1898	조선기독교허용						

사건/인물 +55 법칙 55년은 생애도표 합산에서 나오는 수치이다.

1517 종교개혁 1572 쌩바르텔르미 1629 라호셀함락 1685 낭트칙령폐기

사건/인물 +87 법칙 87년은 낭트칙령으로부터 그것이 폐기되까지의 기간이다

1598 낭트칙령 1685 낭트칙령폐기 1772 Ann receved a vision
1859 개신교 선교사 일본 도착, 언더우드 1945 해방
1946

1946 Fondation de l'Alliance biblique universelle.
1946-1950 Accroissement massif des missionnaires au Japon.
Mai 1948. Les Juifs de 102 nations du monde reviennent en Israël.
1948 Proclamation de l'Etat d'Israël

사건/인물 +36/37 법칙 position productive

1483	루터	1519	콜리니	1555	루이즈	1591	안마버리허친슨
1517	종교개혁	1553	앙리 4	1589	꺄트린메디치 서거 앙리 4 등극		
1588	명예혁명 무적함대 격파	1624	죠지팍스	1660	자블론스키		
1784	명례당	1820 1821	 김대건				
1795	런던선교협회	1831 1832	조선교구 설립 허드슨테일러				
1884	소래교회	1920		1956			
1910	한일합방	1946		1982			

양명학과 종교개혁 대칭

'역사 대칭론'에서 다루어지는 '역사의 대칭'이란 어떤 의미인가 ?
역사 속에는 우리 눈에는 보이지 않는 '거울'이 놓여있다.
그리고 그 거울을 통해 투사되는 상에는 두가지가 있는데,
시간적 가로 투사로서의 '평행선 대칭'과
공간적 세로 투사로서의 '거울축 대칭'이 그것이다.
그리고, 역사는 복합적으로 흘러가기에, 이 두가지 대칭 역시 시공간 속에서 서로 공존하고 있다.
또한, 거울을 통한 상이 굴절이 되거나 확대 축소가 되듯이
역사의 거울 역시 굴절 및 확대 축소 현상이 일어난다.

서양- 37=동양	동양+37=서양
1483-37=1446 **Martin Luther** 1483/4.11.10-1546.2.18 (63)	**1446+37=1483** **王华**（1446 年－1522 年）王华其子为大哲**学**家王陽明。
1494-37=1457 **Francois I** (1494-1547)	1457+37=1494 **성종** 1457-1494
1509-37=1472 **Calvin1509.7.10~1564.5.27 (55)**	**1472+37=1509** **王陽明** 1472.10.26 ~1529.1.9 (57)은 중국 명나라 때 정치가·유교 사상가이다. 양명학의 시조이며 또한 심학(心學)의 대성자이다. 이름은 수인(守仁)이며 양명은 호.
1519-34=1482 **Gaspard de Coligny** 1519.2.16-1572.8.24 Catherine de Medicis 1519.4.13-1589.1.5 (70) Theodore de Beza (1519.6.26-1605.10.13) **1520** **Jean Ribaut** 1520-1565 플로리다 개척 불 군인	**1482+37=1519** 조광조 [趙光祖] 1482.8.10(-)~1519.12.20(-) (37). 조선 중기의 문신. 본관은 한양(漢陽). **1483** **왕간**(王艮, 1483.7.20 년~1541.1.2 년)은 중국 명나라의 양명학 좌파의 사상가이다. 자는 여지(汝止), 호는 심재(心齋)이다. 태주(泰州) 안풍장(安豊場) 출신이며, 태주학파(太州學派)의 지도자이다.
1564-37=1527 Galileo A. Galilei 1564.2.15-1642.1.8	1527+37=1564 殷繼南 은계남 1527-1582 龍華會
1570-37=1533 **John Smyth** (1570 -1612.8.28) 암스테르담 망명 영국 설교가. 회중교회 창시자인 로버트 부라운(1550-1636)의 영향을 받았으며 아나밥티즘을 계승.	**1533+37=1570** **王森** 1535-1619 聞香教 □□ [□珥] 1536(중종 31)~1584(선조 17).

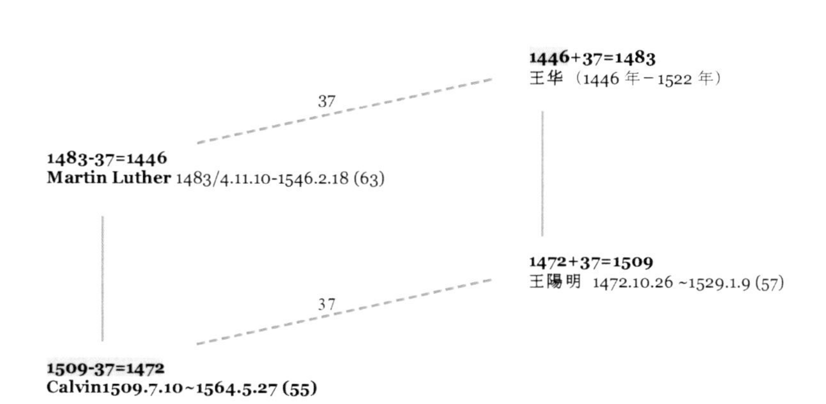

➔ 동서양 역사를 비교할 때 드러나는 역사의 굴절의 한 예이다.

25/26 과 37/38 구조

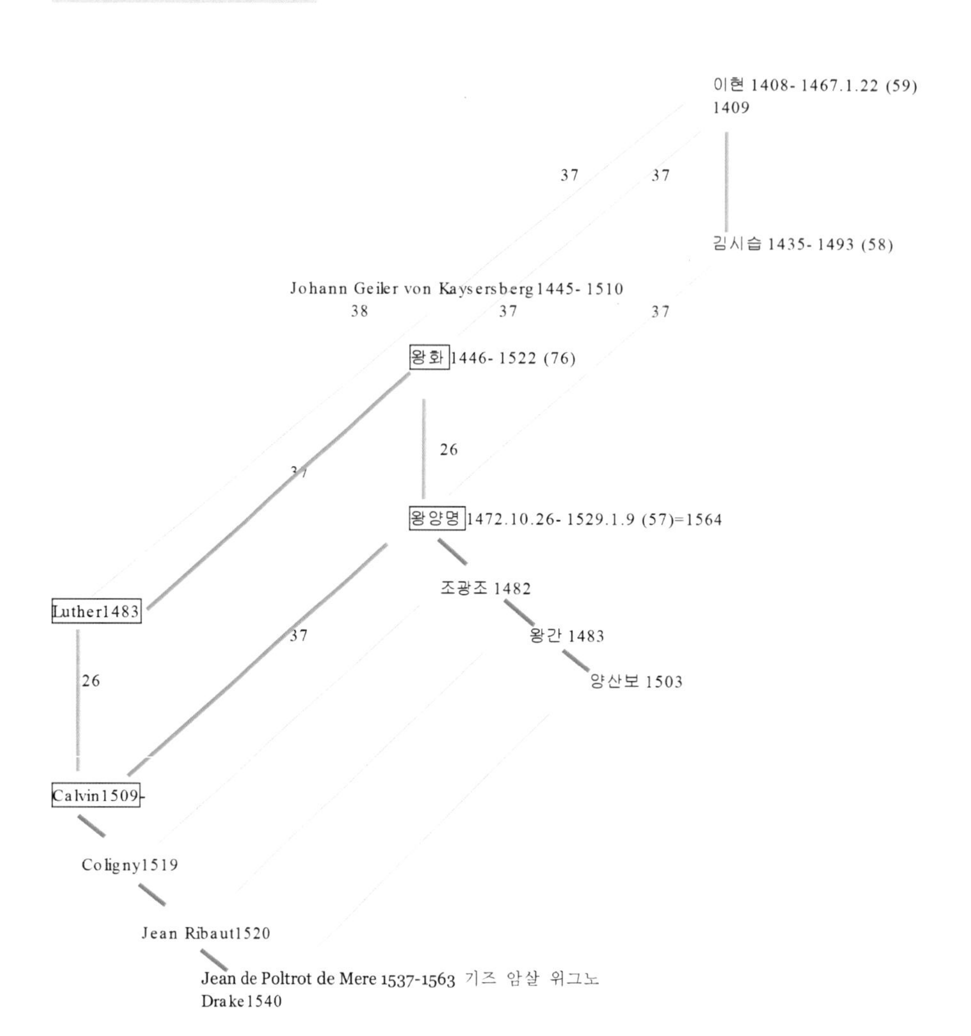

역사 속에 등장하는 사건이나 인물들은
거울축 대칭이나 동시성적 성격을 넘어
전체적으로 일정한 구조를 지닌 채 등장하고 있다.
모든 물질에 결정체가 존재하듯
역사를 구성하는 근저에도 결정체가 존재한다.

오강재 1391- 1469

37

진헌장 1428- 1500 (72)=1516

37 26

김굉필 1454- 1504
이맥(李陌)1455-1528 태백일사

나흠순 1465- 1547

26

1481
1482 조광조

26

1508
남사고 1509-1571

1535
이이 [李珥] 1536(중종 31)~1584

26

서광계(徐光啓, 1562.4.24~1633.11.10)

+25

윤선도 1587-1671

+25 소현세자 1612-1645
+26 고염무 1613-1682

高山青(고산청)

우측 전개 20/21/22/23/24/25 를 모두 대입해 볼 수 있다
수직 전개 +50 을 먼저 찾아본다
서양 역사는 1685 년 퐁텐블로 폐기를 중심으로 큰 변화를 맞이한다

+25	+21	+22	+23
1711 Henry M. Muhlenberg 1736 Ann Lee Standerlin 1761 **William Carey** 1786 Alexander Campbell 1811 Bernard J. Betterlheim 1836 Young John Allen 1861 윌리엄 존 맥켄지 1886 1911 1936 1961 1986 2011	1761 William Carey 1782 **Robert Maurrison** 1803 **Karl Gutzlaff** 1824 최제우 1845 John Franklin Goucher 1865 **Kilbourne, Ernest Albert** 1886 **James Outram Fraser** 1907 1928 1949 1970	1703 **Jonathan Edwards** **Sr. John Wesley** 1725 Martin Boehm 1726 Christian F. Schwartz 1748 Henry Alline	1763 Thomas Campbell 1786 Alexander Campbell 1809 Charles P.T. Chiniquy 1832 **J. Hudson Taylor**

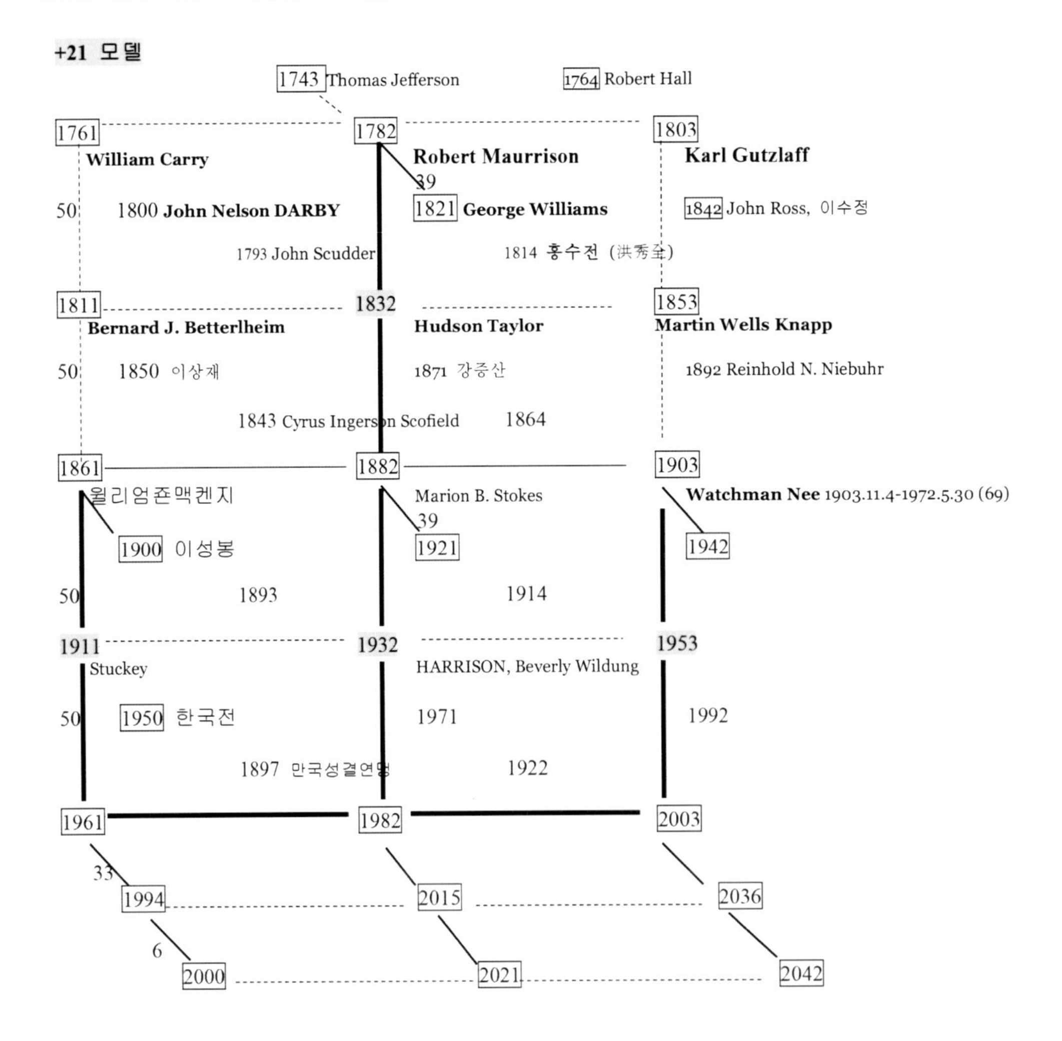

+25 모델

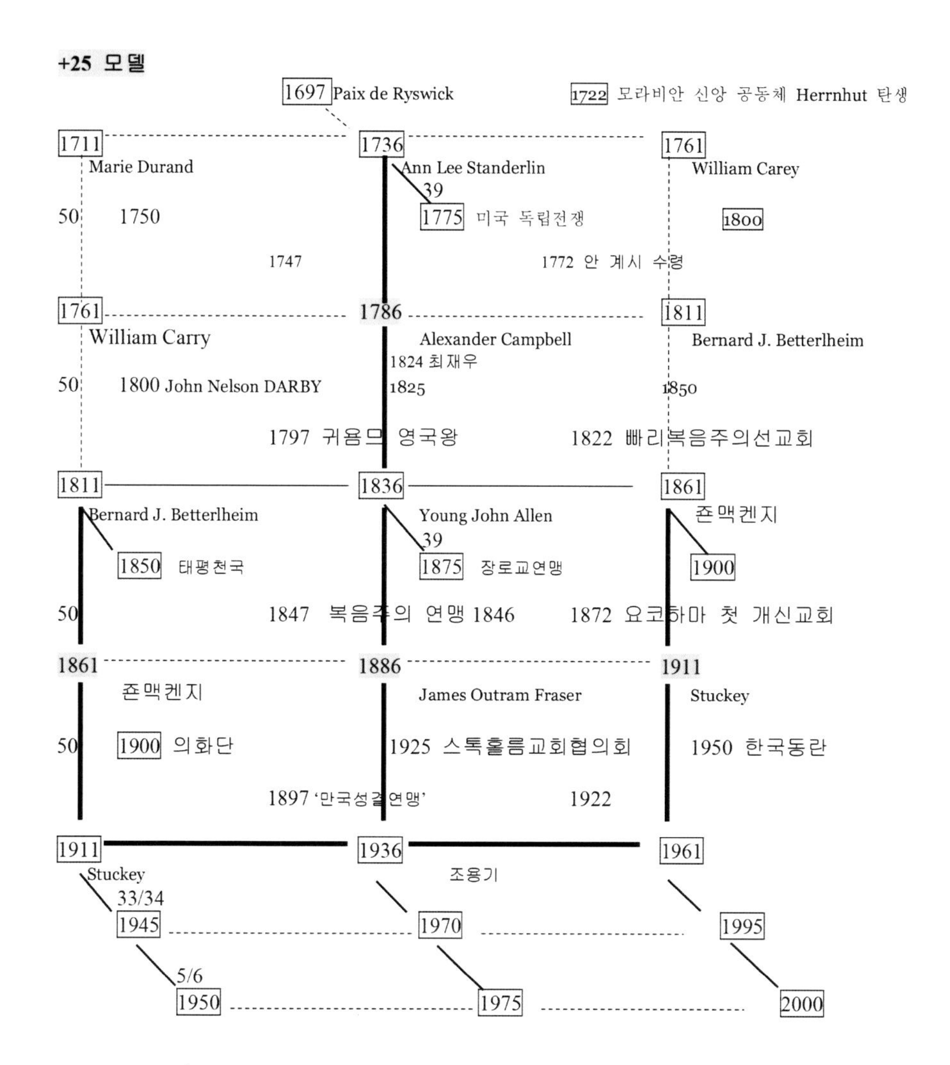

일련의 도표들을 고산청이라 제목을 붙인 이유는,
역사 속에 일정한 패턴과 구조를 지닌 채 펼쳐지는
수많은 인물들과 사건들을 보노라면
화려한 음계에 따라 연주되는 음악이 연상되기 때문이다.

이곳에 소개하는 일련의 도표들의 구조는
흡사 한자의 높을 고[高]자와 닮았기에
이들을 볼 때 마다
대만의 유명한 민요 高山青 까오~산~칭 이 연상된다.

+21 모델

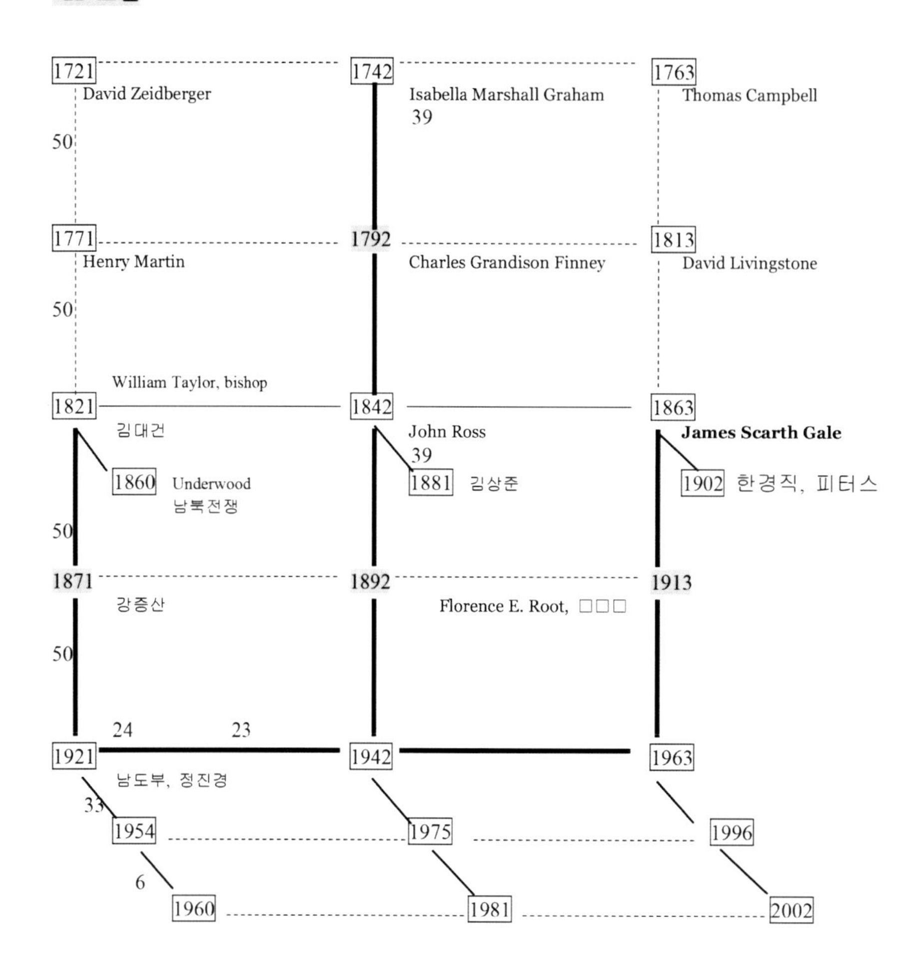

+23 모델

1763	Thomas Campbell	1786	Alexander Campbell	1809	Charles P.T. Chiniquy	1832	**J. Hudson Taylor**
1813	David Livingstone	1836	알렌	1859	언더우드	1882	한미수호조약, 김성도
1863	James Scarth Gale	1886	칼바르트, 한불조약	1909	강신명	1932	법정

여기서 한가지 주의할 점은,
역사 도표는 먼저 자리를 추정하는 것이 우선이며
실제로 어떤 사건이나 인물이 그 자리에 배치될 때는
생몰시기가 년초와 년말에 따라 개월 수에 약간의 차이가 나기에
년수 계산 결과는 +/-1년 오차가 날 수 있다는 점이다.
더우기 음양력이 오가는 동양인의 경우 더욱 그러하다.

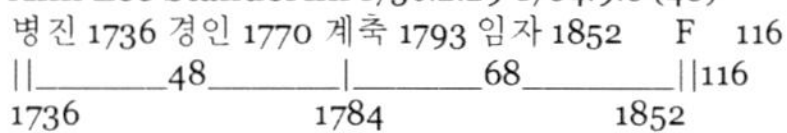

Ann Lee Standerlin 1736.2.29-1784.9.8 (48)
병진 1736 경인 1770 계축 1793 임자 1852 F 116
||______48______|______68_______||116
1736 1784 1852

1736 안리 +20 1756 **Hester Rogers**
+24 1780 Elizabeth Gurney Fry
+22 1802 **Sarah P.Haines Doremus**
+25 1827 Ellen Gould Harmon
+20 1847 Anna Howard SHAW
+24 1851 **Lillias Stirling Horton Underwood**
+25 1876 **박에스더**

Mary Lyon 1797.2.28-1849.3.5 (52)
정사 1797 임인 1842 계유 1873 임자 1912 115
||_______52______|_______63________||115
1797 1849 1912

메사츄세츠 출신으로서 미국 최초의 여성 사역자 양성 기관인 Holyoke Seminary 홀리요크 마운틴 학교를 80 명의 학생과 함께 1837 년 South Hadley 에 설립 (컬리지 승격 1893)하고 그곳에서 서거시까지 12 년간 학장으로 있었다. 처음엔 교사 생활을 하다가 어느날 갑자기 그만 두고 자금을 모아 여성들을 위한 학교를 세우기로 결심, 홀리요크 마운틴을 통해 3000 여명의 여성 선교사 및 교역자와 교육자를 배출했으며 매년 200 달러씩의 선교 자금을 제공했다.

Lillias Stirling Horton Underwood 1851.6.21-1921.10.29 (70)
신해 1851 갑오 1894 무신 1908 임자 1912 61
||_______61______|_______9________||70
1851 1912 1921

언더우드 부인. 뉴욕 주 알바니 생이며, 16 세때 전 가족이 시카고로 이주. 시카고 여성 의과대학을 나와 선교사가 된다.

Underwood, Horace Grant 1859.7.19-1916.10.12 (57)
기미 1859 신미 1871 무오 1918 임자 1972 113
||_______57______|_______56________||113
1859 1916 1972

김흥호(金興浩) 1919.2.26-2012.12.5 (93)
기미 1919 병인 1926 기유 1969 갑자 1984+ 65
기미 1919 정묘 1927 무인 1938 임자 1972- 53
||_______65______|_______28________||93
1919 1984 2012

||_______53______|_______40________||93
1919 1972 2012

황해도 서흥에서 김성항 목사와 황성룡 모친 사이에 태어났다. 목사, 종교학자, 감신교수, 이대교수. 한국의 대표적 철학자인 다석 류영모(1890□ 1981)의 제자인 김 명예교수는 스승과 함께 평생 하루 한 끼만 먹는 삶을 실천했다. 유족으로 부인 배인숙씨(전 금란여고 교장)와 아들 동철(평택대 교수) 동근씨(이대 교수)가 있다.

1736 안리	+20	1756	**Hester Rogers**	+24	1780	Elizabeth Gurney Fry
	+21	1757				
	+22	1758	Jesse Lee			
	+23	1759				
	+24	1760	Richard Allen			
	+25	1761	**William Carey**	+21	1782	**Robert Maurrison**
1786 알렉산더캠벨						
1836				+20	1878	정빈, 이반로버츠
1837 무디	+21	1858	헤론, 아펜젤러, 알렌, 최병헌	+21	1879	안중근
	+22	1859	언더우드	+22	1880	고판례, 차경석
	+23	1860	홀	+23	1881	김상준
	+24	1861	내촌감삼	+24	1882	김성도
	+25	1862	해안교회	+25	1883	고명우, 세핀
	+22	1859	언더우드	+22		
	+23	1860	홀	+23		
	+24	1861	내촌감삼	+24		
	+25	1862	해안교회	+25		

1864 갑자년 입체 상향 거울 축과 36-10 이치

+36 position productive (사람과 사건에 공히 적용 가능)

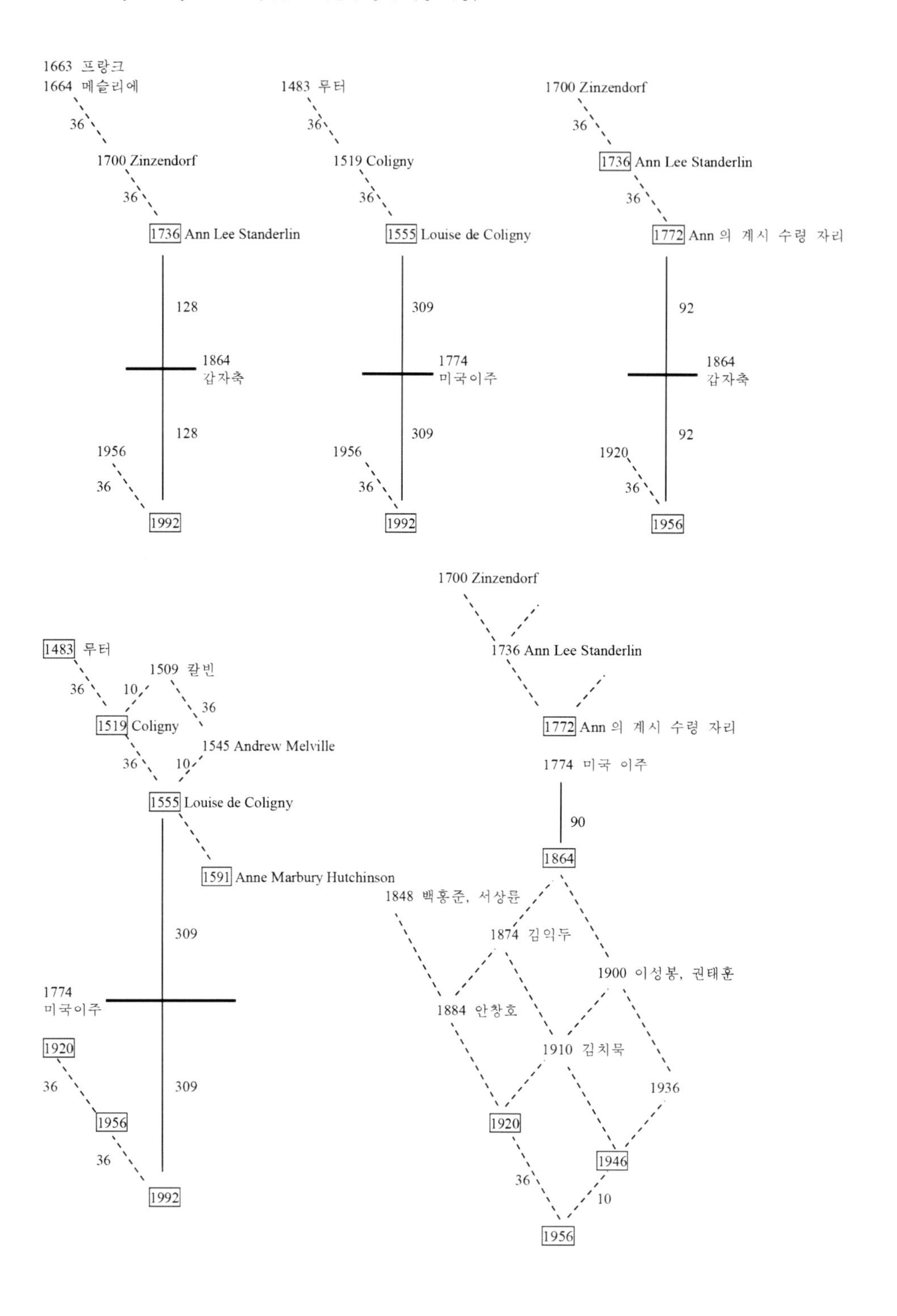

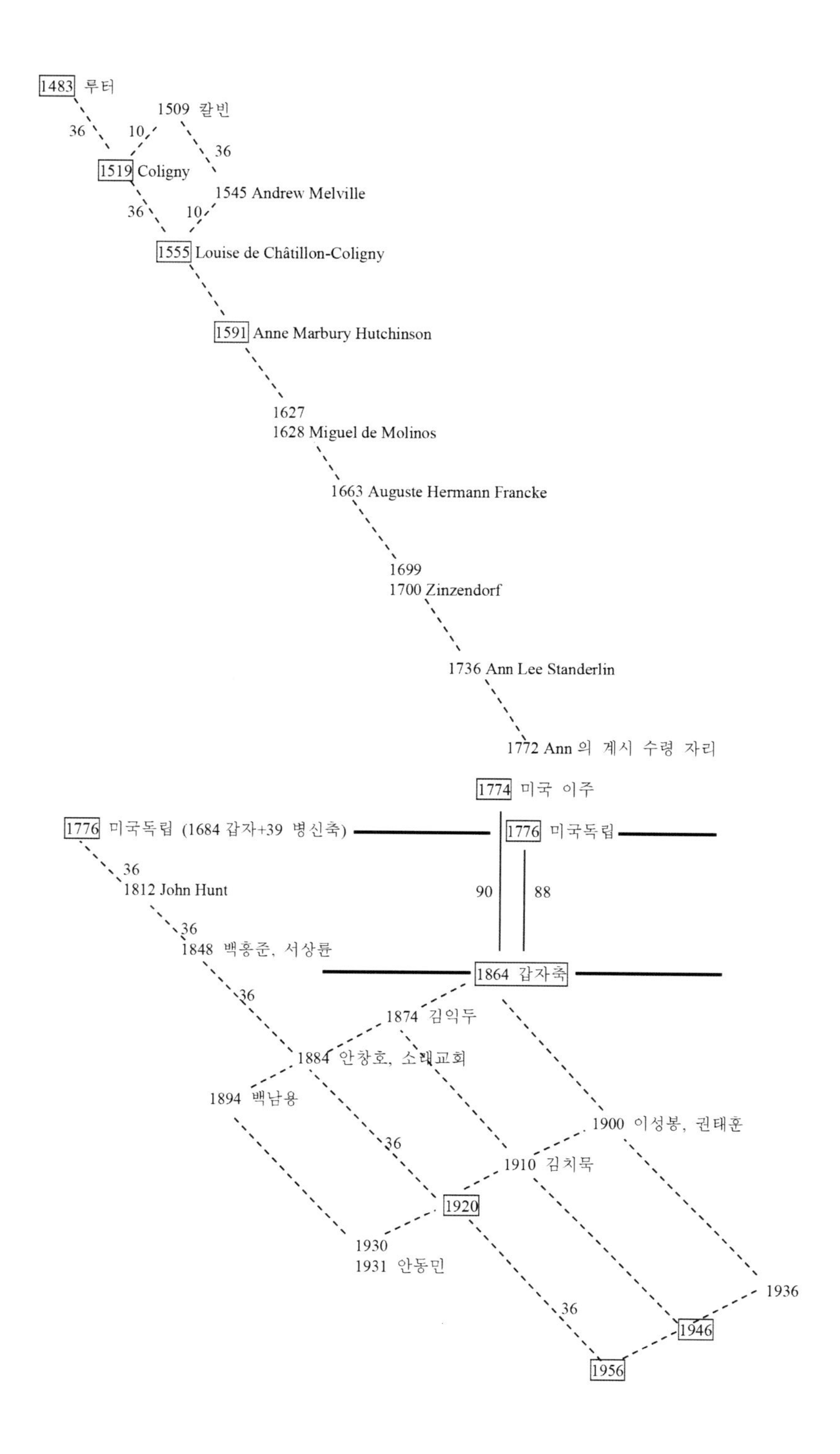
1483 루터
1509 칼빈
36
10
36
1519 Coligny
1545 Andrew Melville
36
10
1555 Louise de Châtillon-Coligny
1591 Anne Marbury Hutchinson
1627
1628 Miguel de Molinos
1663 Auguste Hermann Francke
1699
1700 Zinzendorf
1736 Ann Lee Standerlin
1772 Ann 의 계시 수령 자리
1774 미국 이주
1776 미국독립 (1684 갑자+39 병신축)
1776 미국독립
36
1812 John Hunt
90
88
36
1848 백홍준, 서상륜
1864 갑자축
36
1874 김익두
1884 안창호, 소래교회
1894 백남용
1900 이성봉, 권태훈
36
1910 김치묵
1920
1930
1931 안동민
1936
36
1946
1956

동서양 갑자 역사의 구조

[역사의 블랙홀] : 해외 5기둥과 국내 7기둥
2019.08.20

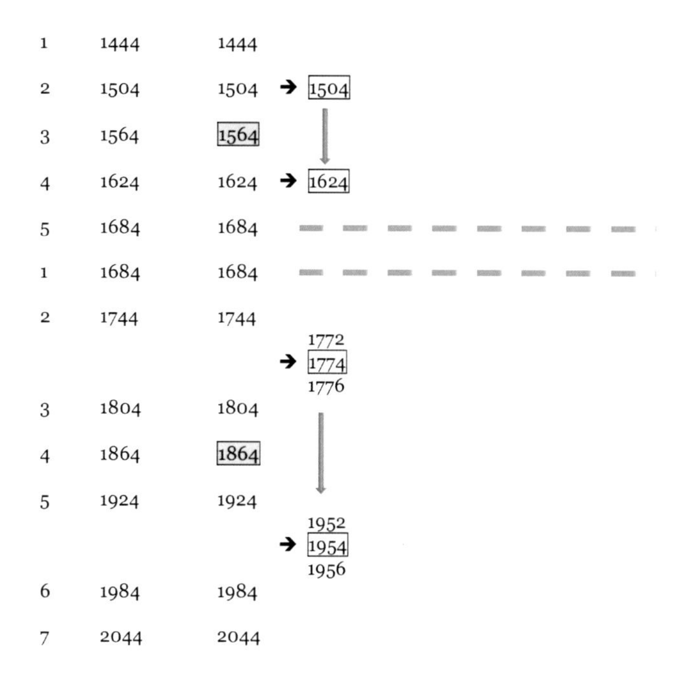

동양 역사는 1864 갑자년을 전후 한 7개 갑자년에 의해 진행되며,
상하 두 파트로 나눌 경우, 각각 300년씩의 기간이 설정되고,
1684 갑자부터 1864 갑자까지의 상부의 중심을 계산하면 1774년이 나온다.

반면, 서양 역사는 1564 갑자년을 전후 한 5개 갑자년에 의해 진행된다.

참고로, 1444년부터 2044년에 이르는 전체 기간의 중간 지점은 1744 갑자년이지만,
동서로 나누어 전진되는 역사이기에 1744 갑자년에는 큰 의미가 없으며,
동서 두 파트의 각각의 중심점들이 중요하다.

서방의 중심점은 1564 갑자년 하나이며,
동방의 전체 중심점은 1864 갑자년이나
동방의 상부 중심점은 1774년이고, 하부 중심점은 1954년으로서
둘 다 갑자년은 아니나 매우 중요하다.

결국, 1564년을 중심한 서방 역사 5기둥,
그리고 1864년을 중심한 동방 역사 7기둥,
이렇게 두 단계에 걸친 총 열두 기둥 역사가 진행되어 왔다.

안동민씨의 예언 : « 국외에는 5 기둥을 세우고, 국내에는 7 기둥을 세우는 역사.
이 기둥이 무엇이며 또한 그들이 누구인지를 아는 자를 보내주리라. »

부록에 안동민씨의 예언 원문을 소개하였으니 참고하기 바란다.

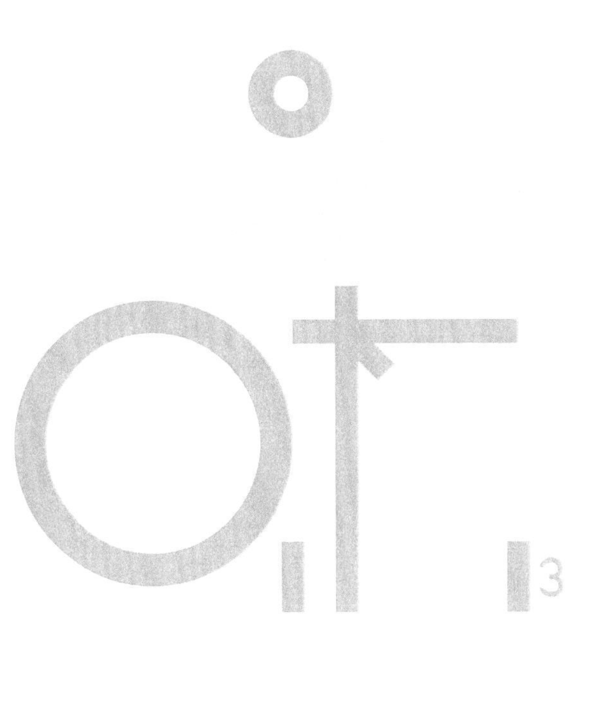

역사 전이론
歷史 轉移論

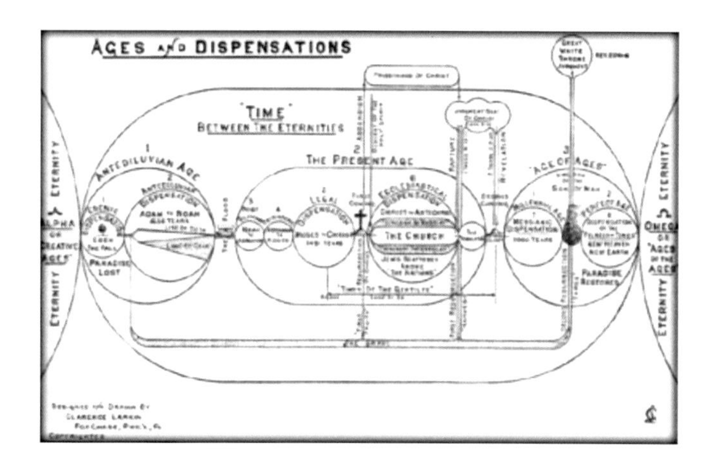

역사는 쉬임없이 흐르고 있다.
그 흐르는 역사 속에 내재하는 모종의 법칙과 이치는
흐름의 법칙이자 흐름의 이치이다.

흐르는 역사에 몸을 싣고 움직임의 이치를 따라가노라면
역사는 인간의 손에 의해 산출되는 우연의 연속이 아니라
어떠한 신적인 힘이 부여되어 살아 움직이는 거대한 생물임을 발견할 것이며,
일정한 패턴을 지니고 방향성과 목적성을 지니고 흘러가는
살아있는 역사임을 알게 된다.

살아있는 역사를 발견하는 자는
역사 속에 영원히 살아계시는 하늘의 존재도 발견하게 될 것이며
역사 속에서 하늘을 발견하는 자들은,
아브라함과 이삭과 야곱이 그러했듯이,
하늘 앞에 산 자들이 다 될 것이다.

서진 역사 이치 강의

27/10/2017

강의 개요와 목적

본 강의는, 기독교 역사에 대한 약간의 사전 지식을 지닌 일반인들을 위한 강의이다.
따라서, 이미 아는 사실을 놓고 더욱 세분화된 사료를 연구하는 대학 강의도 아니요
이미 알고 있는 과거사를 되돌아보며 은혜를 나누고자 하는 교회 강의도 아니다.
본 강의에서는, 학교 강단과 일반 교회사에서 다루지 않았고 다룰 수도 없는
불가지한 측면의 역사를 함께 살펴보며 대화를 나누는 것이 목적이다.

또한 본 강의의 목적은,
역사는 우리 인간이 역사 무대의 주인공이 되어 주도해나가는 것이지만,
그 배후에는 인간 외적인 하늘의 개입이 있었음을 보여주는 데 있다.
역사 속에는 우리들이 알 지 못했던, 모종의 하늘이 개입해 지나가신 발자국으로서의 흔적이 남아
있으며, 그 흔적은 대개의 경우 일정한 법칙성을 지니고 있어 그 보이지 않는 법칙성을 우리 눈에 보이는
가시적인 형태로 전환할 경우 그것은 수리적 법칙 내지 수리적 역사 이치의 형태로 나타난다.
본 강의는 바로 그 역사적 수리 이치의 한 면을 엿보고자 하는 데 목적이 있다.

역사는 쉬임없이 흐르고 있다.
그 흐르는 역사 속에 내재하는 모종의 법칙과 이치는 흐름의 법칙이자 흐름의 이치이며,
그 흐르는 역사에 몸을 싣고 움직임의 이치를 따라가노라면
역사는 인간의 손에 의해 산출되는 우연의 연속이 아니라
그 이상의 어떠한 신적인 힘이 부여되어 살아 움직이는 거대한 생물임을 발견할 것이며,
일정한 패턴을 지니고 방향성과 목적성을 지닌 듯 흘러가는 살아있는 역사임을 알게 된다.
그리고 그 살아있는 역사를 발견하는 자는 역사 속에 영원히 살아계시는 하늘의 존재도 발견하게 될
것이며, 역사 속에서 하늘을 발견하는 자들은 아브라함과 이삭과 야곱이 그러했듯이,
하늘 앞에 산 자들이 다 될 것이다.

강의는, 먼저 400 년 전의 종교개혁이라는 대 사건의 기원에 해당하는 종교개혁 이전의 역사에 대해
알아 본 후 종교개혁 이후 유럽에서도 특히 프랑스로부터 영국으로 넘어가는 움직임과, 영국에서 또다시
신대륙 아메리카로 이동한 후 일본과 중국을 거쳐 오늘 우리 한반도에 이르는 역사의 흐름을 살필
것이다.

이해를 돕기 위한 자료로서 두 개의 '서진 역사 이치' 도표를 준비했으며,
400 년 이상의 방대한 역사를 압축적으로 정리했기에 다소 비약이 있을 수는 있으나
철저히 역사적 사실에 입각하여 작성되었기에 이해에 무리가 없으리라 본다.

종교개혁의 기원

종교개혁이 왜 일어났는가에 대해서는 학자들의 의견이 대체로 일치하고 있으며,
다음과 같은 몇가지로 요약할 수 있다.

(1) 르네상스와 인문주의자들의 영향

르네상스는 말 그대로 고전으로의 회귀 내지 복고주의를 의미하며,
이것은 그때까지 인생과 사회 전반을 지배해 온 기독교 신앙에 입각한 인생관과 세계관에 대한
깊은 회의와 아울러 교회의 전통적인 지배에서 벗어나고자하는 해방 의식을 민중 속에 심었다.
그동안 무시되고 잊혀졌던 그리스와 로마 문화에 대한 관심을 부활시켰고,
라틴어가 지배적이던 귀족 사회에서, 성서 원어인 그리스어에 대한 관심과 아울러
자국의 언어를 통해 신약성서를 다시 보게 된 일부 지식층들에 의해
기독교의 원래 모습과 예수 가르침의 원형을 추구하는 경향이 생겼으며,
결국에는 현실 교회를 비판하는 바탕을 제공하게 된다.

르네상스 시대 유럽의 종교 분야에 크게 기여한 대표적인 인물을 꼽는다면,

로테르담의 에라스므스 (Erasmus 1469-1536)와
프랑스의 쟈크 르페브르 데따플 (Jacque Lefebre d'Etaples 1460-1536)을 들 수 있으며
이들은 각각 신약성서 원문으로부터 처음으로 자국어로 성서를 번역한 인물들이다.

(2) 교황청의 부패

종교개혁이 일어나던 당시의 교황은 레오 10 세 (1513-1521 재위)였으며, 십자군 전쟁의 실패로 인해 땅에 떨어진 교황의 권위를 드높이고자 교황청을 수축하는 과정에서, 1516 년 요한 텟첼 (Johann Tetzel)을 베드로 성당 개축 자금 조달을 위한 면죄부 대사로 임명하면서 루터 (Martin Luther 1483/4-1546)와 정면으로 충돌하였고, 독일의 일부 제후들이 루터를 비호하면서 종교개혁은 걷잡을 수 없이 확산되기 시작한다. 부족한 건축 자금을 조달하기 위해 성직을 매매하다 못해 결국에는 면죄부까지 판매하는 교황청의 부패는 종교개혁을 야기시킨 결정적인 이유로 꼽힌다.

(3) 기타 사회적 이유들

그 외 요인들로는, 컬럼버스 (Christopher Columbus 1451-1506)에 의한 1492 년 신대륙의 발견과, 십자군 전쟁 (1096 년에 시작하여 1270 년까지 8 차)과, 백년전쟁 (1337 년에서 1453 년까지 영국과 프랑스)으로 인한 민중의 피곤함, 그리고 페스트라는 흑사병으로 인한 광범위한 피해와 죽음에 대한 공포 및 사회적 불안, 그리고 루터의 사상을 빠르게 확산하는 데 기여한 구텐베르크 (Johann Gutenberg 1396-1468)의 인쇄술의 출현 (1450 년에 발명하여 1456 년 성서 발간) 등을 학자들은 꼽고 있는데, 이 모든 요인들이 말하고자하는 공통점은, 이러한 주변 사회적 요인들로 인해 종교개혁의 발발은 가능했다는 점이다. 하지만, 카톨릭의 일부 학자들은, 타협을 모르고 자신의 신념만을 고집하는 루터라는 인물의 하자있는 인성에서부터 종교개혁의 기원을 찾기도 한다.

(4) 기타 종교적 이유들

역사학자들이 꼽고 있는 종교적인 기타 요인들로서는, 스코틀랜드의 종교개혁자
위클리프 (John Wycliffe 1320-1384)와 오늘의 체코에 해당하는 보헤미아의
얀 후스 (John Huss 1369-1415)라는 종교개혁자들의 영향을 들 수 있다.
그들의 생애와 사상은 널리 알려져 있기에 설명을 생략하나, 루터의 사상 못지않는 위대한 개혁사상들을 그들은 설파했었고, 비록 교황청의 강력한 탄압으로 몸은 화형당했을지라도 그들의 개혁적 종교사상은 오늘 우리 시대에서조차도 실천하지 못하리만치 매우 앞서가고 있었으며, 특히 얀후스의 사상은 훗날 죠지뮐러 (George Müller 1805-1893)의 플리머스 형제단이나 세대주의로 유명한 닐슨 다비 (Nelson Darby1800-1882)와 같은 인물들을 통해 계승되었다.

(5) 비 학술적 이유들

뒤에서 보게되겠지만, 종교개혁에서 본격적으로 시작된 일련의 종교적인 흐름은,
외면적으로는 방금 위에서 본 바와 같은 외부 사회적인 요인들에 의한 역사적 사건들로 연이어 지지만,
그 내면으로는 눈에 보이지 않는 또 하나의 흐름으로서의 영적 흐름이 면면이 계승되고 있으며,
그 흐름은 불가시적이기에 학문에서는 다룰 수 없는 영역이기도 하다.
또한 영적인 흐름은 외부적인 흐름과는 달리 사건의 규모에 있어서는 미약하기에 역사학자들의 관심을 끌지 못하지만, 그 의미에 있어서는 큰 사건 못지않는 크기와 중요성을 띠고 있어
역사의 경중을 구분하는 기준을 달리하는 순간 그 의미와 중요성도 달라진다.

역사의 표면은 가시적인 사건들의 연속으로 이루어지는 반면,
역사의 내면으로는 불가시적인 영적인 의미들이 흐르고 있다는 것을 방금 언급했는 데,
종교개혁을 가능케한 불가시적인 의미의 예로 두가지만 들어보면 다음과 같다.

첫째로는, 남부 프랑스 해변 마을에 예수의 유복자를 안고 도착한 마리아에 대한 전설이 그것이다.

프랑스 정남쪽 지중해변에는 까마르그 (Camargue)라는 지역이 있고,
거기에 위치하는 자그만 어촌 마을인 쌩트마리 들라 메르 (Sainte Marie de La Mer)에,
예수 사후 박해를 피해 마리아가 예수의 유복자를 안고 도착했다고 한다.

오늘날에도 해마다 마리아의 도착을 기념하는 축제가 열리고 있으며, 전 유럽에서 몰려오는 신앙인들 속에는 멀리 보헤미아에서 온 집시들도 많다. 또한, 예수의 유복자의 후손에서 훗날 프랑스의 첫 왕조가 탄생했다고 전해지기에 프랑스의 왕실에는 예수의 혈통이 흐르고 있었다는 말도 된다.

하지만, 예수의 혈통보다 더욱 중요한 것이 이 전설 뒤에 숨어있다.
카톨릭 교회의 정통성과 기독교 믿음의 중심에 서 있는 예수 상에 대한 심각한 도전이 바로 그것이다.
예수의 유복자가 상륙한 프랑스 남부 지역은, 이후 반 카톨릭 정서가 확산되고
카타르파(Cathares)와 같은, 전통적인 견해와는 차이가 나는 신앙관이 광범위하게 유포됨으로써
일찍부터 교회의 감시 대상이 되었다.

이후, 교황청을 결정적으로 격노하게 만든 사건이 일어났으니,
바로 솔로몬 이래의 유대 왕국의 보물이 로마의 약탈을 피해 그동안 숨겨져 있다가
십자군 전쟁을 기해 예루살렘에 진출한 성당기사단 (Templiers)에 의해
프랑스 남부 지방의 카타르 이단의 손으로 유입되었다는 사실이었고,
뒤늦게 이 사실을 안 교황이 북부 제후들을 선동하여 남불 지방을 치게한 '알비 십자군'은
표면적 이유는 이단 척결이었지만 실상은 그들의 손으로 유입된 솔로몬의 보물을 탈취하기 위해서였고,
교황청의 협박과 회유에도 굴하지 않고 마지막까지 항거하던 카타르의 산성 '몽쎄귀르'(Mont Ségur)는
이후 프랑스인들의 마음 속에, 신앙의 자유를 위해 목숨 바치던 종교적 항거의 영원한 심벌로 남게 된다.

1209-1213	카타르를 척결하기 위한 첫 십자군 출병
1214-1215	목적 달성
1216-1225	재 봉기와 탄압
1244	몽쎄귀르 산성에서의 카타르의 마지막 항거

종교개혁을 가능케한 불가시적인 두번째 요인은, 하늘의 동시성적 역사 섭리에서 찾을 수 있다.

아래 표에서 보듯이, 지나간 4000 년 구약시대와 2000 년 신약 시대를 각각 2000 년 단위로 나란히 놓고 보면, 각 시대의 끝점 400 년 전에 큰 변화와 개혁이 되풀이 되는 동시성 역사를 볼 수 있으며,
동시성 역사가 의미하는 것을 한마디로 표현하면,
종교개혁 사건은 모든 사회적 요인들에 선행하여, 하늘에 의해 이미 정해진 사건이라는 점이다.

아담 이후 1600 년 아브라함 등장 400 년 전에 일어났던 **노아홍수**,
아브라함 이후 1600 년 예수 시대 400 년 전에 일어났던 말라기 **성전 개혁**,
예수 이후 1600 년 다시 오신다는 주를 기다리는 우리 시대 400 년 전에 발생한 **종교개혁**

동시성 역사와 종교개혁

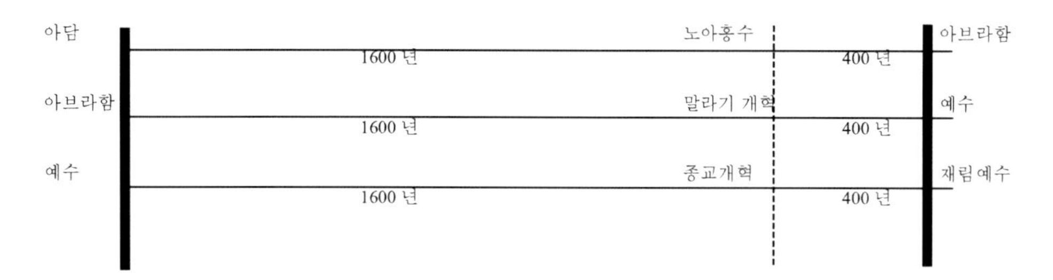

이상으로, 서진하는 기독교 역사의 출발점으로서의 종교개혁 사건의 요인에 대해 알아보았고,
여러 사회적 요인들 너머로 눈에 보이지 않게 내재하는 또다른 요인에 대해 살펴보았다.
종교개혁 이후의 역사 속에서도 그러한 내재적 흐름을 읽을 수 있는 지를 알아보자.

서진 역사 이치 1 (+33 / +70 / +100)

29/10/2017

역사의 흐름이, 유럽의 독일과 프랑스에서부터 영국으로 넘어가고,
그리고 영국에서 미국으로 건너가는 움직임을 보여주며,
다시금 미국에서 일본을 거쳐 한반도로 전진하는 움직임을 보여주는 도표.

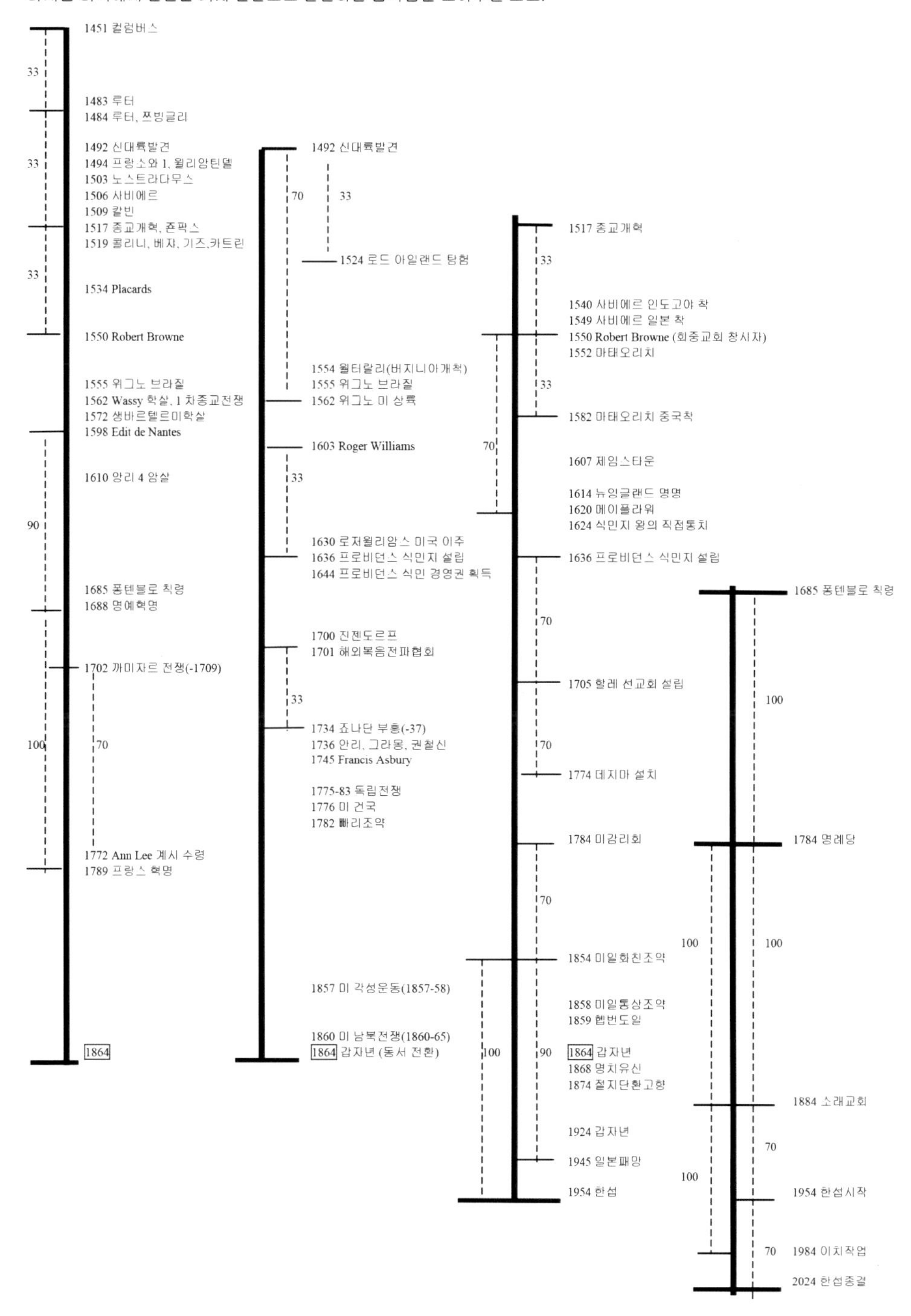

서진 역사 이치 2

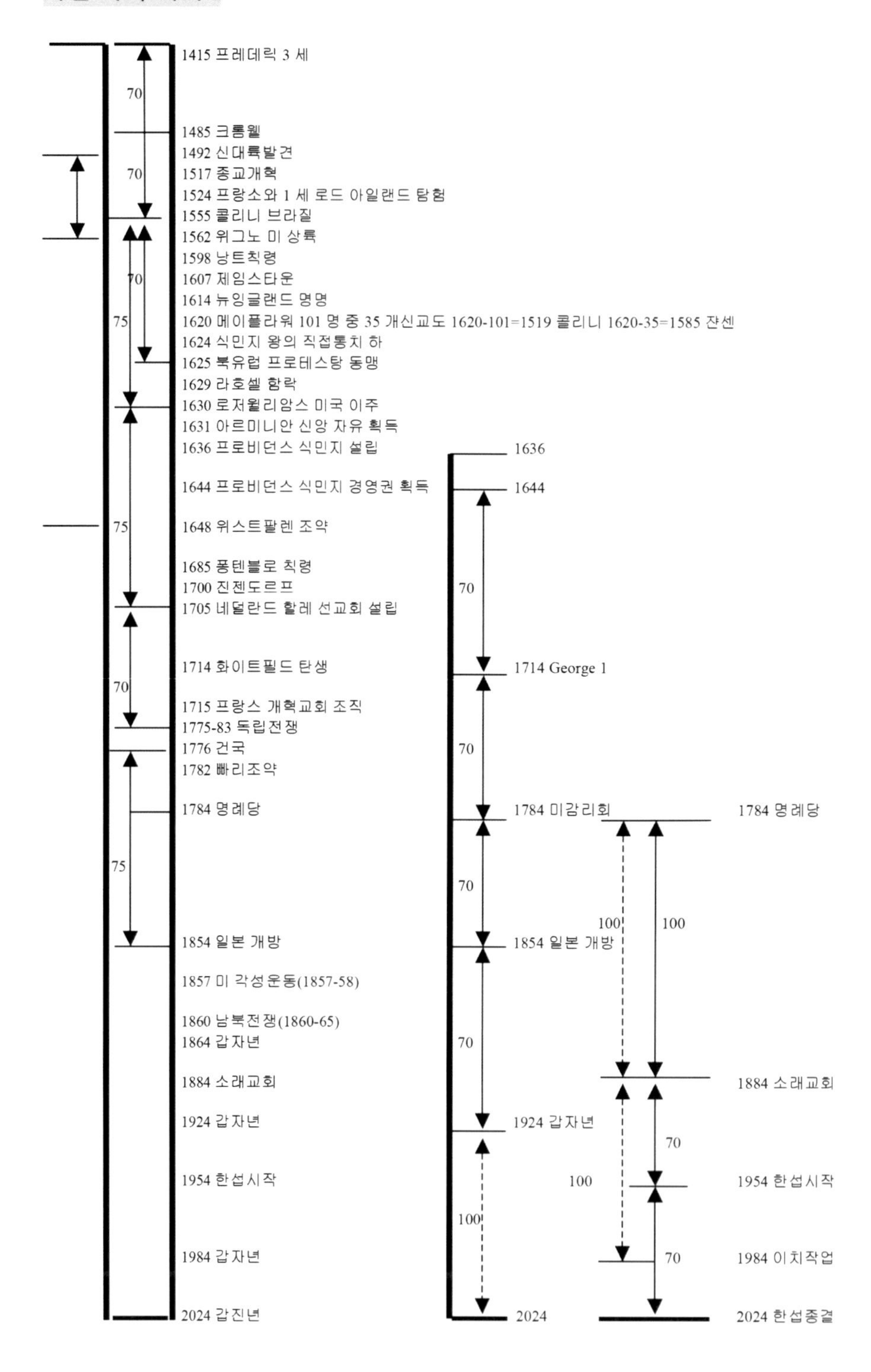
1415 프레데릭 3 세
70
1485 크롬웰
1492 신대륙발견
70
1517 종교개혁
1524 프랑소와 1 세 로드 아일랜드 탐험
1555 콜리니 브라질
1562 위그노 미 상륙
1598 낭트칙령
70
1607 제임스타운
1614 뉴잉글랜드 명명
75
1620 메이플라워 101 명 중 35 개신교도 1620-101=1519 콜리니 1620-35=1585 쟌센
1624 식민지 왕의 직접통치 하
1625 북유럽 프로테스탄 동맹
1629 라호셀 함락
1630 로저윌리암스 미국 이주
1631 아르미니안 신앙 자유 획득
1636 프로비던스 식민지 설립
1644 프로비던스 식민지 경영권 획득
75
1648 위스트팔렌 조약
1685 퐁텐블로 칙령
1700 진젠도르프
1705 네덜란드 할레 선교회 설립
1714 화이트필드 탄생
70
1715 프랑스 개혁교회 조직
1775-83 독립전쟁
1776 건국
1782 빠리조약
1784 명례당
75
1854 일본 개방
1857 미 각성운동(1857-58)
1860 남북전쟁(1860-65)
1864 갑자년
1884 소래교회
1924 갑자년
1954 한섭시작
1984 갑자년
2024 갑진년
1636
1644
70
1714 George 1
70
1784 미감리회
70
1854 일본 개방
70
1924 갑자년
100
2024
1784 명례당
100
100
1884 소래교회
70
100
1954 한섭시작
70
1984 이치작업
2024 한섭종결

종교개혁 이후부터 오늘 우리 시대에 이르기까지의 역사를 두 도표는 축약적으로 담고있다.
어떤 사건이나 인물에서 출발하여, +33 년 되는 해와 +70 년 또는 +90 년과 +100 년 되는 해에는
여러가지 의미있는 사건이 연결되고 있음을 두 도표는 보여주고 있으며,
세부적인 역사적 사연들에 대해서는 이미 잘 알려져 있는 사실들이기에 설명은 생략하며
오직 전체적인 움직임과 흐름을 읽을 수 있도록 돕고자 한다.

이 두 도표를 통해 발견되는 모종의 흐름이란,
동쪽에서 서쪽을 향한 움직임, 곧 '서진하는 기독교' 역사를 말하며,
그 옛날 이스라엘에서 출발하여 로마 제국을 관통하고 유럽에 도달했던 기독교가
이윽고는 독일과 프랑스를 떠나 영국으로 넘어갔으며,
다시금 영국에서 미국과 일본을 거쳐 조선에 이르는 움직임을 말한다.

참고로, 역사의 촛대가 각 국가를 떠나는 싯점을 지적하면 아래와 같다.
1685 년 퐁텐블로 조약으로 인해 프랑스를 이반하며
1688 년 명예혁명으로 시작되는 영국에서의 역사는
1772 년 Ann Lee 가 미국으로 가라는 계시를 받고
1774 년 영국을 떠나 미국으로 이주하면서 영국을 떠난다.

그리고 도표를 자세히 보면 알게되는 사실이지만
유럽에서 이동하는 역사는 일찍부터 최종 목적지인
조선에서의 역사와 맞물려 돌아가고 있음을 본다.

결국 위 두 도표는, 유럽 대륙의 독일 루터 종교개혁에서 출발한 개신교 역사가,
독일과 프랑스를 떠나 영국으로 넘어 가던 때가 있었으며,
또다시 어떤 싯점에 이르러, 영국을 떠나 신생 아메리카 대륙으로 넘어갔음을 보여준다.

역사의 turning point, 변곡점으로 따라 꺾어져 흘러가는 역사를 바라 보는 눈을 가진 사람은
역사는 단순하게 사건과 사건이 연속되는 우연의 장이 아니라
누군가에 의해 철저히 계획되고 의도된 살아있는 생명체임을 알게된다.

동서양 갑자 역사의 구조

1	1444	1444	
2	1504	1504	➔ 1504
3	1564	1564	↓
4	1624	1624	➔ 1624
5	1684	1684	- - - - - - - - - - - - - - - - - - - -
1	1684	1684	- - - - - - - - - - - - - - - - - - - -
2	1744	1744	
			1772 ➔ 1774 1776
3	1804	1804	
4	1864	1864	↓
5	1924	1924	
			1952 ➔ 1954 1956
6	1984	1984	
7	2044	2044	

➔ 1/ 동양 역사는 1864 갑자년을 중심한 7 개 갑자년에 의해 진행되며,
상하 두 파트로 나눌 경우, 각각 300 년씩의 기간이 설정되고,
1684 갑자부터 1864 갑자까지의 상부의 중심을 계산하면 1774 년이 나온다.
참고로, 1444 년부터 2044 년에 이르는 전체 기간의 중간 지점은 1744 갑자년이지만,
동서로 나누어 전진되는 역사이기에 큰 의미가 없으며, 동서 두 파트의 총 세 중심점이 중요하다.
서양의 중심점은 1564 갑자년 하나이며, 동양의 전체 중심점은 1864 갑자년이나
동양의 상부 중심점은 1774 년이고, 하부 중심점은 1954 년으로서 둘 다 갑오년이다.

2/ 1564 년을 중심한 서양 역사 5 기둥, 그리고 1864 년을 중심한 동양 역사 7 기둥,
이렇게 두 단계에 걸쳐 역사가 진행되어 왔다.

3/ 안동민씨의 예언 : 국외에는 5 기둥을 세우고, 국내에는 7 기둥을 세우는 역사.
이 기둥이 무엇이며 또한 그들이 누구인지를 아는 자를 보내주리라.

4/ 서양판은 +60 년 연속 역사이며, 동양판은 +70 년 연속성을 보인다.

1504 +60 1564 +60 1624 +60 1684

Bourignon 1616-1680 (64) +60 Jean Cavalier 1676-1749 (73) +60 Ann Lee 1736-1784 (48)

5/ 조약을 따른 연속성도 보인다

1457 Unitas Fratrum +60 1517 +60 1577 Formule of Concorde +60 1637 Rhode Island(1636)

6/ 결국, 서양은 +60 년 흐름을 보인다면, 동양은 조금 다르게 진행한다.
중국은 +70 1772 ~ 1842 중국개방
일본은 +80 1774 데지마 ~ 1854 일본개방
조선은 +90 1774 ~ 1864 조선섭리 개시

8/ 결국, 이 전체 흐름을 관망하면, 역사의 큰 흐름을 볼 수 있으며,
서에서 동으로 흐르는 그 움직임의 방향성 및 목표를 엿볼 수 있다.

9/ 킬부른 선교사가 본 환상 – 미국에서 일본을 거쳐 조선과 중국에까지 이어진 무지개 다리.

1772/1774/1776 년이 지닌 의미

In 1772, **Ann** received a vision from God
in which she was told that "a place had been prepared" for them in America.
A small band of nine believers emigrated to America in 1774
and founded **the United Society of Believers in Christ's Second Appearing**.
They lived in New York until they could raise enough money to buy
a tract of wilderness for themselves in Western New York State, which they called **Niskeyuna**.
Here they built the first **Shaker** community in America

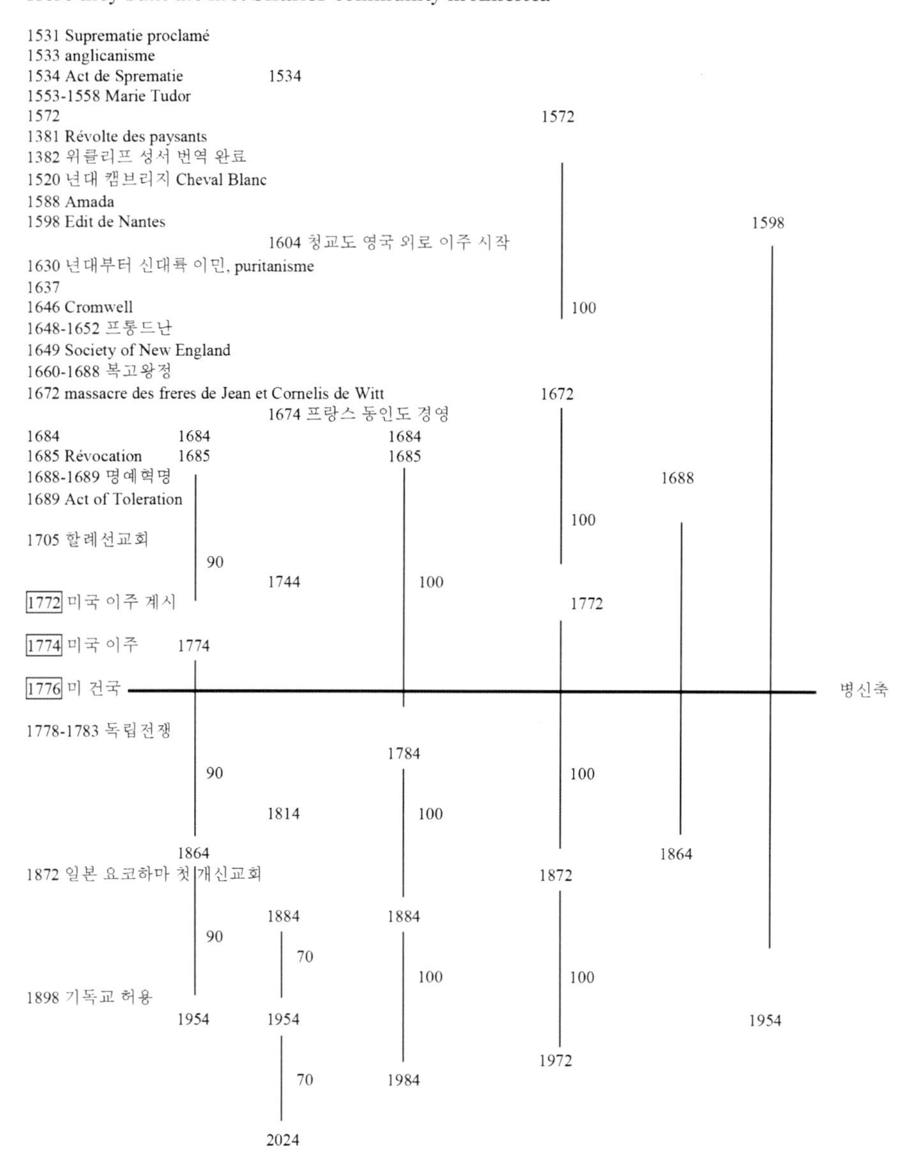

1772 / 1774 / 1776 역사 전개

	40	70	87	90
1772	1812-1815 영국과 미국 전쟁	1842 중국개방, 존로스, 이수정	1859 개신교 선교사 일본 도착, 진화론	1862 요코하마 천주교당
1774	1814 나폴레옹 몰락, 홍수전	1844 불중 선교협약, 니체	1861-1865 남북전쟁 맥켄지 우찌무라 간지	1864 조선섭리 계연수 루이즈 맥컬리
1776	1816 미국성서협회	1846 기독교 사회주의	1863 적십자 게일	1866 병인박해

1772	1774	1776	
59	57	55	1831 조선 교구 설립, 일본 플리머스 형제단 설립, 동양선교회 일본에서 조선으로 본부 이동 1831+33=1864 1864+33=1897 마틴냅 만국성결연맹 창설
70	68	66	1842 중국 개방
82	80	78	1854 일본 개방
92	90	88	1864 조선 섭리 개시
104	102	100	1876 조선 개국, 한일보호조약

+	1772	1774	1776
10	1782 미 독립 비준	1784 명례당, Gordon Hall 아메리카 첫 인도 선교사	1786 Alexander Campbell 예수 교회 창설 1866 년 재림 예언
20	1792 Première société missionnaire baptiste. 윌리암케리에 의해, 이방 선교를 위한 특정침례교협회 설립	John Smith 1794.1.12-1831 English Methodist minister known as "The Revivalist	1796 앵베르 주교 탄생
30	1802	1804 영국 해외 성경협회	1806
33	1805	1807	1809
40	1812-1815 영국과 미국 전쟁	1814 나폴레옹 몰락, 홍수전	1816 미국성서협회
50	1822 멘델	1824 최제우	1826 김일부
55	1827	1829	1831 조선 교구
60	1832 Uriah Smith 1832.5.3-1903.3.6 '다니엘과 계시록에 대하여' 저자 J. Hudson Taylor 1832-1905 중국선교 Mary F. Scranton 1832-1909.10.8 (77)	1834	1836
66	1838	1840	1842 중국개방
70	1842 중국개방, 존로스, 이수정	1844 불중선교협약, 니체 윌리엄밀러의 재림년도	1846 기독교 사회주의
78	1850	1852	1854 일본 개방
80	1852 서경조	1854 일본 개방	1856 헤론
88	1860	1862	1864 조선 섭리
90	1862 요코하마 천주교당	1864 조선섭리, 계연수, 루이즈 맥컬리	1866
100	1872 요코하마 첫 개신교회 요코하마 밴드	1874 생존 1781 浦上切支丹 환고향, 김익두	1876 한일수호조약, 구마모토 밴드 Cf. 1877 삿보로 밴드

27/07/2012

90년 주기 역사 이동

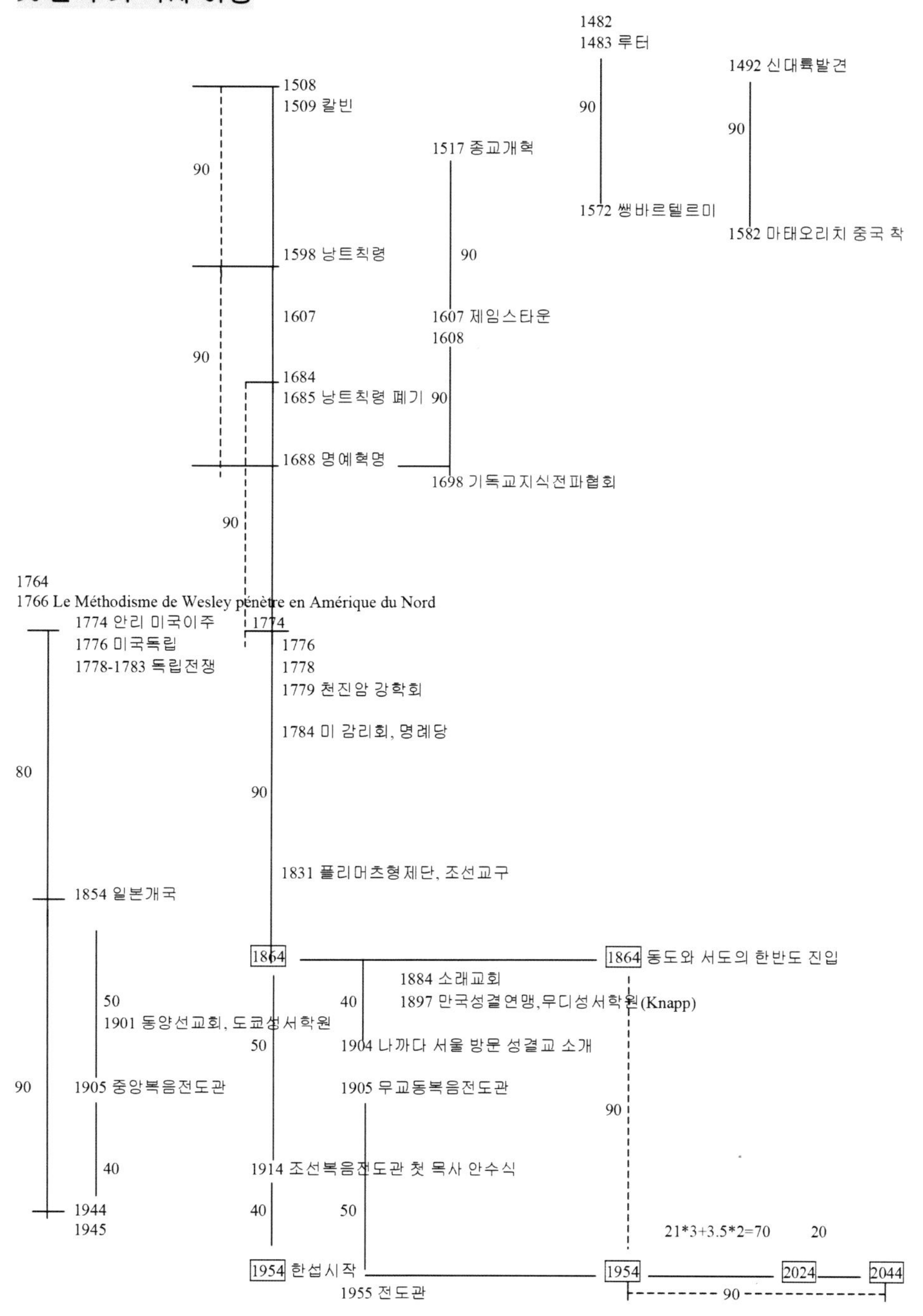

종교개혁과 한국섭리사의 거울 축 이치 (1/2)

29/10/2017

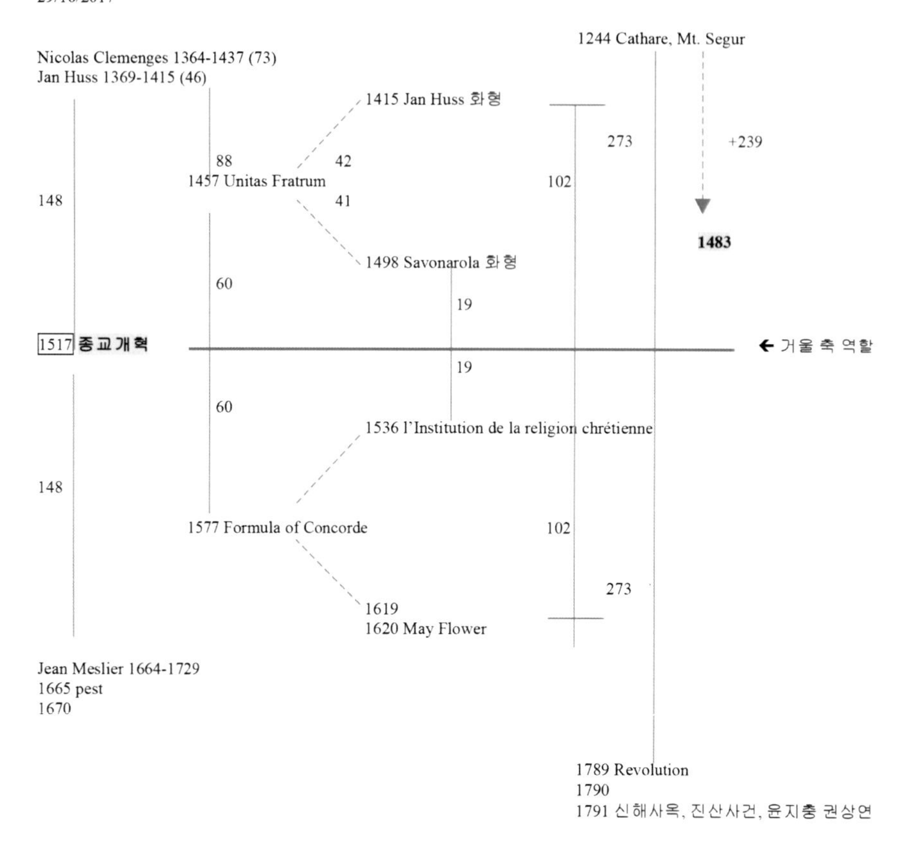

앞선 도표들을 통해 우리가 이미 보았듯이
1864 갑자년을 기해 한반도에는 '동도' 와 '서도' 라는 두 종교 흐름이 유입되고
동도와 달리 서도의 근원은 미국을 넘어 유럽의 종교개혁 시대에 이르른다.
또한 한반도에서의 동도와 서도의 만남은 이윽고 여러 신종교들의 온상을 제공하는데
동도와 서도의 만남으로 인해 발현되는 일련의 종교적 움직임을 '한국섭리사' 시기라 칭하며
이 시기는 하늘이 오랜 시간 예비하여 이 민족에게 제공하는 기회의 시기이지
각종 신종교가 난립하여 어지러움을 더하는 혼돈의 시기가 결코 아니다.

또한, 이곳에서의 연구는 역사적 흐름에 따른 시기 산정과 자리를 제시하는 것이지
그 시기 및 자리에 어떤 특정한 신종교나 그에 유관한 인물의 등장과는 무관하다.
예를들어, 위 표에 나오듯이,
1517 년 종교개혁으로부터 148 년이 경과한 1665 년이란 시기에 적절한 인물은 찾기 어렵고
1244 년 카타르로부터 239 년이 경과한 1483 년이란 자리에 적합한 인물은 쉽게 찾아진다.

위에 소개된 도표와 다음에 제시되는 도표를 통해 나타나는 한국섭리사의 몇몇 중요한 년도들은
후발적으로 주어지는 것이 아니라 앞선 역사를 통해 이미 예정된 시기와 자리이다.
예를들어, 1864 년은 물론이요 1920 년과 1954 년 그리고 2023/4 년 또는 2044 년은
앞서 흘러간 선행된 역사에 의해 주어진 년도와 시기들임을 도표는 보여주고 있다.

§[도표 1/2 설명]

1/ '거울축 이치'라는 말은, 역사가 신적인 의도에 의해 배열되거나 구성될 경우, 그 속에는 모종의 일관성이나 법칙이 존재하고, '거울축 이치'는 그 여러 다양한 이치 중 하나이며, 종교개혁이 일어난 1517 년과 같은 어떤 특정한 년도나 사건을 중심 축으로 하여 좌우 대칭으로 중요한 사건들이 배열되는 현상을 지칭한다. 예를들어, 종교개혁이 일어나기 102 년전에 쟝후스가 화형을 당하는데, 종교개혁을 중심하여 대칭 지점인 1517 년 이후 102 년에는 청교도들의 메이플라워 사건이 일어난 해이다.
이처럼, 중심축을 중심하여 좌우가 유사한 의미의 사건으로 마주보며 배열된다하여 중심축을 '거울축'이라고도 부른다.

2/ 지나간 2000 년 기독교 역사 중에서도 가장 마지막 단계를 우리는 종교개혁 이후의 400 년 개신교 역사로 간주할 수 있으며, 400 년 역사의 시작점인 1517 년 종교개혁 이전 역사 속의 수많은 사건들 가운데서도 특별히 가장 극단적인 종교적 탄압의 상징인 화형 사건을 찾아 대비해보았으며, 그 사건들이 종교개혁 이후의 역사 속에서 어떠한 형태로 대칭을 이루며 나타나는지를 보았고, 대칭되는 사건들 상호 간에는 정확한 수리적 거리가 존재함을 발견할 수 있다.

3/ 근본적으로 모든 종교는 피를 먹고 자란다는 말이 있듯이, 종교개혁 역시 그러한 고통과 비극의 역사를 딛고 일어난 사건이다. 종교개혁 이전 역사 상 대표적인 종교박해의 상징적 사건으로 쟝후스와 사보나롤라의 화형을 들었고, 가장 원조격인 화형 사건으로는 훨씬 이전에 일어났었던 카타르 사건을 들었으며, '유니타스 프라트룸'이라는 일종의 승리적인 종교결실로서의 사건도 등장하며, 이 모든 사건들이 1517 년을 축으로 하여 어떻게 대칭되는 가를 눈여겨 보기 바란다.

도표에 등장하는 각 사건들에 관한 간략한 소개,

1244 Cathare, Mt. Segur — 1209 년부터 시작된 '카타르' 이단을 멸절시키기 위해 교황이 남불 '랑그독 후시용' 지방에서 일으킨 '알비십자군' 사건은, 1244 년 최후의 항거지인 '몽세귀르' 산성이 결국 함락됨으로써 일단락된다. 성이 함락되면서 마지막까지 개종을 거부하며 죽음을 택한 210 명의 카타르의 지도자들과 신도들이 성채 아래에서 산 채로 화형당하였다. (1244.3.16)

Nicolas de Clémanges 1364-1437 (73) 프랑스의 신비주의자이자 이사야서 주석을 쓴 휴마니스트 종교인

John Huss, 1369.7.6~1415.7.6 (46) 현재의 체코에 해당하는 보헤미아와 모라비안 지방의 종교 개혁자.
키릴과 메토디우스 두 그리스 선교사에 의해 기독교화 된 체코는 이후 로마 지배에 강력히 저항하며 개혁을 시도한다. 후스는 프라하 대학 교수로서 베들레헴 체플에서 설교하며 학생들과 대중들의 정신적 지주가 되었고, 로마 교황청에 의해 이단으로 지목받아 콘스탄스 종교회의 처결에 따라 그곳에서 화형 당하였다.

1457 Unitas Fratrum — 장 후스(1369-1415)의 개혁사상을 따르는 모라비안 교회. 루터 종교개혁 60 년전이자 영국국교 탄생의 77 년 전이고 칼빈 사상이 이 지역에 들어오기 100 년 전이다.

Girolamo Savonarola 1452.9.24-1498.5.23 (46) 카톨릭의 타락을 비판하며 이탈리아 종교개혁을 주장하다가 플로란스에서 화형

1536 — 칼빈의 기독교강요(*l'Institution de la religion chrétienne*) 발간
1536 Réforme au Danemark et en Norvège.
1536 *Concorde de Wittenberg.*
1536 Mort d'Erasme
1536 수도원 해산, 앤볼린 처형

1577 Formula of Concorde — 루터 사후 분열된 루터교의 공동 신앙고백서

1619 May Flower — 1620 년, 100 여명의 회중교인들이 네덜란드로 추방되었고, 필그림파더들이 메이플라우어를 타고 미국으로 건너가 뉴플라이머츠를 건설하였으며, 슈트어트 왕가가 부활하면서는 수천명의 분리주의자들이 뉴잉글랜드로 망명한다.

Jean Meslier 1664-1729 — 사후에 발표된 그의 저서로 인해 큰 충격을 주었던 무신론자 신부. 반기독교와 자유사상의 표상.

1244+239=1483 — 도표에서 이 부분이 가장 중요한 핵심을 담고있다.
1483 년은 종교개혁을 일으킨 루터가 탄생한 해이며,
이해를 돕기위해 분리시킨 두번째 도형에서 이 년도가 어떻게 대비되는 지를 보기 바란다.

이러한 역사의 거울축에 의한 대칭현상을 통해 알 수 있는 것은
카타르와 까미자르 난이 왜 중요한 지와, 루터의 생년과 비교되는 1920 년의 중요성 및
최종적으로는, 1517 년 종교개혁으로 시작된 400 년 개신교 역사가
1954 년 한국섭리사의 시작과 함께 마무리 작업으로 돌입됨을 알 수 있다.

방금의 설명을 이해했다면, 다음 도표에 대한 설명은 불필요하며
오늘날의 한국섭리사는 종교개혁에 기반한 예정된 사건이자 큰 의미를 지닌 사건임을 알 수 있다.

종교개혁과 한국섭리사의 거울 축 이치 (2/2)

29/10/2017

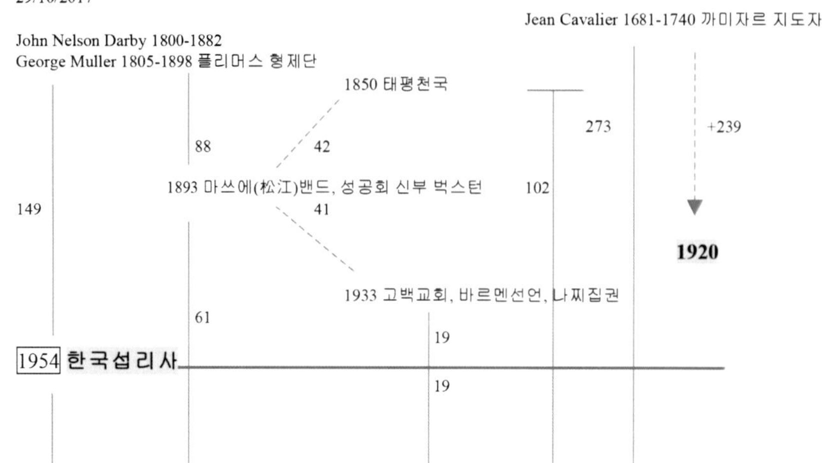

[도표 (2/2) 설명]

Jean Cavalier 1681-1740 (59) 프랑스 세벤느 지방 Andouze 에서 빵집에서 일하다가 당시 1685 년부터 금지된 프로테스탕 신학을 공부한다. 1701 년 쥬네브로 피신했다가 1 년 후에 세벤느로 돌아와 몽베르 다리에서의 샤일라 신부 살해 사건에 가담하며, 까미자르 전쟁이 시작된다. 그룹의 장으로 선출되어 무기도 조달하고 작전도 수행하였으며 그 과정에서 에그뷔브 전체 회합 중 예언의 능력도 발휘함으로 그의 명성이 더해졌다. Rolland 과 함께 무기도 훔치고 교회에 방화도 하였으며 여러 곳에서 매복작전을 성공시켰고 교묘한 술책으로 세르바 성도 공략했다. 1702 년 아를르 회합을 급습한 진압군을 피해 달아났으며 이후 세력이 약해졌으나 롤랑의 도움으로 버틴다. 이후 비바레 봉기를 도우면서 다시 우체스 일대에 등장하였고, 오뜨 세벤느에 대한 대대적 진압에 대한 보복으로 1703 년 여러 마을을 불태운다. Villars 제독으로 인한 계속되는 패배와 압박으로 결국 제독의 제안을 받아들여 1704 년 님므에서 단독회담을 가졌고, 왕에게 봉사하는 까미자르 군대를 이끄는 장교 지위를 주고 봉기군은 해산되는 조건을 받아들인다. 하지만 중요한 신앙의 자유는 보장되지 않자 다른 동료들이 반발이 크게 일어났으며 그는 스위스로 피신했고, 사부와 공에게 잠시 봉사하다가 1706 년 홀란드 를 거쳐 마침내 영국에 건너갔다.
또다른 동명이인의 **쟝까발리에** 가 있는 데 1676-1749, Sauve 출신이며 까미자르 운동의 주된 예언자 역할을 수행했으며, 후일 영국 런던으로 건너가 French Prophets 프렌치 프로페트 운동으로 더욱 유명해진 까미자르 인물이다.

John Nelson Darby (1800.11.18-1882.4.29) 19 세기 후반 세대주의적 전천년설 주의 대표 지도자. 런던에서 아일랜드 중산층 가정에서 태어나 더블린에서 공부했으며 회심 이후에는 신학을 한 후 1826 년 영국 국교회 사제가 되었다. 하지만 구교의 제도를 그대로 답습하는 데 강력히 항의하며 사제제도의 철폐와 구교 형식에서 벗어날 것을 촉구했고, 모든 신자들에게 설교권이 있음을 강조했다. 사제직을 내던지고 분리주의자들과 만나다가 1832 년 Plymouth Brethren 와 연결되었고, 1837 년 부터는 프랑스와 스위스를 여행하였고, 1840 년 로잔느에서 Vaud 지역의 신도들을 규합하였으니, 다비즘의 탄생이다. 성서를 독일어와 불어로 각각 번역하였으며 여러 저서를 남겼다. 독신으로 지냈다.

George Müller 1805.9.27-1898.3.10 (93) 고아의 아버지, 플리머스 형제단 지도자
Barclay Fowell Buxton 1860.8.16-1946.2.5 (86) 퀘이커 신앙의 조상을 가진 성공회 신부로서 일본 성결운동의 아버지,
마쓰에(松江)벤드, 일본전도단 (Japan Evangilistic Band=JEB) 조직. 1860+33=1893

1850 태평천국의 난 시작, 15 년간의 내란으로 2 천만이 희생
1864 갑자년이며 한반도에서 중토를 짖쳐 온 동도와 일본을 통해 유입된 서도가 만나는 해
1893 성공회 신부 벅스턴에 의해 마쓰에(松江)벤드 결성, 일본전도대 설립. 홀리니스 운동의 원류.
1895 나이아가라 성회, 5 대 근본 채택.
성경의 무오류성, 예수의 신성, 동정녀 탄생, 십자가 대속, 그리스도의 육적부활과 재림의 임박
1920 종교개혁 시기의 루터의 자리에 해당하는 중요한 해.
1933 나까다쥬지 해임으로 성결교회파와 기요메 교회파로 분열
1933 나찌 집권과 칼바르트(Karl Barth), 본훼퍼(Dietrich Bonhoeffer)를 중심한 독일 고백교회의 저항
1934 *Déclaration de Barmen* 고백교회, 바르멘 선언문
1945 해방
1948 이스라엘 회복과 중동전쟁 발발, 한반도 분단
1954 Eglise de l'Unification fonée par Sun Myung Moon. 1954-34=1920
1973 *Concorde de Leuenberg*. 시카고 선언 –
1975
2024
2044

까미자르와 프렌치 프로페트

낭트칙령 폐기(1685) 사건은 프랑스와 영국을 가르는 역사의 분기점이며, 낭트칙령으로부터 폐기까지의 기간은 이 후 역사에 운명의 그림자를 드리운다. 낭트칙령 폐기 사건은 루이 14 세의 되돌이킬 수 없는 실책이었고, 이 해를 깃점으로 프랑스에서 영국으로 섭리의 중심축이 넘어가게 된다. 하지만 영국 역시 까미자르의 후예인 프렌치 프로페트를 통한 역사와 긍정적으로 만나지 못했을 뿐 아니라 자국 내의 청교도 운동도 수렴하지 못함으로 말미암아 결국 신대륙 아메리카로 다시금 역사의 축은 이동하게 된다. 아래의 도표는 방금의 이 과정을 간략하게 압축한 표로서, 프랑스에서 미국까지의 흐름을 선명하게 보여주는 귀중한 역사도표이다.

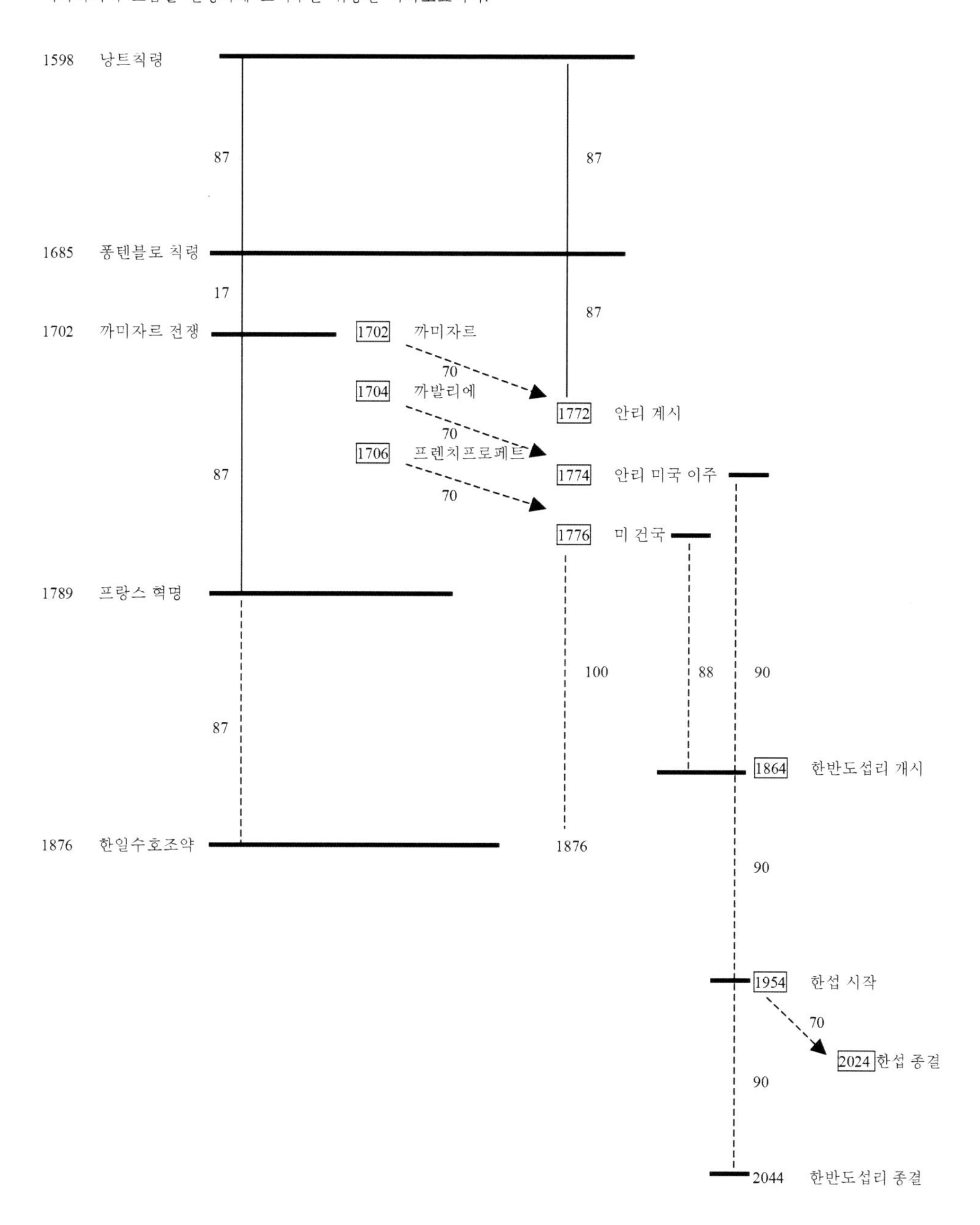

Ann Lee Standerlin 생애 투영 역사

04/08/2012

1707 년경, 프랑스에서의 신교 박해를 피해 영국으로 건너와 멘체스터 북쪽 12 마일에 있는 Bolton-le-moor 에 기반을 두고 활동하는 프렌치 프로페트가 있었고, 후일 이들과 일군의 퀘이커 교도들이 만나 요란스레 몸을 진동시키며 춤을 추는 세이크 퀘이커 집단으로 발전했다. 이 집단은 Jane 과 James Wardly 의 인도로 발전되다가 1758 년부터는 22 살의 영직 소녀 Ann Lee Standerlin 의 등장과 함께 급속도로 성장, Ann 은 교인들로부터 '어린 양의 신부', '말씀', '어머니' 로 불리우며 여성 메시야 역활을 하였다. 사회 소요죄와 이단으로 고발되어 여러 차례 구속되던 중, 1772 년에는 하늘이 예비하신 미국으로 가라는 계시를 받고 소수의 추종자와 함께 1774 년 도미, United Society of Believers in Christ' s Second Appearing 공동체를 설립했으며, 뉴욕에서 일한 자금으로 뉴욕 서쪽에 대지를 구입하여 Niskeyuna 로 명명한 뒤 그곳에다가 **세이퀴** 교단의 근거지로 삼았다.

cf. 1685+89/90=1774/75 1774+90=1864 1864-1685=179

Ann Lee Standerlin 1736.2.29-1784.9.8 (48)
cf. 1736+64=1800 John Nelson Darby 1800.11.18-1882.4.29 (82)
cf. 1519+36=1555 / 1956+36=1992 / 1736-36=1700 Zinzendorf

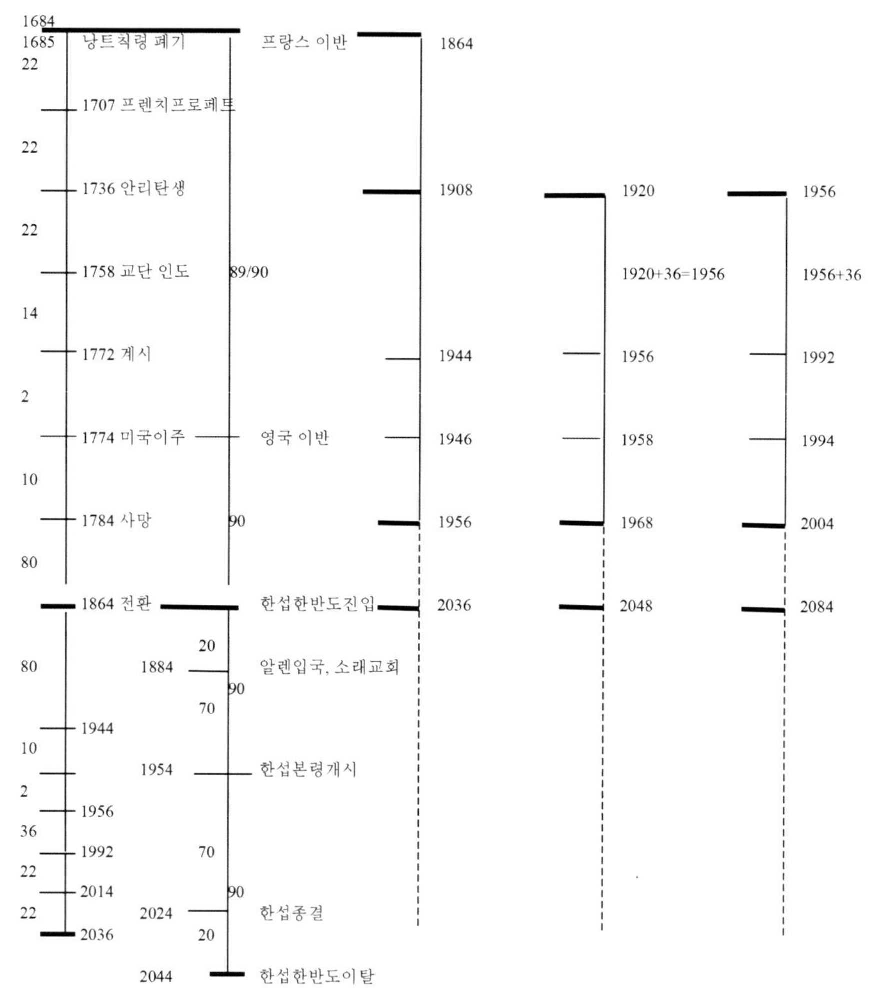

cf. 90 년 주기를 여러가지로 대입할 수 있다.

- 1517+90=1607 제임스타운
- 1607+90=1697 Paix de Ryswick
- 1697+90=1787 루이 16 세 종교자유 선포
- 1787+90=1877 1876 한일수호조약 / 1878 정빈, 이반로버츠

한중일 섭리 수리 이치

31/07/2012

1685 년 낭트칙령 폐기는 프랑스의 섭리 촛대가 영국으로 넘어가는 변곡점이며
영국 프렌치프로페트의 후예 안리의 미국 이주와 함께 영국의 섭리 촛대가 아메리카 대륙으로 넘어간다.
이후 중국과 일본을 거쳐 1864 년 갑자년을 기준으로 한반도에는 새로운 종교역사가 태동하는 데
중국 본토를 관통해 동진해 온 기독교로서의 동도와
일본을 통해 들어 온 서진 기독교로서의 서도의 만남이 그것이요
이 동진 기독교와 서진 기독교가 만나 융합 태동된 역사를 이곳에서는 한국섭리사라 칭한다.
그리고 한국섭리사의 시작은 1864 년이나 그 본령은 1954 년에 시작하여 70 년 만인 2024 년에 종결된 후
90 년 주기에 따라 2044 년에는 한반도를 떠나 그 다음 차원으로 넘어가게 된다.
[1864+90=1954 / 1954+90=2044]

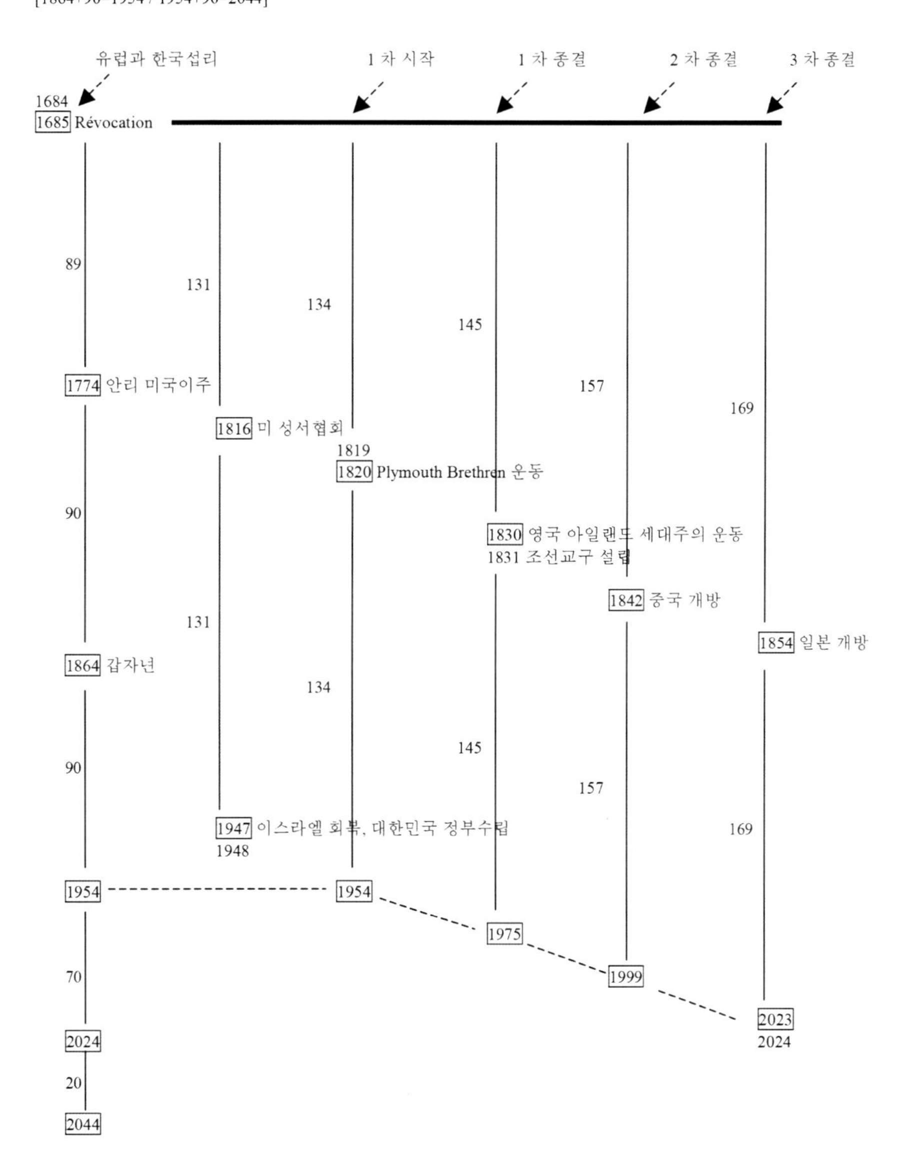

3

역사 지도론
歷史 地圖論

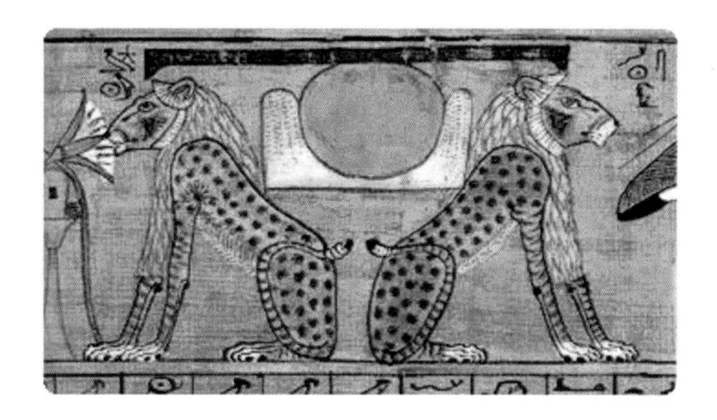

컬럼버스의 신대륙 발견은 오랫동안 동서양을 가로막고 있던 인식과 실체의 장벽을 허물었고
먼 동방을 향한 범선의 항해가 출발하면서 역사의 함선 또한 동쪽을 향해 움직인다.

역사의 함선은 갑자년을 중심한 여러 시대의 운행으로 전진했고
그 함선에는 시대의 부름을 받은 수많은 사명자들의 꿈이 실려있었다.

먼저 출발한 서양의 웅장한 시대의 함선은
1444년 갑자년으로부터 1684년 갑자년에 이르는 다섯 차례의 갑자년 배로 구성되었고
그 중심에는 1564년을 전후한 종교개혁 시대가 위치한 16세기가 놓여있다

동양 역사는 1864 갑자년을 중심한 7개 갑자년에 의해 진행되며,
1684년 갑자년부터 2044 갑자년에 이르는 시대를 상하 두 파트로 나눌 경우,
각각 300년씩의 기간이 설정되고,
1684 갑자년부터 1864 갑자년까지의 상부의 중심에는 1774년이 위치하며
1864 갑자년부터 2044 갑자년까지의 하부의 중심에는 1954년이 위치한다.

그리고, 1444년부터 2044년에 이르는 전체 기간의 중간 지점은 1744 갑자년이지만,
동서로 나누어 전진되는 역사이기에 큰 의미가 없으며, 동서 두 파트의 각각의 중심점들이 중요하다.

서양의 중심점은 1564 갑자년 하나이며, 동양의 전체 중심점은 1864 갑자년이나
동양의 상부 중심점은 1774년이고, 하부 중심점은 1954년으로서 둘 다 갑자년은 아니다.

결국, 1564년을 중심한 서양 역사 5기둥,
그리고 1864년을 중심한 동양 역사 7기둥,
이렇게 두 단계에 걸쳐 중세로부터 오늘에 이르는 역사가 진행되어 왔다.

동서양 갑자 역사의 구조

[역사의 블랙홀] : 해외 5기둥과 국내 7기둥

2019.08.20

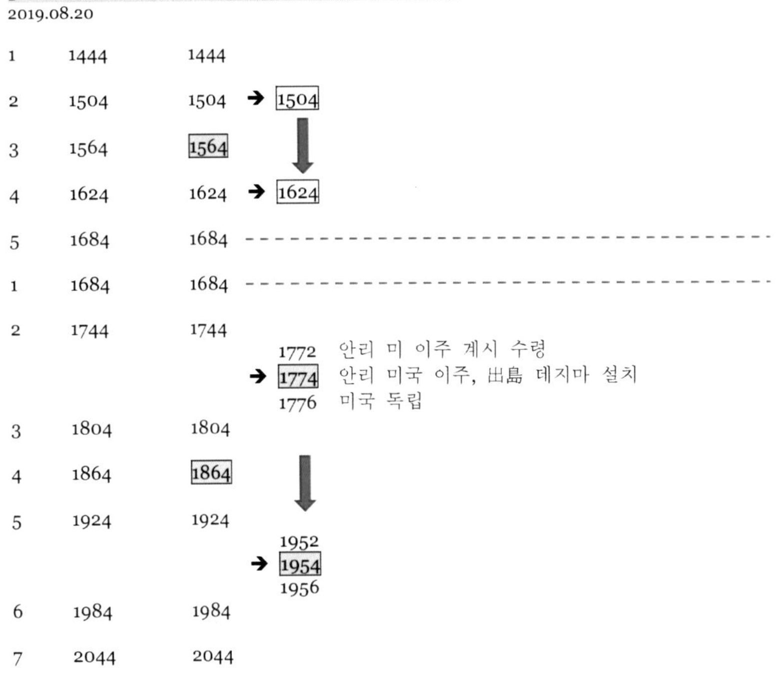

1/ 1564년을 중심한 서양 역사 5기둥, 그리고 1864년을 중심한 동양 역사 7기둥, 이렇게 두 단계에 걸쳐 역사가 진행되어 왔다.

2/ 안동민씨의 예언 : 국외에는 5 기둥을 세우고, 국내에는 7 기둥을 세우는 역사.
이 기둥이 무엇이며 또한 그들이 누구인지를 아는 자를 보내주리라.

3/ 서양 역사 속에는 +60년 연속 역사의 패턴이 보인다.

예) 년대
1504 +60 1564 +60 1624 +60 1684

예) 인물
Bourignon 1616-1680 (64) +60 Jean Cavalier 1676-1749 (73) +60 Ann Lee 1736-1784 (48)

예) 사건
1457 Unitas Fratrum +60 1517 +60 1577 Formule of Concorde +60 1637 Rhode Island(1636)

4/ 서양 역사에 +60년 흐름이 보이는 반면, 동양 역사는 조금 다르게 진행된다.
중국은 +70 [1772/1774/1776 ~ 중국개방 1842]
일본은 +80 [1772/1774/1776 ~ 일본개방 1854]
조선은 +90 [1772/1774/1776 ~ 조선섭리 1864]

5/ 결국, 이 전체 흐름을 관망하면, 역사의 큰 흐름을 볼 수 있으며,
서에서 동으로 흐르는 그 움직임의 방향성 및 목표를 엿볼 수 있다.

역사의 등거리 대칭

갑자+6/7/8 년과 갑자+38/39/40 년 법칙

매 갑자년은 내부적으로 인물의 탄생과 사건 발생에 있어 일정한 패턴이 보이는데,
크게는 갑자년+7 년 과 갑자년+39 년 지점을 기점으로 하는 두가지 갑자년 도표를 그릴 수 있고
각각 +/- 1 년의 오차를 가지며, 이 두가지 도표는 음과 양 쌍의 성격을 지니며 서로 보완한다.
그리고, 아래 표에서 보듯이, 갑자년 역사 지도 탄생의 근거는 루터 종교개혁 시대이다.

갑자		+7		+39
1444	+6 +7 +8	1450 Gutenberg 1451 Christopher **Columbus** 1452 Leonardo da Vinci, Savonarola	+38 +39 +40	1482 Johannes Oecolampadius 1483 **Martin Luther,** Nikolaus von Amsdorf, 왕간 1484 Ulrich Zwingli, George of Brandenberg
1504	+5 +6 +7	1509 **Jean Calvin**, Juan de VALDES 1510 JEAN DE LEYDE 1510-1536 1511 **Miguel Servetus,** Pierre Viret	+37 +38 +39	1541 칼빈 제네바, 기독교 강요 1542 Saint François-Xavier aux Indes, 유성룡 1543 Robert Harrisson 회중교회 창시자 1543 코페르니쿠스 이론 발표와 사망
1564	+6 +7 +8	1570 John Smyth, 회중교회 탄생 1571 Johannes Kepler, 이지조 1572 *La Saint-Barthélémy*	+38 +39 +40	1602 동인도회사 설립 1603 제임스 1 세, 에도시대, **로저윌리암스** 1604 John Eliot (인디언 선교, 성경)
1624	+6 +7 +8	1630 침례교 미국 진출 1631 Philip Henry, Michael Wigglesworth 1632 Galilée 천체운행, Spinoza, John Locke	+38 +39 +40	1662 *Acte d'uniformité* de l'Eglise d'Angleterre. 1662 Quaker Act 1663 Fondation du M.E.P., Auguste Hermann Francke 1664 **Jean Meslier** 1664-1729 (65) 무신론 신부
1684	+6 +7 +8	1690 Christian David 헤른후트 설립자 1691 Frelinghuysen 1692 살렘의 마녀재판	+38 +39 +40	1722 모라비안 신앙 공동체인 Herrnhut 탄생 1723 Paul Henry Thiery, baron d'Holbach 1724 Immanuel Kant
1744	+6 +7 +8	1750 David Bogue 1751 George Liele 1752 Freeborn Garrettson	+38 +39 +40	1782 미 독립비준 **1782 Robert Maurrison, William Miller** 1783 Paix de Verseilles (indépendance des Etats-Unis). 미 합중국에 남아있던 앵글리칸들이 프로테스탄트 감독교회를 조직 1784 Constitution du méthodisme sous l'impulsion de John Wesley, Gordon Hall 1784 명례당
1804	+6 +7 +8	1810 리챠드스펄링, 미국 오순절 운동 1811 **Bernard J. Betterlheim** 1812 John Hunt	+38 +39 +40	1842 **죤 로스** [Ross, John 1843 죠지밀러가 주장한 재림 해, Simpson, Scofield 1844 Accord franco-chinois sur les missions (passeports)
1864	+6 +7 +8	1870 中田重治나까다쥬지, 최중진, 이순화 1871 강증산, Lewis Sperry Chafer, Pieters 1872 샤프, 구니아히데	+38 +39 +40	1902 손양원, 한경직, 빅토르윌링턴피터스 1903 원산부흥, 일본전도단, **워치만니** 1903 Premier vol des frères Wright en aéroplane. 1904 안식교, 성결교 도입, 러일전쟁, 유관순
1924	+6 +7 +8	1930 최경식 1931 안동민, 조희성, 박보희, 이만희 1932 법정	+38 +39 +40	1962-1965 Concile de Vatican II : 1962 제 2 차 바티칸 공의회(요한 23 세), 안철수 1963 Montréal : Assemblée de travail de la Commission 'Foi et Constitution' : les relations Ecriture-Tradition et la signification ecclésiologique du Conseil oecuménique des Eglises. 1963 Assassinat de Kennedy, 임찬순 1964 La Fédération Luthérienne Mondiale demande l'instauration d'un dialogue avec l'Eglise catholique. 1964 Eglise Réformée : accession des femmes au ministère pastoral.
1984	+6 +7 +8	1990 1991 1992	+38 +39 +40	2022 2023 2024
2044	+6 +7 +8	2050 2051 2052	+38 +39 +40	2082 2083 2084

갑자년 역사 지도의 구조

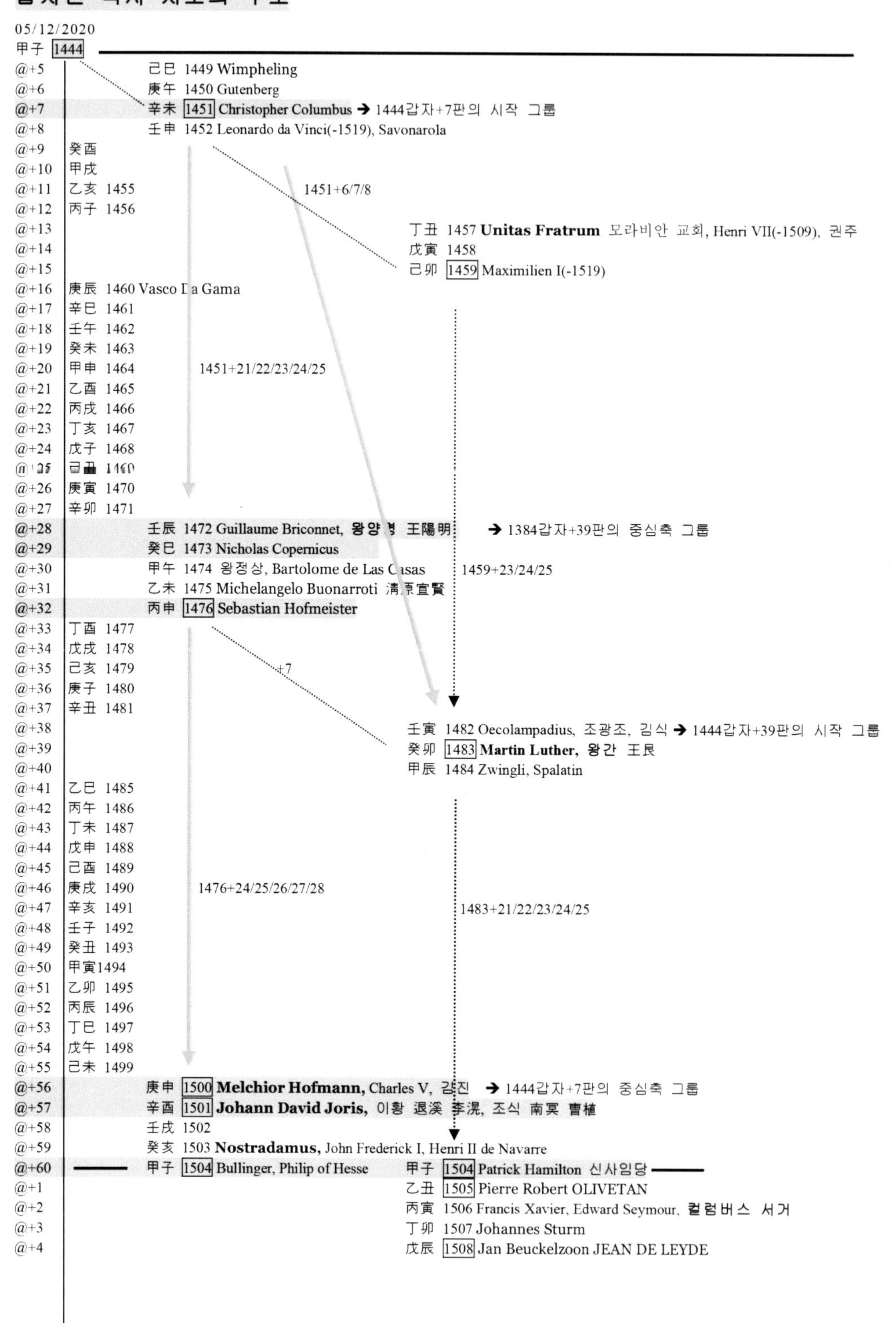
05/12/2020
甲子 1444
@+5 己巳 1449 Wimpheling
@+6 庚午 1450 Gutenberg
@+7 辛未 1451 Christopher Columbus → 1444갑자+7판의 시작 그룹
@+8 壬申 1452 Leonardo da Vinci(-1519), Savonarola
@+9 癸酉
@+10 甲戌
@+11 乙亥 1455
@+12 丙子 1456
1451+6/7/8
@+13 丁丑 1457 Unitas Fratrum 모라비안 교회, Henri VII(-1509), 권주
@+14 戊寅 1458
@+15 己卯 1459 Maximilien I(-1519)
@+16 庚辰 1460 Vasco Da Gama
@+17 辛巳 1461
@+18 壬午 1462
@+19 癸未 1463
@+20 甲申 1464
1451+21/22/23/24/25
@+21 乙酉 1465
@+22 丙戌 1466
@+23 丁亥 1467
@+24 戊子 1468
@+26 庚寅 1470
@+27 辛卯 1471
@+28 壬辰 1472 Guillaume Briconnet, 왕양명 王陽明 → 1384갑자+39판의 중심축 그룹
@+29 癸巳 1473 Nicholas Copernicus
@+30 甲午 1474 왕정상, Bartolome de Las Casas
1459+23/24/25
@+31 乙未 1475 Michelangelo Buonarroti 清原宣賢
@+32 丙申 1476 Sebastian Hofmeister
@+33 丁酉 1477
@+34 戊戌 1478
@+35 己亥 1479
+7
@+36 庚子 1480
@+37 辛丑 1481
@+38 壬寅 1482 Oecolampadius, 조광조, 김식 → 1444갑자+39판의 시작 그룹
@+39 癸卯 1483 Martin Luther, 왕간 王艮
@+40 甲辰 1484 Zwingli, Spalatin
@+41 乙巳 1485
@+42 丙午 1486
@+43 丁未 1487
@+44 戊申 1488
@+45 己酉 1489
@+46 庚戌 1490
1476+24/25/26/27/28
@+47 辛亥 1491
1483+21/22/23/24/25
@+48 壬子 1492
@+49 癸丑 1493
@+50 甲寅 1494
@+51 乙卯 1495
@+52 丙辰 1496
@+53 丁巳 1497
@+54 戊午 1498
@+55 己未 1499
@+56 庚申 1500 Melchior Hofmann, Charles V, 김진 → 1444갑자+7판의 중심축 그룹
@+57 辛酉 1501 Johann David Joris, 이황 退溪 李滉, 조식 南冥 曺植
@+58 壬戌 1502
@+59 癸亥 1503 Nostradamus, John Frederick I, Henri II de Navarre
@+60 甲子 1504 Bullinger, Philip of Hesse
甲子 1504 Patrick Hamilton 신사임당
@+1 乙丑 1505 Pierre Robert OLIVETAN
@+2 丙寅 1506 Francis Xavier, Edward Seymour, 컬럼버스 서거
@+3 丁卯 1507 Johannes Sturm
@+4 戊辰 1508 Jan Beuckelzoon JEAN DE LEYDE

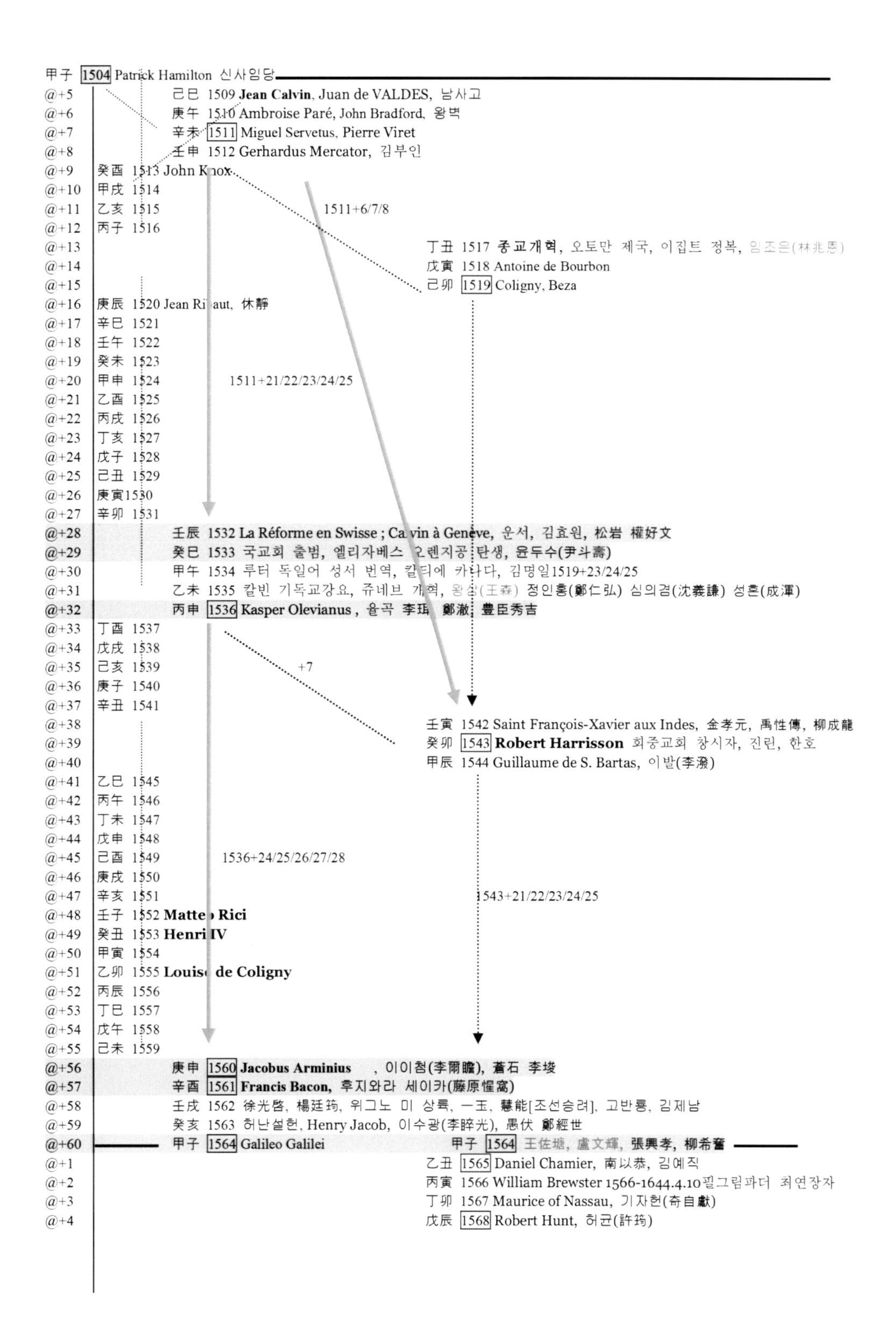
甲子 1504 Patrick Hamilton 신사임당
@+5 己巳 1509 Jean Calvin, Juan de VALDES, 남사고
@+6 庚午 1510 Ambroise Paré, John Bradford, 왕벽
@+7 辛未 1511 Miguel Servetus, Pierre Viret
@+8 壬申 1512 Gerhardus Mercator, 김부인
@+9 癸酉 1513 John Knox
@+10 甲戌 1514
@+11 乙亥 1515
1511+6/7/8
@+12 丙子 1516
@+13 丁丑 1517 종교개혁, 오토만 제국, 이집트 정복, 임조은(林兆恩)
@+14 戊寅 1518 Antoine de Bourbon
@+15 己卯 1519 Coligny, Beza
@+16 庚辰 1520 Jean Ribaut, 休靜
@+17 辛巳 1521
@+18 壬午 1522
@+19 癸未 1523
@+20 甲申 1524
1511+21/22/23/24/25
@+21 乙酉 1525
@+22 丙戌 1526
@+23 丁亥 1527
@+24 戊子 1528
@+25 己丑 1529
@+26 庚寅 1530
@+27 辛卯 1531
@+28 壬辰 1532 La Réforme en Swisse ; Calvin à Genève, 운서, 김효원, 松岩 權好文
@+29 癸巳 1533 국교회 출범, 엘리자베스 오렌지공 탄생, 윤두수(尹斗壽)
@+30 甲午 1534 루터 독일어 성서 번역, 칼디에 카나다, 김명일1519+23/24/25
@+31 乙未 1535 칼빈 기독교강요, 쥬네브 개혁, 왕삼(王森) 정인홍(鄭仁弘) 심의겸(沈義謙) 성혼(成渾)
@+32 丙申 1536 Kasper Olevianus , 율곡 李珥 鄭澈 豊臣秀吉
@+33 丁酉 1537
@+34 戊戌 1538
@+35 己亥 1539
+7
@+36 庚子 1540
@+37 辛丑 1541
@+38 壬寅 1542 Saint François-Xavier aux Indes, 金孝元, 禹性傳, 柳成龍
@+39 癸卯 1543 Robert Harrisson 회중교회 창시자, 진린, 한호
@+40 甲辰 1544 Guillaume de S. Bartas, 이발(李潑)
@+41 乙巳 1545
@+42 丙午 1546
@+43 丁未 1547
@+44 戊申 1548
@+45 己酉 1549
1536+24/25/26/27/28
@+46 庚戌 1550
@+47 辛亥 1551
1543+21/22/23/24/25
@+48 壬子 1552 Matteo Rici
@+49 癸丑 1553 Henri IV
@+50 甲寅 1554
@+51 乙卯 1555 Louise de Coligny
@+52 丙辰 1556
@+53 丁巳 1557
@+54 戊午 1558
@+55 己未 1559
@+56 庚申 1560 Jacobus Arminius , 이이첨(李爾瞻), 蒼石 李埈
@+57 辛酉 1561 Francis Bacon, 후지와라 세이카(藤原惺窩)
@+58 壬戌 1562 徐光啓, 楊廷筠, 위그노 미 상륙, 一玉, 慧能[조선승려], 고반룡, 김제남
@+59 癸亥 1563 허난설헌, Henry Jacob, 이수광(李睟光), 愚伏 鄭經世
@+60 甲子 1564 Galileo Galilei
甲子 1564 王佐塘, 盧文輝, 張興孝, 柳希奮
@+1 乙丑 1565 Daniel Chamier, 南以恭, 김예직
@+2 丙寅 1566 William Brewster 1566-1644.4.10필그림파더 최연장자
@+3 丁卯 1567 Maurice of Nassau, 기자헌(奇自獻)
@+4 戊辰 1568 Robert Hunt, 허균(許筠)

갑자년 역사 지도의 성격

갑자년 역사 지도의 탄생 근거는 루터 종교개혁 시대인 1444 년 갑자년이다.

매 갑자년은 내부적으로 인물의 탄생과 사건 발생에 있어 일정한 패턴이 보이는데,
크게는 갑자년+7 년 과 갑자년+39 년 지점을 기점으로 하는 두가지 갑자년 도표를 그릴 수 있고
각각 +/- 1 년의 오차를 가지기에 결과적으로
갑자+6/7/8 년과 갑자+38/39/40 년을 시작으로 하는 두가지 도표를 얻을 수 있다.

또한, 이 두가지 도표에는 각각 역사의 개문 역할을 하는 **시작 그룹**과
역사를 마무리하고 종결시키는 역할의 **중심축 그룹**이 존재하는 데
시작점에서부터 두차례에 걸쳐 사명 후속자들이 이어진 위치에 중심축이 위치하며
갑자년+7 과 갑자년+39 가 시작점이라면 중심축 자리는 다음 갑자년 바로 직전에 해당하는
갑자년+56 과 갑자년+57 그리고 다음 갑자년인 갑자년+60 자리이다.

갑자년+7 판과 갑자년+39 판은 음과 양의 성격을 지닌 한 쌍으로서 상호 보완하는 관계이며
시작점은 당해 갑자년에서 중요한 출발 역할을 하는 인물이 태어나는 자리이고
중심축은 당해 갑자년에서 중요한 마무리를 하는 인물이 등장하는 자리이다.
그리고 양판과 음판에 따라 시작점과 중심축도 둘씩 쌍으로 존재한다.
예를들어, 1444 갑자년의 경우
갑자년+7 판의 시작점에 해당하는 인물은 컬럼버스이지만
갑자년+39 판의 시작점에 해당하는 인물은 루터인 셈이다.

앞선 갑자년과 이어지는 다음 갑자년은 서로 중첩되면서 연속되어 진행된다.
다시말해,
갑자년+7 판 속에는 앞선 갑자년+39 판의 중심축 자리와 갑자년+39 판의 시작 자리가 있으며
갑자년+39 판 속에는 앞선 갑자년+7 판의 중심축 자리와 다음 갑자년+7 판의 시작 자리도 존재한다.

전체적으로 갑자년 지도 속에서는,
앞서 살펴 본 사명전자와 후자 또는 공생애 전자와 후자들이 연이어지고 있고
시대의 시작을 알리는 개문 역활과 시대를 종결짓는 중심축 역할자들이 등장하며
그들을 또다시 보족하는 사명자들이 앞뒤로 배치됨을 볼 수 있고
어떤 한 인물을 놓고 볼 때, 양판과 음판 속에 대략 두번에 걸쳐 등장하는데
갑자년+7 판에서는 뚜렷한 역할을 못했지만
갑자년+39 판에서는 중요한 역할을 담당하는 그러한 형태를 보이게 된다.

결과적으로,
이 갑자년+7 판 도표와 갑자년+39 판 도표를 각각 음과 양의 한 쌍의 역사판으로 설정한 후
지나간 2000 년에 걸친 모든 갑자년을 모두 동일한 형태와 방식으로 그리게 되면
2000 년 동서양 갑자년 역사 지도가 얻어지게 되는 데,
이곳에서는 1444 년 갑자년부터 1984 년 갑자년까지만 수록하고
아직 오지않은 마지막 2044 갑자년은 미래 세대의 과제로 남긴다.

1444 갑자년 +7/+39	1504 갑자년 +7/+39
1564 갑자년 +7/+39	1624 갑자년 +7/+39
1684 갑자년 +7/+39	1744 갑자년 +7/+39
1804 갑자년 +7/+39	1864 갑자년 +7/+39
1924 갑자년 +7/+39	1984 갑자년 +7/+39

1444갑자 +7 (Columbus 1451-1506) 원판

甲子 1444

1444 Rudolphus Agricola

庚午 1450 Gutenberg
@+7 辛未 1451 **Christopher Columbus**
@+8 壬申 1452 Leonardo da Vinci(-1519), Savonarola
@+9 癸酉 1453 Chute de Constantinople
@+10 甲戌 1454
@+11 乙亥 1455 Jacques Lefevre d'Etaples
@+12 丙子 1456 Gutenberg imprime la première Bible à Mayence
@+13 丁丑 1457 **Unitas Fratrum** 모라비안 교회, Henri VII(-1509)
@+14 戊寅 1458 비오2세, 십자군
@+15 己卯 1459 Maximilien I(-1519)
@+16 庚辰 1460 Vasco Da Gama
@+17 辛巳 1461
@+18 壬午 1462
@+19 癸未 1463 Mirandola, Frederick III of Saxony
@+20 甲申 1464
@+21 乙酉 1465
@+22 丙戌 1466
@+23 丁亥 1467 Guillaume Bude
@+24 戊子 1468 Jean Ier de Saxe
@+25 己丑 1469 Erasmus, Machiavelli
@+26 庚寅 1470
@+27 辛卯 1471
@+28 壬辰 1472 Guillaume Briconnet, 왕양명
@+29 癸巳 1473 Nicholas Copernicus
@+30 甲午 1474 Bartolome de Las Casas, 왕정상
@+31 乙未 1475 Michelangelo Buonarroti, 淸原宣賢
@+32 丙申 1476 Sebastian Hofmeister
@+33 丁酉 1477 Matthew Zell
@+34 戊戌 1478 Thomas More, 김안국
@+35 4
@+36 庚子 1480 Carlstadt
@+37 辛丑 1481 Sickingen
@+38 壬寅 1482 Oecolampadius, 조광조, 김식
@+39 癸卯 1483 **Martin Luther, 왕간**
@+40 甲辰 1484 Zwingli, Spalatin
@+41 乙巳 1485 Balthasar HUBMAIER
@+42 丙午 1486 Andreas Bodenstein CARLSTADT
@+43 丁未 1487
@+44 16 戊申 1488 Ulrich von Hutten
@+45 己酉 1489 Guillaume Farel
@+46 庚戌 1490 Thomas Muntzer
@+47 辛亥 1491 Martin Bucer, Ignace de Loyola, Henri VIII
@+48 壬子 1492 Margarite de Navarre, 신대륙발견, 아랍지배 종식
@+49 癸丑 1493 Olaus Petri
@+50 甲寅 1494 William Tyndale, Francois I
@+51 乙卯 1495 Menno Simons
@+52 丙辰 1496 Vasa Gustabus I
@+53 丁巳 1497 Melanchthon
@+54 戊午 1498 Andreas Osiander, Felix Mantz
@+55 己未1499 Katherine Bora Luther
@+56 庚申 1500 **Melchior Hofmann,** Charles V
@+57 辛酉 1501 **Johann David Joris,** 이황, 조식
@+58 壬戌 1502
@+59 癸亥 1503 **Nostradamus,** John Frederick I, Henri II de Navarre
@+60 甲子 1504 Bullinger, Philip of Hesse
@+1 乙丑 1505 Pierre Robert OLIVETAN
@+2 丙寅 1506 Francis Xavier, Edward Seymour, **컬럼버스 서거**
@+3 丁卯 1507 Johannes Sturm
@+4 戊辰 1508 Jan Beuckelzoon JEAN DE LEYDE
@+5 己巳 1509 **Jean Calvin**, Juan de VALDES, 남사고
@+6 庚午 1510 Ambroise Paré 庚午 1510 John Bradford

1444갑자 +39 (Luther 1483/4-1546) 원판

甲子 1444

1445 Allesandro Botticelli, William Grocyn(-1519), 유호인

+38/39/40

辛丑 1481 Sickingen

壬寅 1482 Johannes Oecolampadius, 조광조

@+39 癸卯 1483 **Martin Luther**, 왕간

@+40 甲辰 1484 Zwingli, Georg Spalatin

@+41 46 乙巳 1485 Balthasar HUBMAIER, Catherine d'Aragon

@+42 7 丙午 1486 김정, Frédéric le Sage, Electeur de Saxe, Andreas Bodenstein CARLSTADT

@+43 丁未 1487 Gabriel Zwilling, 9

@+44 戊申 1488 양팽손, Ulrich von Hutten, Oswald Myconius

@+45 己酉 1489 서경덕, Guillaume Farel, Caspar Schwenkfeld, Thomas Cranmer

@+46 庚戌 1490 윤관, Thomas Muntzer, Michael SATTLER, Friedrich Myconius, Marie DENTIERE

@+47 辛亥 1491 Henri VIII, Martin Bucer, Ignace de Loyola

@+48 4 壬子 1492 신대륙발견, Margarite de Navarre

@+49 癸丑 1493 Olaus Petri, Justus Jonas

@+50 甲寅 1494 Francois I, William Tyndale, 심달원

@+51 乙卯 1495 주세붕, **Menno Simons**

@+52 丙辰 1496 Vasa Gustabus, 송사련

@+53 丁巳 1497 Melanchthon 24/25

@+54 戊午 1498 Melchior Hoffman, Andreas Osiander, 나식

@+55 己未 1499 Katherine Bora Luther, 송인수, 이준경

@+56 庚申 1500 Charles V, **Melchior Hofmann**

@+57 辛酉 1501 이황, 조식, Johann David Joris

@+58

@+59 癸亥 1503 John Frederick I, Henri II de Navarre, Nostradamus, 양산보, 권철

@+60 甲子 1504 **Philip of Hesse, 신사임당, 홍섬, Bullinger**

@+1 乙丑 1505 Pierre Robert OLIVETAN

@+2 丙寅 1506 Francis Xavier

@+3 丁卯 1507 가정제, Johannes Sturm

@+4 戊辰 1508 Jean de Leide, Jeanne Seymour

@+5 己巳 1509 Jean Calvin, Juan de VALDES, 남사고

@+6 庚午 1510 John Bradford, Ambroise Paré, Jan Beuckelzoon JEAN DE LEYDE

@+7 4 辛未 1511 Miguel Servetus, Pierre Viret

@+8 壬申 1512 Mercator, John Craig, James V, 김생해

@+9 癸酉 1513 George Wishart, 유희춘

@+10 甲戌 1514 John Knox, André Vésale, 심강

@+11 乙亥 1515 Sébastien Castellion, Frederick III, Teresa of Avila, 류중영, 노수신

@+12 丙子 1516 Marie Tudor, Giovanni Giorgio BIANDRATA, 노경린, 심수경

@+13 丁丑 1517 John Fox, 이지함, 허엽, 양사언, 송인, 임조은

@+14 戊寅 1518 Antoine de Bourbon, Catherine de Mecklembourg, 이시진

@+15 己卯 1519 Coligny, Theodore de Beza, Henri II, Catherine de Medicis, Duc de Guise

@+16 庚辰 1520 Jean Ribaut, Jean CRESPIN, 휴정

@+17 辛巳 1521 Jean MARBACH 24/25

@+18 壬午 1522 Dirck Volckertszoon COORNHERT, 백광홍

@+19 癸未 1523 Jan Blahoslav,박순

@+20 甲申 1524 RONSARD Pierre de , 조목, 프랑소와1세 로드아일랜드탐험

@+21 乙酉 1525 David Ferguson, 김제갑, 장거정

@+22 丙戌 1526 Wolfgang, Count Palatine, 구봉령, 정탁, 이성량

@+23 丁亥 1527 Laurence Humphrey, 기대승, 은계남, 이지

@+24 戊子 1528 Jeanne d'Albert, Jacob (James) Andreae, Nickolaus Selnecker, 성운, 척계광

@+25 己丑 1529 Thomas de Jésus, 이정란, 최흥원

@+26 庚寅 1530 Louis de Bourbon, Jean Bodin

@+27 辛卯 1531 Adrian Saravia, Francois de La Noue, 곽률, 등자룡

@+28 壬申 1532 Guillaume IV, dit « le Sage » — 壬申 1532 Calvin à Genève

@+29 癸巳 1533 William I of the Netherlands, Elisabeth — 癸巳 1533 Montaigne, anglicanisme

@+30 甲午 1534 Cartier 카나다 도착, Durand de Villegagnon

@+31 乙未 1535 왕삼, Thomas Cartwright

@+32 丙申 1536 Kasper Olevianus — 丙申 1536 이이, 정철

@+33 丁酉 1537 권률, 김천일, Jean de Poltrot de Mere (기즈암살위그노), 豊臣秀吉

@+34 戊戌 1538 김성일, William Fulke, William Kethe

@+35 10 己亥 1539 이산해, 뉴렘베르그동맹, Olivier de SERRES

@+36 庚子 1540 Karl II. Franz von Innerösterreich, Sir Francis Drake, 원균, 남이홍, 김륵

@+37 辛丑 1541 Daniel Tossanus, 홍가신 9/10

@+38 壬寅 1542 Marie Ier d'Ecosse, Jean de La Croix, 유성룡, 김극효

@+39 癸卯 1543 **Robert Harrisson,** 한호, 정구, 부휴, 진린, 덕천가광

1504갑자 +7 원판

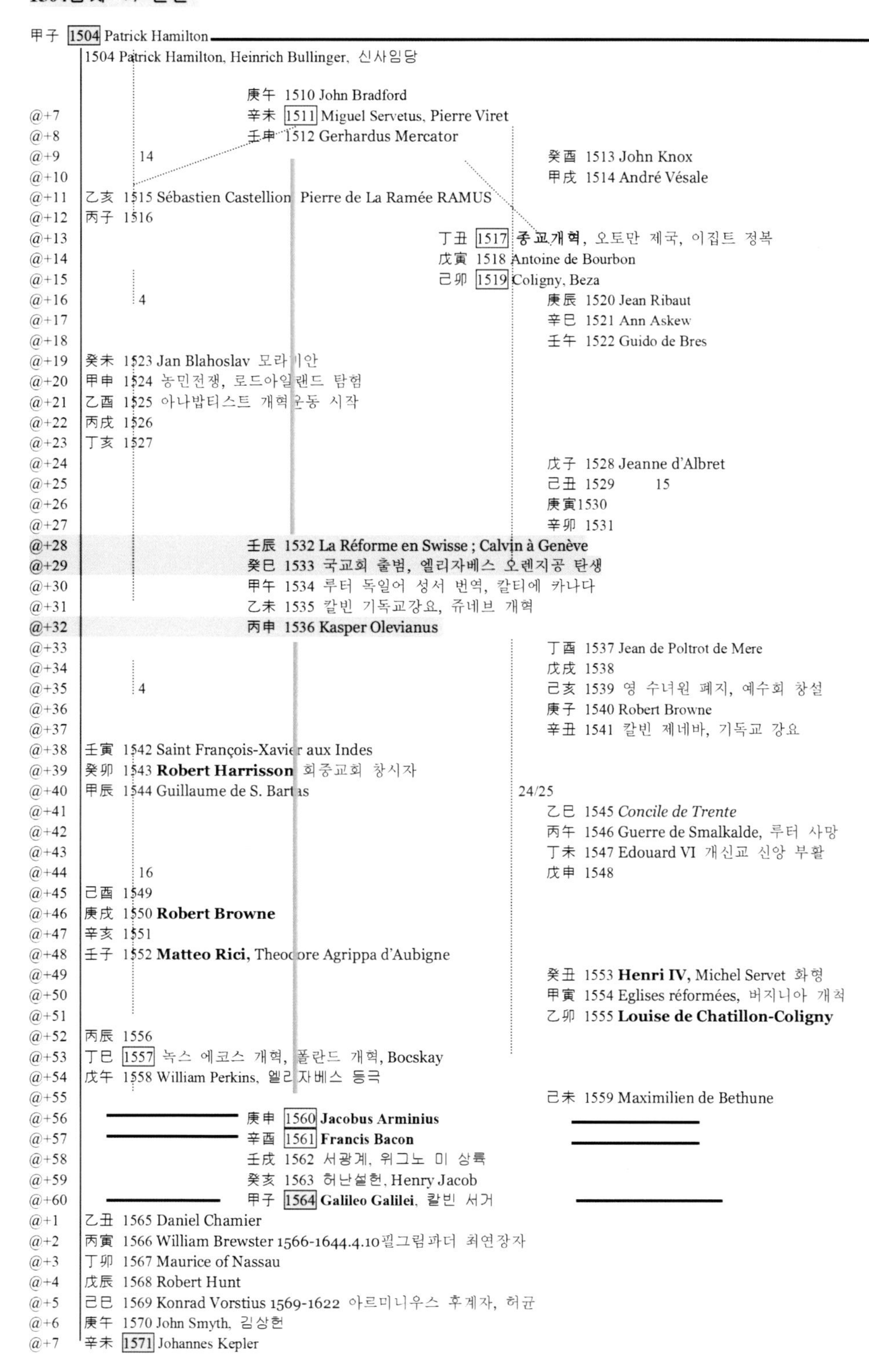

甲子 1504 Patrick Hamilton
1504 Patrick Hamilton, Heinrich Bullinger, 신사임당
庚午 1510 John Bradford
@+7 辛未 1511 Miguel Servetus, Pierre Viret
@+8 壬申 1512 Gerhardus Mercator
@+9 14 癸酉 1513 John Knox
@+10 甲戌 1514 André Vésale
@+11 乙亥 1515 Sébastien Castellion Pierre de La Ramée RAMUS
@+12 丙子 1516
@+13 丁丑 1517 종교개혁, 오토만 제국, 이집트 정복
@+14 戊寅 1518 Antoine de Bourbon
@+15 己卯 1519 Coligny, Beza
@+16 4 庚辰 1520 Jean Ribaut
@+17 辛巳 1521 Ann Askew
@+18 壬午 1522 Guido de Bres
@+19 癸未 1523 Jan Blahoslav 모라비안
@+20 甲申 1524 농민전쟁, 로드아일랜드 탐험
@+21 乙酉 1525 아나밥티스트 개혁운동 시작
@+22 丙戌 1526
@+23 丁亥 1527
@+24 戊子 1528 Jeanne d'Albret
@+25 己丑 1529 15
@+26 庚寅1530
@+27 辛卯 1531
@+28 壬辰 1532 La Réforme en Swisse ; Calvin à Genève
@+29 癸巳 1533 국교회 출범, 엘리자베스 오렌지공 탄생
@+30 甲午 1534 루터 독일어 성서 번역, 칼티에 카나다
@+31 乙未 1535 칼빈 기독교강요, 쥬네브 개혁
@+32 丙申 1536 Kasper Olevianus
@+33 丁酉 1537 Jean de Poltrot de Mere
@+34 戊戌 1538
@+35 4 己亥 1539 영 수녀원 폐지, 예수회 창설
@+36 庚子 1540 Robert Browne
@+37 辛丑 1541 칼빈 제네바, 기독교 강요
@+38 壬寅 1542 Saint François-Xavier aux Indes
@+39 癸卯 1543 Robert Harrisson 회중교회 창시자
@+40 甲辰 1544 Guillaume de S. Bartas 24/25
@+41 乙巳 1545 Concile de Trente
@+42 丙午 1546 Guerre de Smalkalde, 루터 사망
@+43 丁未 1547 Edouard VI 개신교 신앙 부활
@+44 16 戊申 1548
@+45 己酉 1549
@+46 庚戌 1550 Robert Browne
@+47 辛亥 1551
@+48 壬子 1552 Matteo Rici, Theodore Agrippa d'Aubigne
@+49 癸丑 1553 Henri IV, Michel Servet 화형
@+50 甲寅 1554 Eglises réformées, 버지니아 개척
@+51 乙卯 1555 Louise de Chatillon-Coligny
@+52 丙辰 1556
@+53 丁巳 1557 녹스 에코스 개혁, 폴란드 개혁, Bocskay
@+54 戊午 1558 William Perkins, 엘리자베스 등극
@+55 己未 1559 Maximilien de Bethune
@+56 庚申 1560 Jacobus Arminius
@+57 辛酉 1561 Francis Bacon
@+58 壬戌 1562 서광계, 위그노 미 상륙
@+59 癸亥 1563 허난설헌, Henry Jacob
@+60 甲子 1564 Galileo Galilei, 칼빈 서거
@+1 乙丑 1565 Daniel Chamier
@+2 丙寅 1566 William Brewster 1566-1644.4.10필그림파더 최연장자
@+3 丁卯 1567 Maurice of Nassau
@+4 戊辰 1568 Robert Hunt
@+5 己巳 1569 Konrad Vorstius 1569-1622 아르미니우스 후계자, 허균
@+6 庚午 1570 John Smyth, 김상헌
@+7 辛未 1571 Johannes Kepler

1504갑자 +39 원판

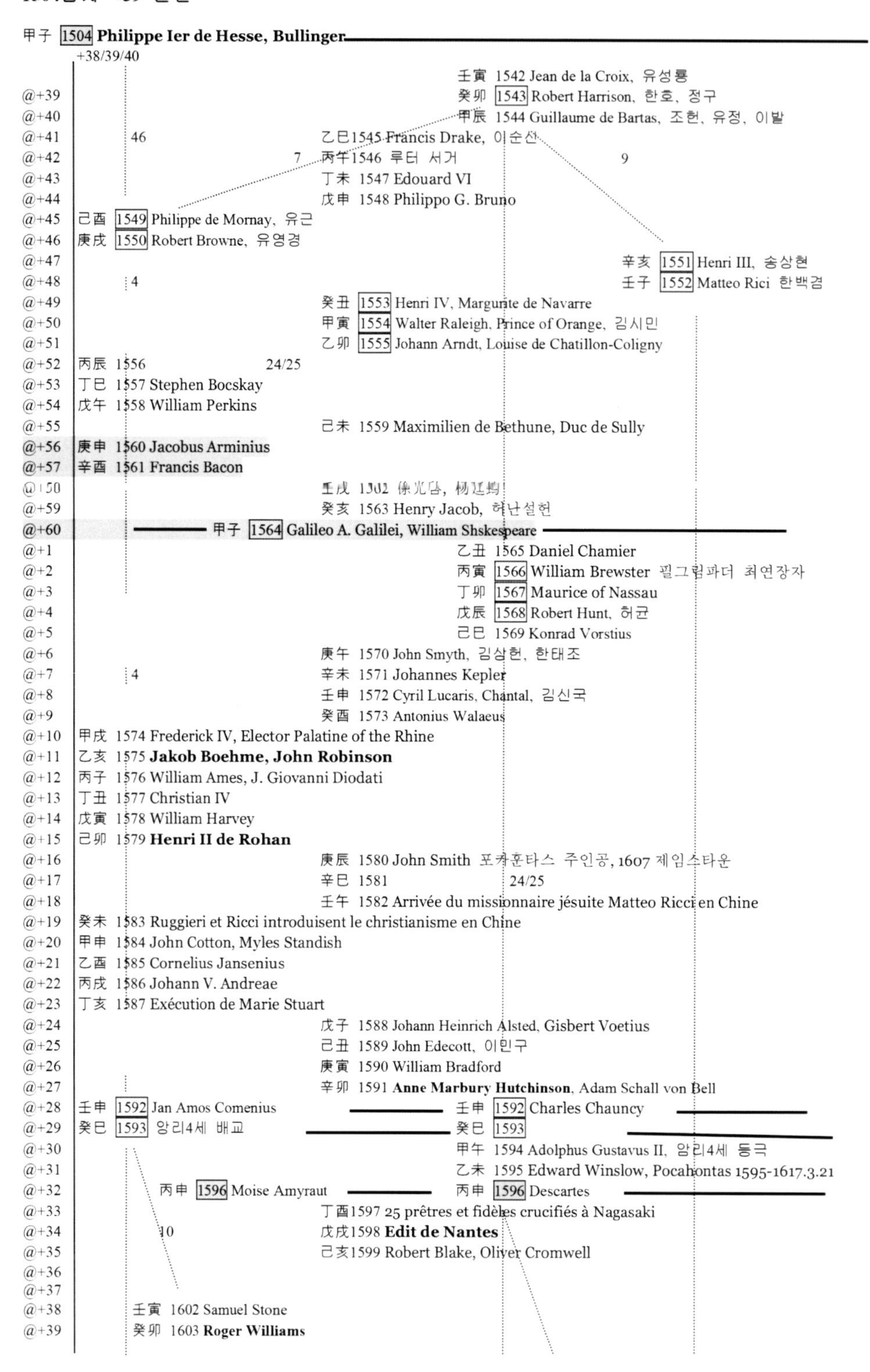

甲子 1504 Philippe Ier de Hesse, Bullinger
+38/39/40
壬寅 1542 Jean de la Croix, 유성룡
@+39 癸卯 1543 Robert Harrison, 한호, 정구
@+40 甲辰 1544 Guillaume de Bartas, 조헌, 유정, 이발
@+41 46 乙巳1545 Francis Drake, 이순신
@+42 7 丙午1546 루터 서거 9
@+43 丁未 1547 Edouard VI
@+44 戊申 1548 Philippo G. Bruno
@+45 己酉 1549 Philippe de Mornay, 유근
@+46 庚戌 1550 Robert Browne, 유영경
@+47 辛亥 1551 Henri III, 송상현
@+48 4 壬子 1552 Matteo Rici 한백겸
@+49 癸丑 1553 Henri IV, Margurite de Navarre
@+50 甲寅 1554 Walter Raleigh, Prince of Orange, 김시민
@+51 乙卯 1555 Johann Arndt, Louise de Chatillon-Coligny
@+52 丙辰 1556 24/25
@+53 丁巳 1557 Stephen Bocskay
@+54 戊午 1558 William Perkins
@+55 己未 1559 Maximilien de Bethune, Duc de Sully
@+56 庚申 1560 Jacobus Arminius
@+57 辛酉 1561 Francis Bacon
@+58 壬戌 1562 徐光啓, 楊廷筠
@+59 癸亥 1563 Henry Jacob, 허난설헌
@+60 甲子 1564 Galileo A. Galilei, William Shskespeare
@+1 乙丑 1565 Daniel Chamier
@+2 丙寅 1566 William Brewster 필그림파더 최연장자
@+3 丁卯 1567 Maurice of Nassau
@+4 戊辰 1568 Robert Hunt, 허균
@+5 己巳 1569 Konrad Vorstius
@+6 庚午 1570 John Smyth, 김상헌, 한태조
@+7 4 辛未 1571 Johannes Kepler
@+8 壬申 1572 Cyril Lucaris, Chantal, 김신국
@+9 癸酉 1573 Antonius Walaeus
@+10 甲戌 1574 Frederick IV, Elector Palatine of the Rhine
@+11 乙亥 1575 Jakob Boehme, John Robinson
@+12 丙子 1576 William Ames, J. Giovanni Diodati
@+13 丁丑 1577 Christian IV
@+14 戊寅 1578 William Harvey
@+15 己卯 1579 Henri II de Rohan
@+16 庚辰 1580 John Smith 포카혼타스 주인공, 1607 제임스타운
@+17 辛巳 1581 24/25
@+18 壬午 1582 Arrivée du missionnaire jésuite Matteo Ricci en Chine
@+19 癸未 1583 Ruggieri et Ricci introduisent le christianisme en Chine
@+20 甲申 1584 John Cotton, Myles Standish
@+21 乙酉 1585 Cornelius Jansenius
@+22 丙戌 1586 Johann V. Andreae
@+23 丁亥 1587 Exécution de Marie Stuart
@+24 戊子 1588 Johann Heinrich Alsted, Gisbert Voetius
@+25 己丑 1589 John Edecott, 이민구
@+26 庚寅 1590 William Bradford
@+27 辛卯 1591 Anne Marbury Hutchinson, Adam Schall von Bell
@+28 壬申 1592 Jan Amos Comenius 壬申 1592 Charles Chauncy
@+29 癸巳 1593 앙리4세 배교 癸巳 1593
@+30 甲午 1594 Adolphus Gustavus II, 앙리4세 등극
@+31 乙未 1595 Edward Winslow, Pocahontas 1595-1617.3.21
@+32 丙申 1596 Moise Amyraut 丙申 1596 Descartes
@+33 丁酉1597 25 prêtres et fidèles crucifiés à Nagasaki
@+34 10 戊戌1598 Edit de Nantes
@+35 己亥1599 Robert Blake, Oliver Cromwell
@+36
@+37
@+38 壬寅 1602 Samuel Stone
@+39 癸卯 1603 Roger Williams

1564갑자 +7 원판

甲子 1564 Galileo Galilei

+6/7

1564 William Shakespeare, 이정구, 노문휘, 왕사당

庚午 1570 **John Smyth**, 김상헌, 한태조

@+7 辛未 1571 Johannes Kepler, William Bradshaw

@+8 壬申 1572 *La Saint-Barthélémy*

@+9 14 癸酉 1573 Henri de Bourbon duc de Montpensier

@+10 甲戌 1574 Frederick IV, **Samuel de Champlain**

@+11 乙亥 1575 **Jakob Boehme, John Robinson** 9

@+12 丙子 1576 J. Giovanni Diodati

@+13 丁丑 1577 Christian IV, Formula of Concord

@+14 戊寅 1578 William Harvey

@+15 己卯 1579 Francis Rous, 이익

@+16 4 庚辰 1580 John Smith, 이서, 김육

@+17 辛巳 1581 James Ussher, 언기

@+18 壬午 1582 Johann Gerhard

@+19 癸未 1583 Herbert de Cherbury

@+20 甲申 1584

@+21 乙酉 1585

@+22 丙戌 1586

@+23

@+24

@+25 15

@+26 庚寅 1590

@+27 辛卯 1591 **Anne Hutchinson, Adam Schall**

@+28 壬辰 1592 **Jan Amos Comenius**

@+29 癸巳 1593 Henri IV abjure et est reçu dans l'Eglise catholique

@+30 甲午 1594 Adolphus Gustavus II, 양경업

@+31 乙未 1595 Charles Drelincourt, 이경석

@+32 丙申 1596 Moise Amyraut, Descartes

@+33 丁酉 1597 John Daebport

@+34 戊戌 1598 **Edit de Nantes**

@+35 4 己亥 1599 Robert Blake, Oliver Cromwell

@+36 庚子 1600 Samuel Rutherford

@+37 辛丑 1601 John Trapp

@+38 壬寅 1602 투자 회사인 동인도 회사 설립

@+39 癸卯 1603 **Roger Williams**

@+40 甲辰 1604 John Eliot

@+41 24/25

@+42

@+43 丁未 1607 제임스타운 건설

@+44 16

@+45 己酉 1609 John Clarke

@+46 庚戌 1610 Jean de Labadie

@+47 辛亥 1611 *King James Version*, Bible du Roi Jacques

@+48 壬子 1612 Mary Barette Dyer, 소현세자

@+49 癸丑 1613 Louis I.L. Sacy

@+50 甲寅 1614 Margaret Fell Fox

@+51 乙卯 1615 Richard Baxter

@+52 丙辰 1616 James Naylor, **Bourignon de la Porte**

@+53 丁巳 1617 Ralph Cudworth

@+54 戊午 1618 **Henriette de Coligny**

@+55 己未 1619 Jean Claude

@+56 庚申 1620 May Flower, Frederick William

@+57 辛酉 1621 아마쿠사시로 天草四郎

@+58 壬戌 1622 'Grand martyre' à Nagasaki, 인디언 전쟁

@+59 癸亥 1623 Pascal

@+60 甲子 1624 **George Fox**, William Bradford

@+1 乙丑 1625 북유럽 프로테스탕 동맹

@+2 丙寅 1626 Guillaume II prince d'Orange

@+3 丁卯 1627 Robert Boyle

@+4 戊辰 1628 Miguel Molinos

@+5 己巳 1629 라호셀 함락, 경교비 발견

@+6 庚午 1630 Isaac Barrow, 이 해부터 청교도들의 신대륙 망명 시작

@+7 辛未 1631 Philip Henry

1564갑자 +39 원판 (Roger Williams 1603-1684)

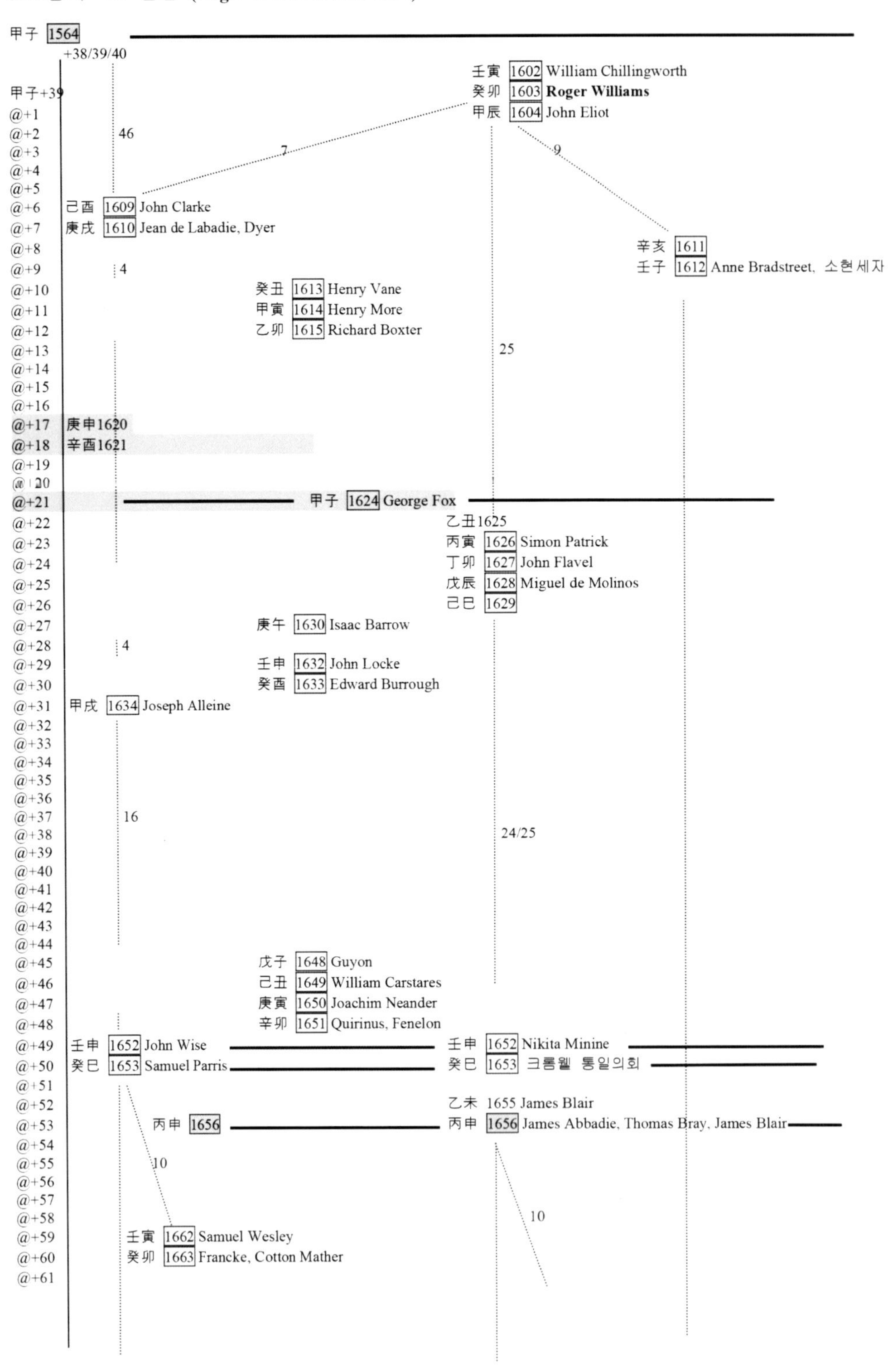

1624갑자 +7 원판

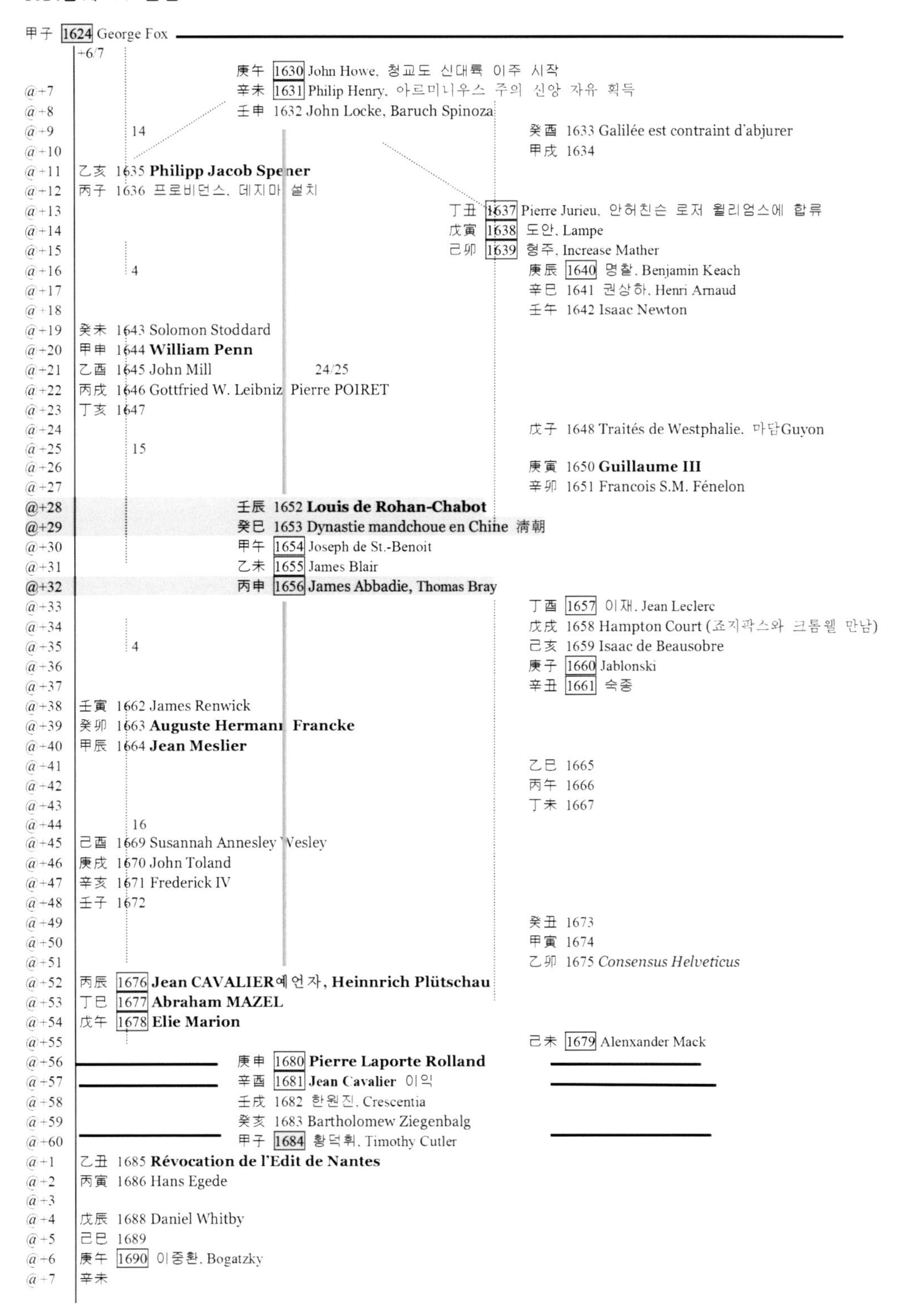

甲子 1624 George Fox
+6/7
庚午 1630 John Howe, 청교도 신대륙 이주 시작
@+7 辛未 1631 Philip Henry, 아르미니우스 주의 신앙 자유 획득
@+8 壬申 1632 John Locke, Baruch Spinoza
@+9 14 癸酉 1633 Galilée est contraint d'abjurer
@+10 甲戌 1634
@+11 乙亥 1635 Philipp Jacob Spener
@+12 丙子 1636 프로비던스, 데지마 설치
@+13 丁丑 1637 Pierre Jurieu, 안허친슨 로저 윌리엄스에 합류
@+14 戊寅 1638 도안, Lampe
@+15 己卯 1639 형주, Increase Mather
@+16 4 庚辰 1640 명찰, Benjamin Keach
@+17 辛巳 1641 권상하, Henri Arnaud
@+18 壬午 1642 Isaac Newton
@+19 癸未 1643 Solomon Stoddard
@+20 甲申 1644 William Penn
@+21 乙酉 1645 John Mill 24/25
@+22 丙戌 1646 Gottfried W. Leibniz Pierre POIRET
@+23 丁亥 1647
@+24 戊子 1648 Traités de Westphalie. 마담Guyon
@+25 15
@+26 庚寅 1650 Guillaume III
@+27 辛卯 1651 Francois S.M. Fénelon
@+28 壬辰 1652 Louis de Rohan-Chabot
@+29 癸巳 1653 Dynastie mandchoue en Chine 清朝
@+30 甲午 1654 Joseph de St.-Benoit
@+31 乙未 1655 James Blair
@+32 丙申 1656 James Abbadie, Thomas Bray
@+33 丁酉 1657 이재, Jean Leclerc
@+34 戊戌 1658 Hampton Court (조지팍스와 크롬웰 만남)
@+35 4 己亥 1659 Isaac de Beausobre
@+36 庚子 1660 Jablonski
@+37 辛丑 1661 숙종
@+38 壬寅 1662 James Renwick
@+39 癸卯 1663 Auguste Hermann Francke
@+40 甲辰 1664 Jean Meslier
@+41 乙巳 1665
@+42 丙午 1666
@+43 丁未 1667
@+44 16
@+45 己酉 1669 Susannah Annesley Wesley
@+46 庚戌 1670 John Toland
@+47 辛亥 1671 Frederick IV
@+48 壬子 1672
@+49 癸丑 1673
@+50 甲寅 1674
@+51 乙卯 1675 Consensus Helveticus
@+52 丙辰 1676 Jean CAVALIER예언자, Heinnrich Plütschau
@+53 丁巳 1677 Abraham MAZEL
@+54 戊午 1678 Elie Marion
@+55 己未 1679 Alenxander Mack
@+56 庚申 1680 Pierre Laporte Rolland
@+57 辛酉 1681 Jean Cavalier 이익
@+58 壬戌 1682 한원진, Crescentia
@+59 癸亥 1683 Bartholomew Ziegenbalg
@+60 甲子 1684 황덕휘, Timothy Cutler
@+1 乙丑 1685 Révocation de l'Edit de Nantes
@+2 丙寅 1686 Hans Egede
@+3
@+4 戊辰 1688 Daniel Whitby
@+5 己巳 1689
@+6 庚午 1690 이중환, Bogatzky
@+7 辛未

1624갑자 +39 원판 (August Hermann Francke 1663-1727)

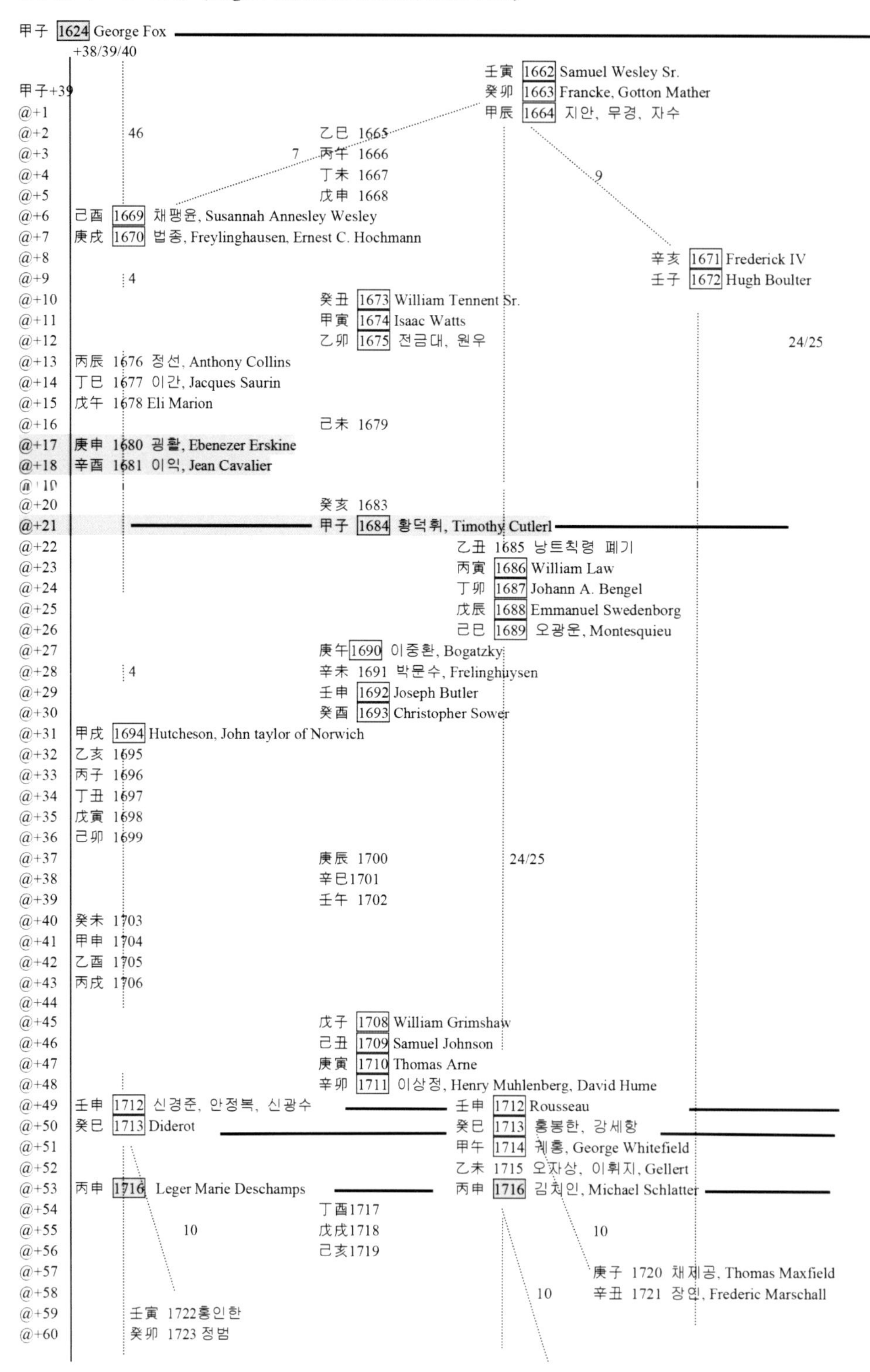

1684갑자 +7 원판

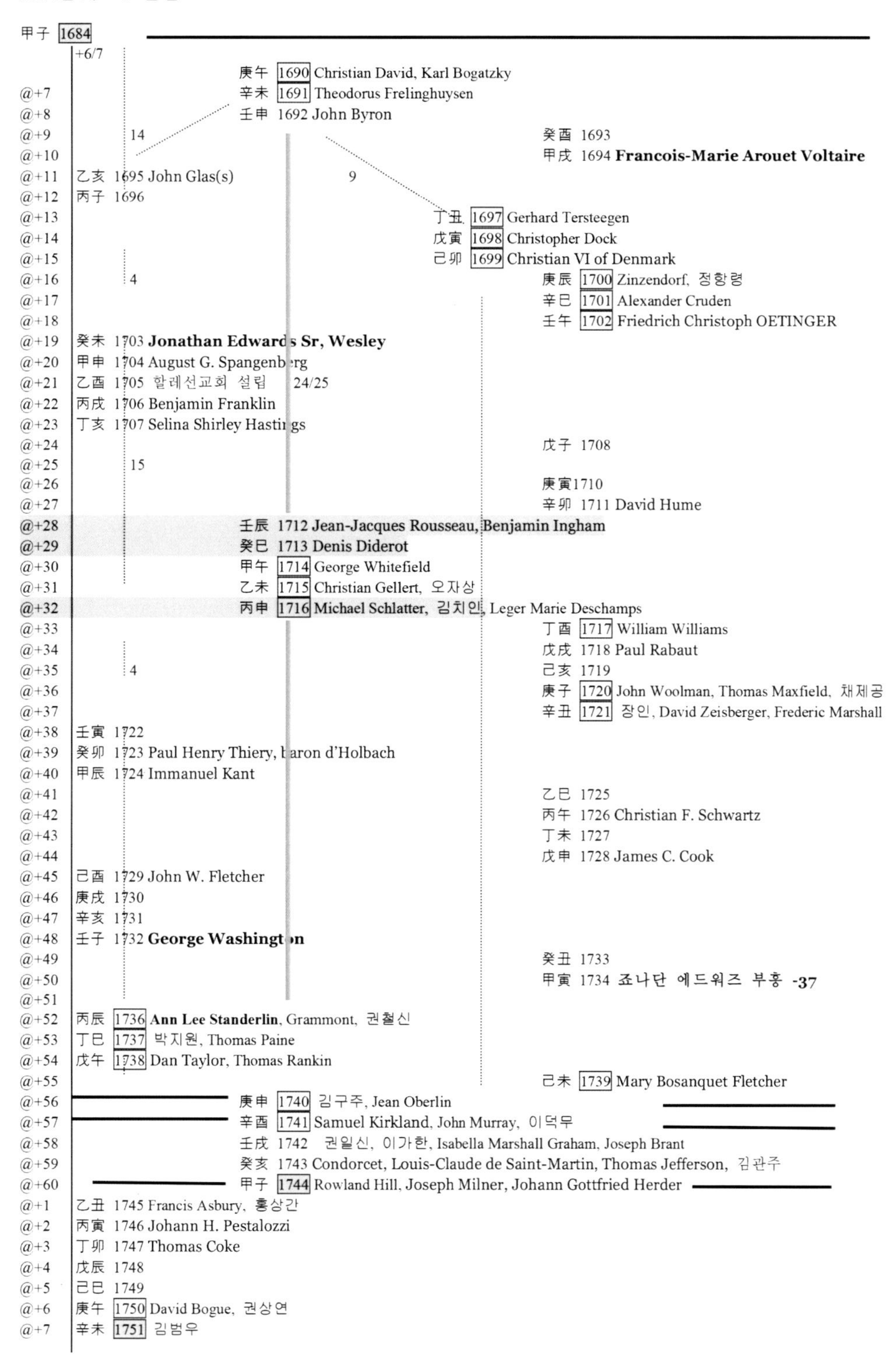

甲子 1684
+6/7
庚午 1690 Christian David, Karl Bogatzky
@+7 辛未 1691 Theodorus Frelinghuysen
@+8 壬申 1692 John Byron
@+9 14 癸酉 1693
@+10 甲戌 1694 **Francois-Marie Arouet Voltaire**
@+11 乙亥 1695 John Glas(s) 9
@+12 丙子 1696
@+13 丁丑 1697 Gerhard Tersteegen
@+14 戊寅 1698 Christopher Dock
@+15 己卯 1699 Christian VI of Denmark
@+16 4 庚辰 1700 Zinzendorf, 정항령
@+17 辛巳 1701 Alexander Cruden
@+18 壬午 1702 Friedrich Christoph OETINGER
@+19 癸未 1703 **Jonathan Edwards Sr, Wesley**
@+20 甲申 1704 August G. Spangenberg
@+21 乙酉 1705 할레선교회 설립 24/25
@+22 丙戌 1706 Benjamin Franklin
@+23 丁亥 1707 Selina Shirley Hastings
@+24 戊子 1708
@+25 15
@+26 庚寅1710
@+27 辛卯 1711 David Hume
@+28 壬辰 1712 **Jean-Jacques Rousseau, Benjamin Ingham**
@+29 癸巳 1713 **Denis Diderot**
@+30 甲午 1714 George Whitefield
@+31 乙未 1715 Christian Gellert, 오자상
@+32 丙申 1716 **Michael Schlatter, 김치인**, Leger Marie Deschamps
@+33 丁酉 1717 William Williams
@+34 戊戌 1718 Paul Rabaut
@+35 4 己亥 1719
@+36 庚子 1720 John Woolman, Thomas Maxfield, 채제공
@+37 辛丑 1721 장인, David Zeisberger, Frederic Marshall
@+38 壬寅 1722
@+39 癸卯 1723 Paul Henry Thiery, baron d'Holbach
@+40 甲辰 1724 Immanuel Kant
@+41 乙巳 1725
@+42 丙午 1726 Christian F. Schwartz
@+43 丁未 1727
@+44 戊申 1728 James C. Cook
@+45 己酉 1729 John W. Fletcher
@+46 庚戌 1730
@+47 辛亥 1731
@+48 壬子 1732 **George Washington**
@+49 癸丑 1733
@+50 甲寅 1734 죠나단 에드워즈 부흥 -37
@+51
@+52 丙辰 1736 **Ann Lee Standerlin**, Grammont, 권철신
@+53 丁巳 1737 박지원, Thomas Paine
@+54 戊午 1738 Dan Taylor, Thomas Rankin
@+55 己未 1739 Mary Bosanquet Fletcher
@+56 庚申 1740 김구주, Jean Oberlin
@+57 辛酉 1741 Samuel Kirkland, John Murray, 이덕무
@+58 壬戌 1742 권일신, 이가환, Isabella Marshall Graham, Joseph Brant
@+59 癸亥 1743 Condorcet, Louis-Claude de Saint-Martin, Thomas Jefferson, 김관주
@+60 甲子 1744 Rowland Hill, Joseph Milner, Johann Gottfried Herder
@+1 乙丑 1745 Francis Asbury, 홍상간
@+2 丙寅 1746 Johann H. Pestalozzi
@+3 丁卯 1747 Thomas Coke
@+4 戊辰 1748
@+5 己巳 1749
@+6 庚午 1750 David Bogue, 권상연
@+7 辛未 1751 김범우

1684갑자 +39 원판 (Samuel Davies 1723-1761)

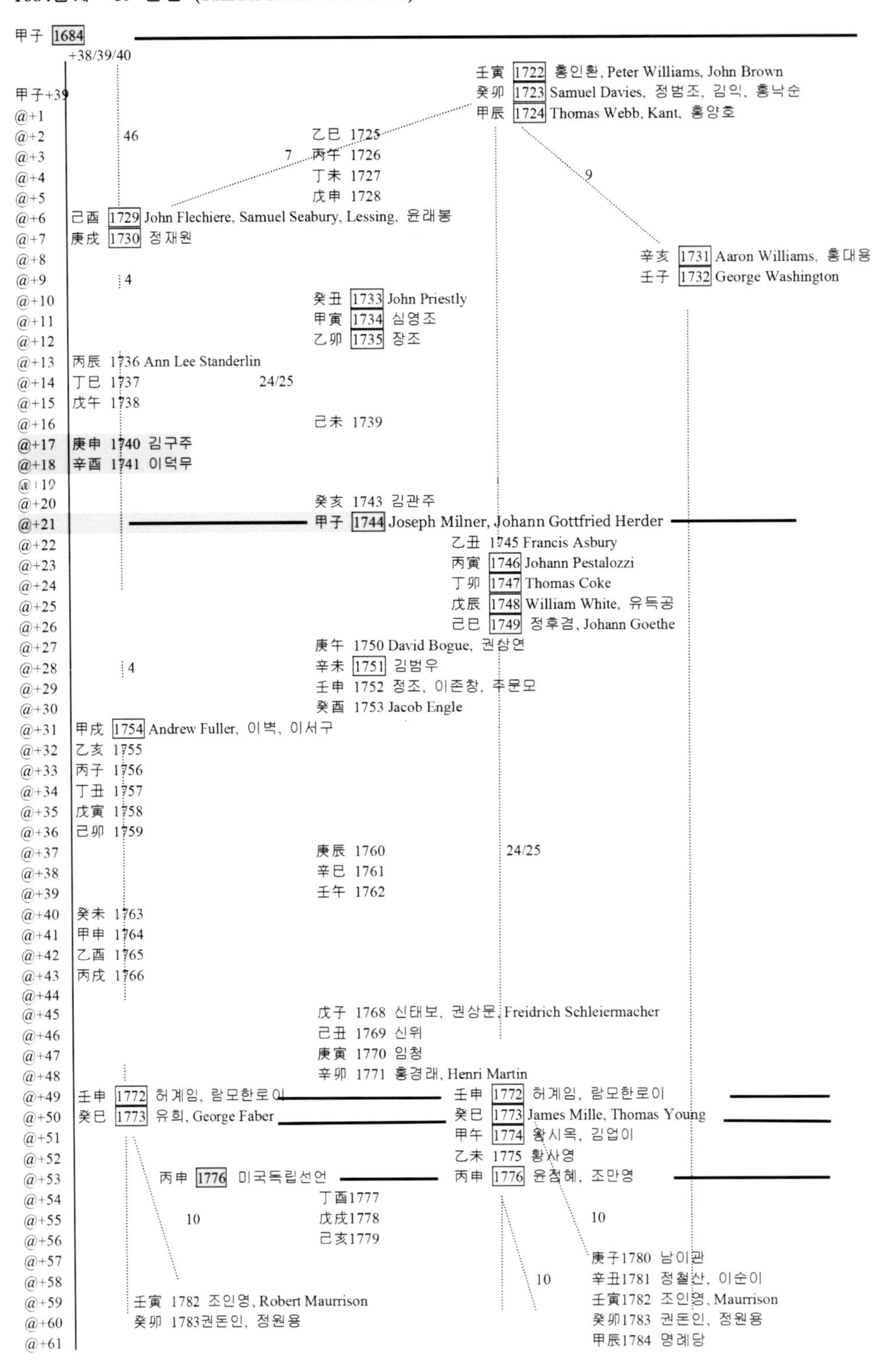

1744갑자 +7 원판

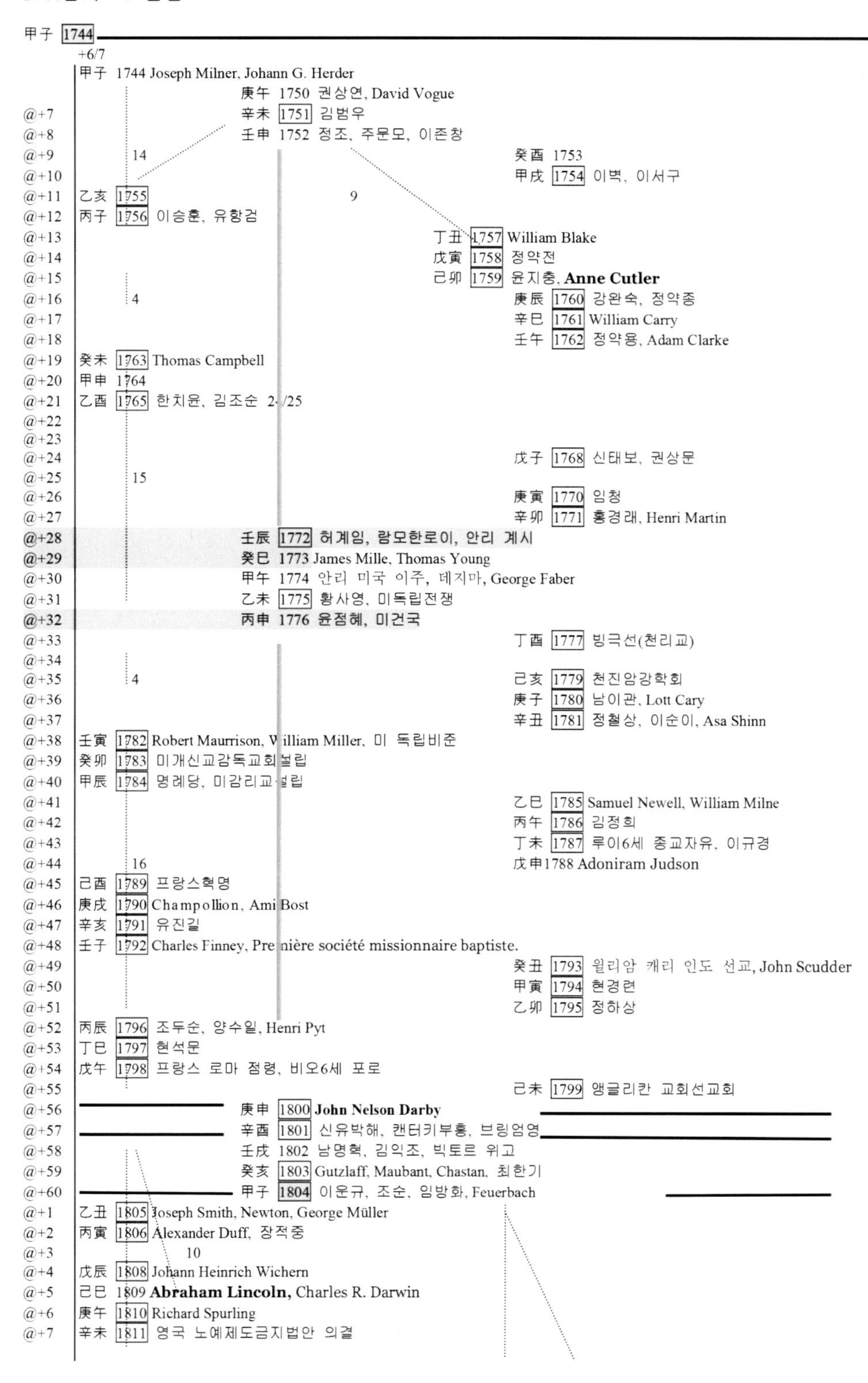

甲子 1744
+6/7
甲子 1744 Joseph Milner, Johann G. Herder
庚午 1750 권상연, David Vogue
@+7 辛未 1751 김범우
@+8 壬申 1752 정조, 주문모, 이존창
@+9 14 癸酉 1753
@+10 甲戌 1754 이벽, 이서구
@+11 乙亥 1755 9
@+12 丙子 1756 이승훈, 유항검
@+13 丁丑 1757 William Blake
@+14 戊寅 1758 정약전
@+15 己卯 1759 윤지충, Anne Cutler
@+16 4 庚辰 1760 강완숙, 정약종
@+17 辛巳 1761 William Carry
@+18 壬午 1762 정약용, Adam Clarke
@+19 癸未 1763 Thomas Campbell
@+20 甲申 1764
@+21 乙酉 1765 한치윤, 김조순 24/25
@+22
@+23
@+24 戊子 1768 신태보, 권상문
@+25 15
@+26 庚寅 1770 임청
@+27 辛卯 1771 홍경래, Henri Martin
@+28 壬辰 1772 허계임, 람모한로이, 안리 계시
@+29 癸巳 1773 James Mille, Thomas Young
@+30 甲午 1774 안리 미국 이주, 데지마, George Faber
@+31 乙未 1775 황사영, 미독립전쟁
@+32 丙申 1776 윤점혜, 미건국
@+33 丁酉 1777 빙극선(천리교)
@+34
@+35 4 己亥 1779 천진암강학회
@+36 庚子 1780 남이관, Lott Cary
@+37 辛丑 1781 정철상, 이순이, Asa Shinn
@+38 壬寅 1782 Robert Maurrison, William Miller, 미 독립비준
@+39 癸卯 1783 미개신교감독교회설립
@+40 甲辰 1784 명례당, 미감리교설립
@+41 乙巳 1785 Samuel Newell, William Milne
@+42 丙午 1786 김정희
@+43 丁未 1787 루이6세 종교자유, 이규경
@+44 16 戊申1788 Adoniram Judson
@+45 己酉 1789 프랑스혁명
@+46 庚戌 1790 Champollion, Ami Bost
@+47 辛亥 1791 유진길
@+48 壬子 1792 Charles Finney, Première société missionnaire baptiste.
@+49 癸丑 1793 윌리암 케리 인도 선교, John Scudder
@+50 甲寅 1794 현경련
@+51 乙卯 1795 정하상
@+52 丙辰 1796 조두순, 양수일, Henri Pyt
@+53 丁巳 1797 현석문
@+54 戊午 1798 프랑스 로마 점령, 비오6세 포로
@+55 己未 1799 앵글리칸 교회선교회
@+56 庚申 1800 John Nelson Darby
@+57 辛酉 1801 신유박해, 캔터키부흥, 브링엄영
@+58 壬戌 1802 남명혁, 김익조, 빅토르 위고
@+59 癸亥 1803 Gutzlaff, Maubant, Chastan, 최한기
@+60 甲子 1804 이운규, 조순, 임방화, Feuerbach
@+1 乙丑 1805 Joseph Smith, Newton, George Müller
@+2 丙寅 1806 Alexander Duff, 장적중
@+3 10
@+4 戊辰 1808 Johann Heinrich Wichern
@+5 己巳 1809 Abraham Lincoln, Charles R. Darwin
@+6 庚午 1810 Richard Spurling
@+7 辛未 1811 영국 노예제도금지법안 의결

1744갑자 +39 원판 (명례당 1784)

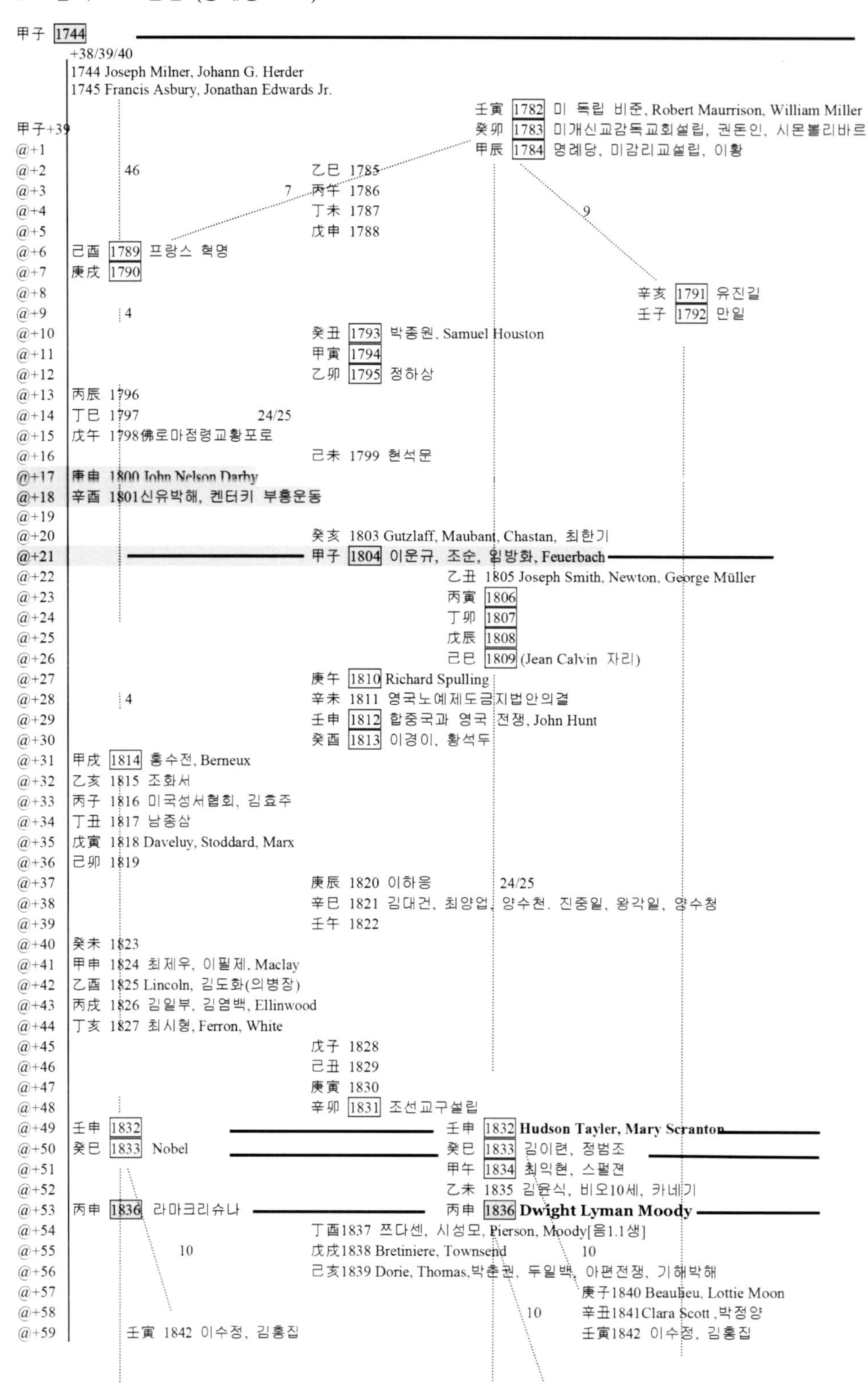

1804갑자 +7 원판 (Richard Spurling 1810-1891)

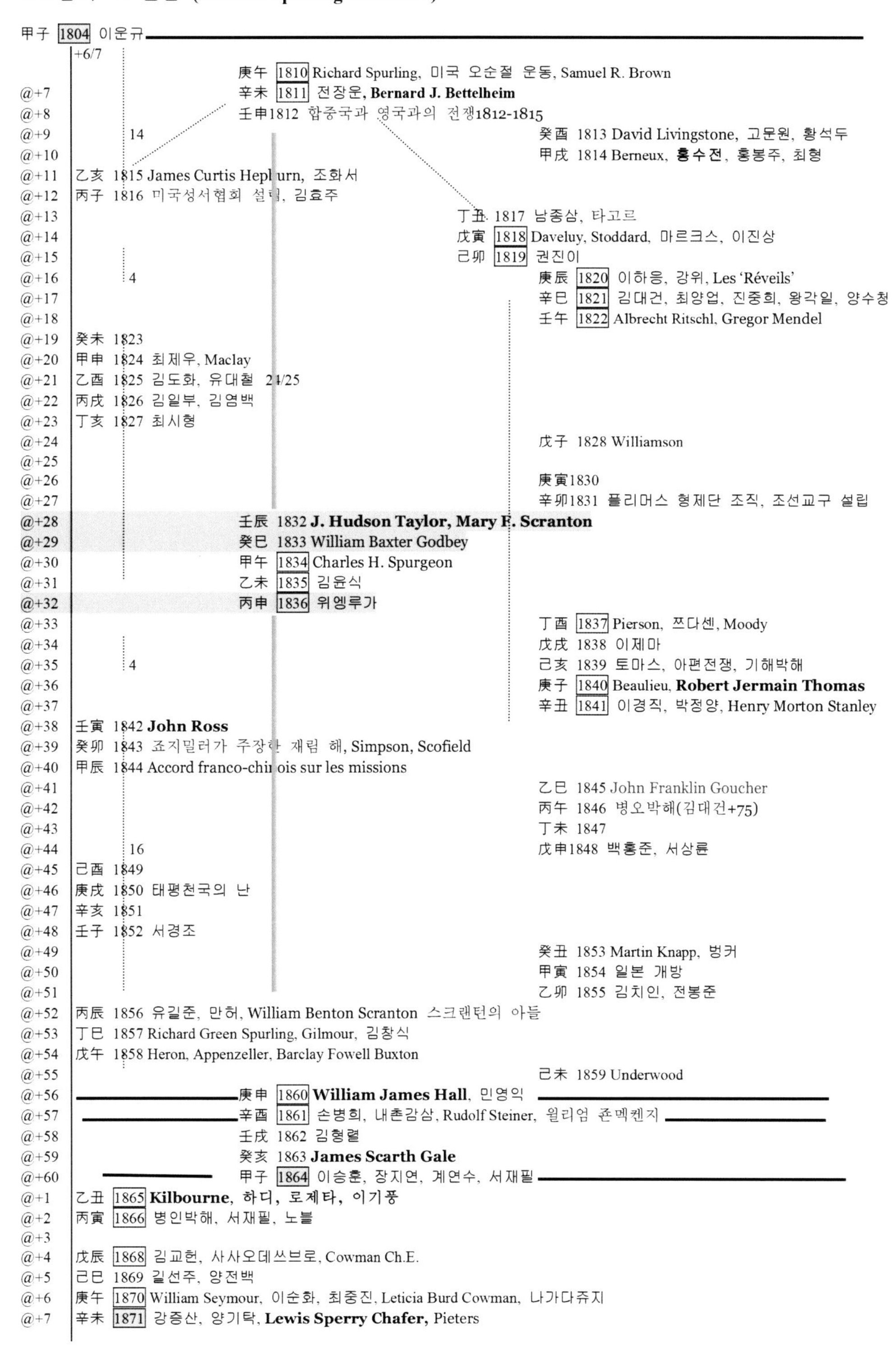

1804갑자 +39 원판 (Japan)

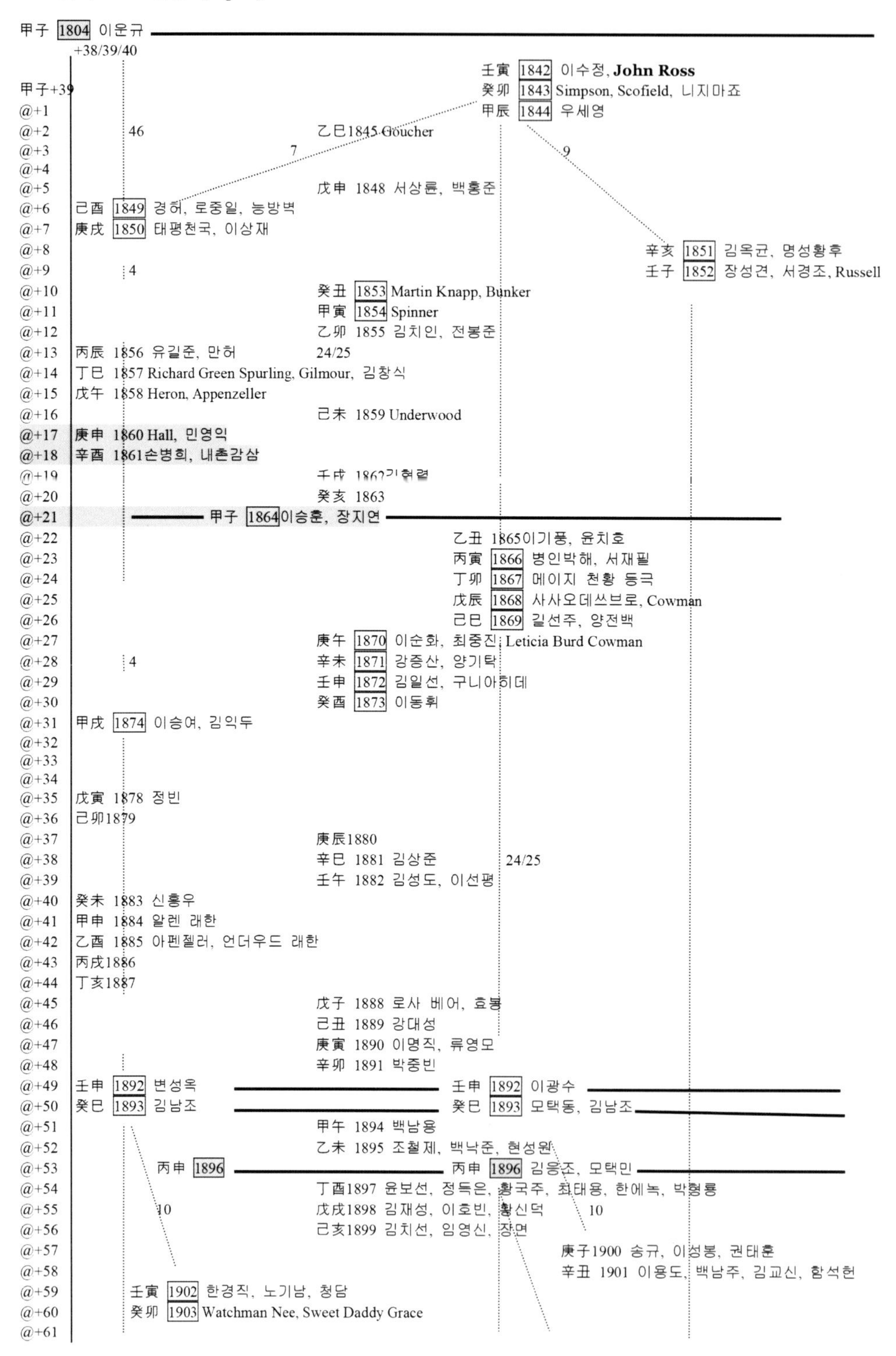

1864갑자 +7 원판

甲子 1864

@+6 庚午 1870 William Seymour, Leticia Burd Cowman, 이순화, 최중진, 나까다쥬지
@+7 辛未 1871 강증산, Paget Wilkes, John Oscar Smith
@+8 壬申1872 샤프, 구니아히데
@+9 14 癸酉 1873 이동휘, 신마리아, Ida Kahn
@+10 甲戌 1874 김익두, 이승여
@+11 乙亥 1875 이승만, 전덕기, 하란사 9
@+12 丙子 1876 김구, Hattie M. Sexton Barth
@+13 丁丑 1877 박에스더, U.F. Di Malgra, Adgar Cayce (1877- 1945)
@+14 戊寅 1878 정빈, 이반로버츠, 안창호, Armee du Salut
@+15 己卯 1879 Christine A. Gibson, Elizabeth Davis George
@+16 4 庚辰 1880 고판례, 차경석, 차미리사, 방신영
@+17 辛巳 1881 김장호, 김상준, 윤세복
@+18 壬午 1882 김성도, 이선평
@+19 癸未 1883
@+20 甲申 1884 알랜 도착
@+21 乙酉 1885 언더우드, 스크랜턴 도착
@+22 丙戌 1886 한불조약
@+23
@+24 戊子 1888 로사베어, 효봉
@+25 15
@+26 庚寅1890 이명직, 류영모
@+27 辛卯 1891 박중빈
@+28 壬辰 1892 변성옥
@+29 癸巳 1893 김남조, 모택동, 양한나, 셔우드 홀, 마쓰애밴드, 맥캔지 래한, Dorothy L. Sayers
@+30 甲午 1894 백남용, 전용해, 중일전쟁, Johanna Veenstra
@+31 乙未 1895 조철제, 백락준, Avis M. Burgeson Christiansen
@+32 丙申 1896 김응조, Moody Bible Institute
@+33 丁酉 1897 윤보선, 정득은 최태용 황국주 이호빈 한에녹
@+34 戊戌 1898 기독교허용, 예수교회(이호빈)
@+35 4
@+36 庚子 1900 이성봉, Myrtle Nordin Huarte, Helen Steiner Rice
@+37 辛丑 1901 이용도, 백남주, 동양선교회복음전도관(카우만), 동경성서학원
@+38 壬寅 1902 한경직, 노기남, 쿨만, 청담
@+39 癸卯 1903 원산부흥, **워치만리**, 일본전도단 결성
@+40 甲辰 1904 안식교, 유관순
@+41 乙巳 1905 을사조약, 동양선교회Oriental Missionary Society (나까다)
@+42 丙午 1906 LA아주사 거리 부흥
@+43 丁未 1907 이유립, 평양대부흥, 무교동복음전도관 개설, 예장 첫 7인 목사 배출
@+44 16 戊申1908 첫 여성 목회자(전밀라, 엘리자베스 슈미트), 구세군
@+45 己酉 1909 강신명, 안중근
@+46 庚戌 1910 한일합방, 에딘버러 1차 세계 선교사대회
@+47 辛亥 1911 무교동전도관이 교회로 변모시작, 경성성서학원
@+48 壬子 1912 김용기, 김일성
@+49 癸丑 1913 탄허, Charles Goodwin
@+50 甲寅 1914 나운몽, 미국 오순절성령파, 1차세계대전, 김정준
@+51
@+52 丙辰 1916 윤성범
@+53 丁巳 1917 박정희, Japan Holiness Church, 박태선, 김백문, 러시아 혁명
@+54 戊午 1918 빌리그래함, 안상홍, 박한경, 대천덕, F. Grace Wallace
@+55 己未 1919 최규하, 김홍호, Winnie Bonner
@+56 庚申 1920 장병길, 김용옥, 문선명, Ruth Bell Graham
@+57 辛酉 1921 정진경, 남도부
@+58 壬戌 1922 김수환, 안운산, 안병무
@+59 癸亥 1923 Anne Baxter, 권신찬(구원파+33=1956)
@+60 甲子 1924 김대중, 양도천, 김재규, 지미카터
@+1 乙丑 1925 김준곤, 몰트만
@+2 丙寅 1926 김종필, 엘리자베스 2
@+3 丁卯 1927 변선환, 강기모
@+4 戊辰 1928 손홍조

1864갑자 +39 원판 (원산부흥 1903)

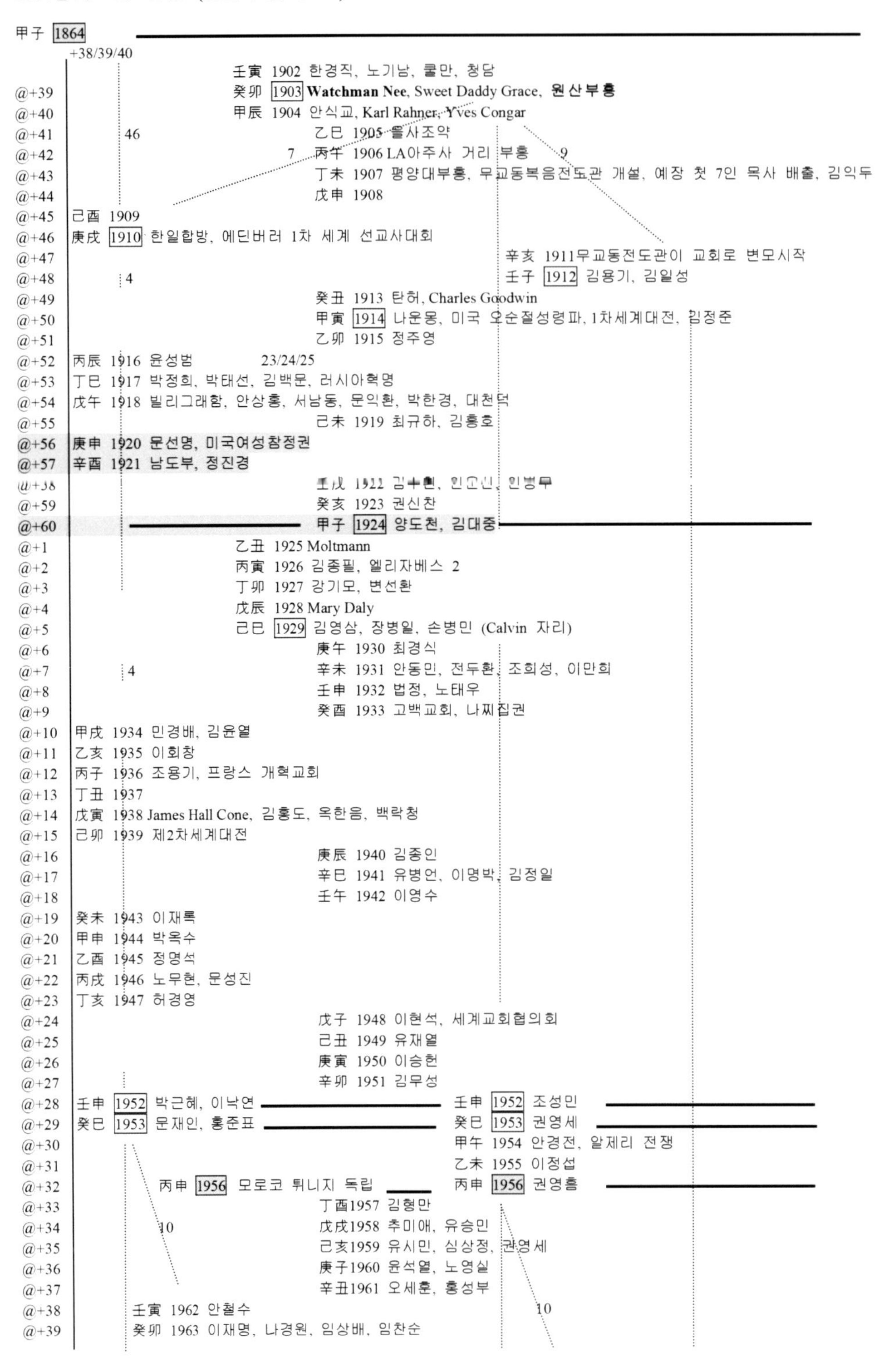

1924갑자 +7 원판

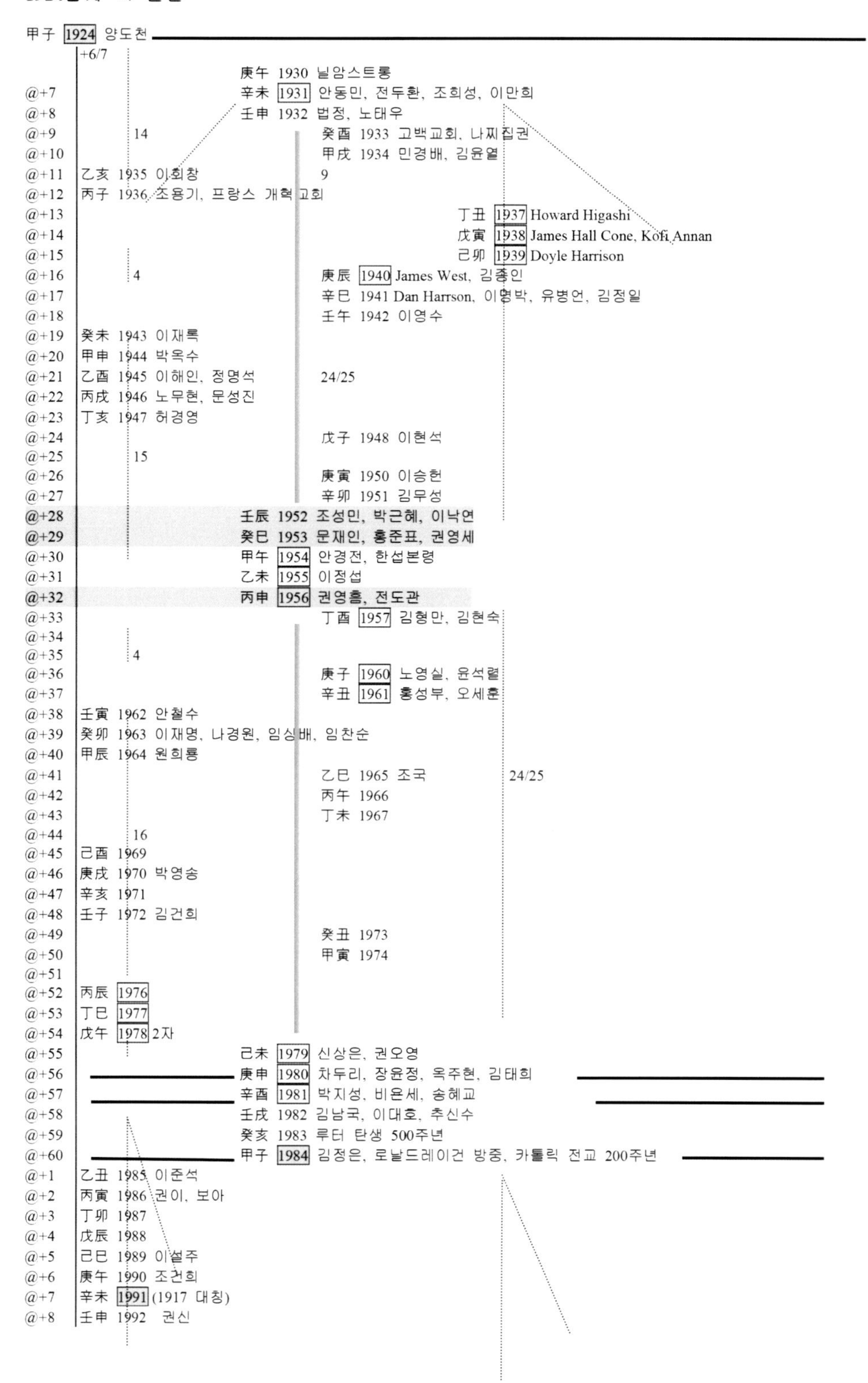

甲子 1924 양도천
+6/7
庚午 1930 닐암스트롱
@+7 辛未 1931 안동민, 전두환, 조희성, 이만희
@+8 壬申 1932 법정, 노태우
@+9 14 癸酉 1933 고백교회, 나찌집권
@+10 甲戌 1934 민경배, 김윤열
@+11 乙亥 1935 이회창 9
@+12 丙子 1936 조용기, 프랑스 개혁교회
@+13 丁丑 1937 Howard Higashi
@+14 戊寅 1938 James Hall Cone, Kofi Annan
@+15 己卯 1939 Doyle Harrison
@+16 4 庚辰 1940 James West, 김종인
@+17 辛巳 1941 Dan Harrson, 이명박, 유병언, 김정일
@+18 壬午 1942 이영수
@+19 癸未 1943 이재록
@+20 甲申 1944 박옥수
@+21 乙酉 1945 이해인, 정명석 24/25
@+22 丙戌 1946 노무현, 문성진
@+23 丁亥 1947 허경영
@+24 戊子 1948 이현석
@+25 15
@+26 庚寅 1950 이승헌
@+27 辛卯 1951 김무성
@+28 壬辰 1952 조성민, 박근혜, 이낙연
@+29 癸巳 1953 문재인, 홍준표, 권영세
@+30 甲午 1954 안경전, 한섭본령
@+31 乙未 1955 이정섭
@+32 丙申 1956 권영흠, 전도관
@+33 丁酉 1957 김형만, 김현숙
@+34
@+35 4
@+36 庚子 1960 노영실, 윤석렬
@+37 辛丑 1961 홍성부, 오세훈
@+38 壬寅 1962 안철수
@+39 癸卯 1963 이재명, 나경원, 임성배, 임찬순
@+40 甲辰 1964 원희룡
@+41 乙巳 1965 조국 24/25
@+42 丙午 1966
@+43 丁未 1967
@+44 16
@+45 己酉 1969
@+46 庚戌 1970 박영송
@+47 辛亥 1971
@+48 壬子 1972 김건희
@+49 癸丑 1973
@+50 甲寅 1974
@+51
@+52 丙辰 1976
@+53 丁巳 1977
@+54 戊午 1978 2자
@+55 己未 1979 신상은, 권오영
@+56 庚申 1980 차두리, 장윤정, 옥주현, 김태희
@+57 辛酉 1981 박지성, 비욘세, 송혜교
@+58 壬戌 1982 김남국, 이대호, 추신수
@+59 癸亥 1983 루터 탄생 500주년
@+60 甲子 1984 김정은, 로날드레이건 방중, 카톨릭 전교 200주년
@+1 乙丑 1985 이준석
@+2 丙寅 1986 권이, 보아
@+3 丁卯 1987
@+4 戊辰 1988
@+5 己巳 1989 이설주
@+6 庚午 1990 조건희
@+7 辛未 1991 (1917 대칭)
@+8 壬申 1992 권신

1924갑자 +39 원판

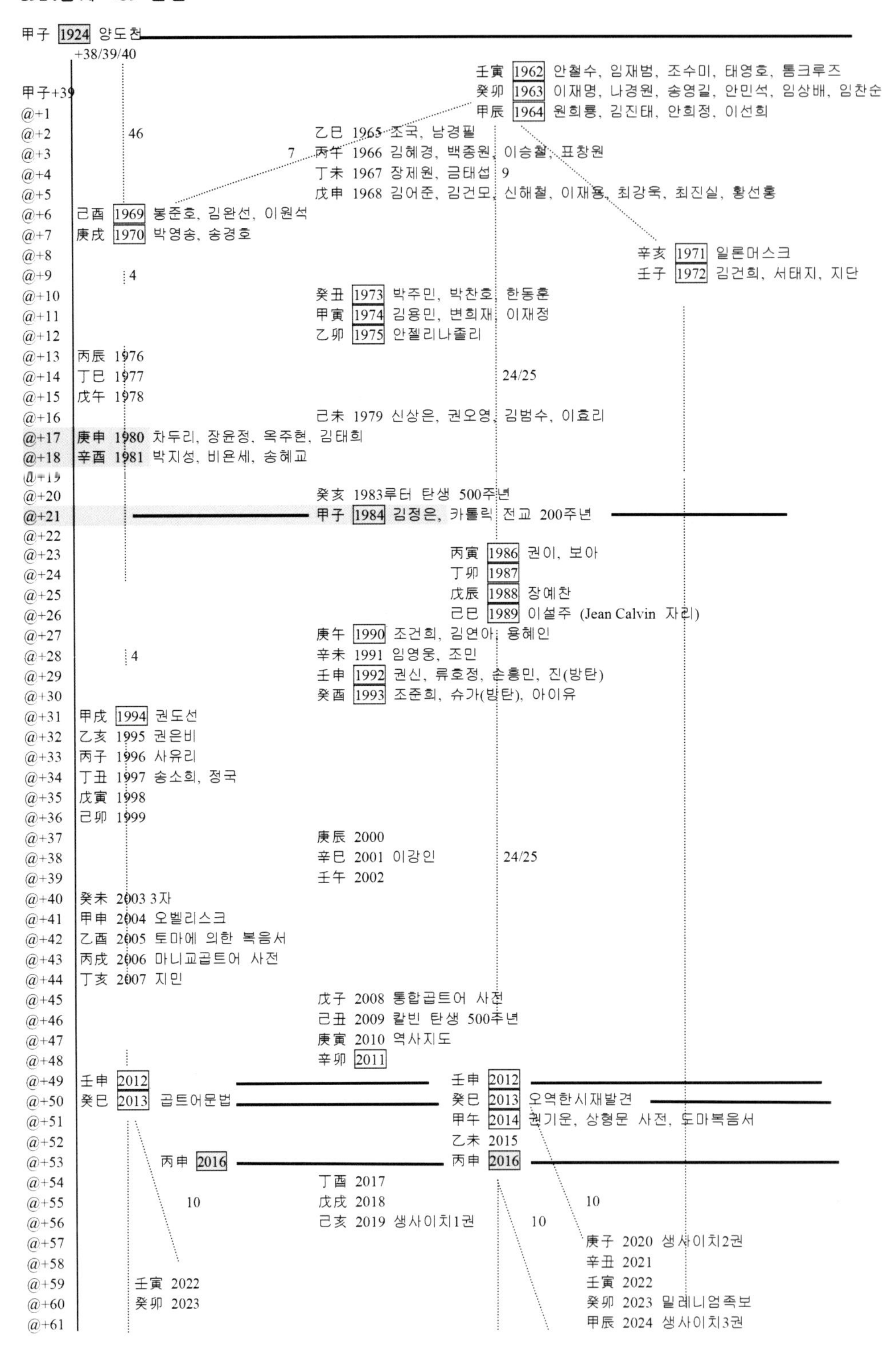

甲子 1924 양도천
+38/39/40
壬寅 1962 안철수, 임재범, 조수미, 태영호, 톰크루즈
甲子+39
癸卯 1963 이재명, 나경원, 송영길, 안민석, 임상배, 임찬순
@+1
甲辰 1964 원희룡, 김진태, 안희정, 이선희
@+2 46
乙巳 1965 조국, 남경필
@+3 7
丙午 1966 김혜경, 백종원, 이승철, 표창원
@+4
丁未 1967 장제원, 금태섭 9
@+5
戊申 1968 김어준, 김건모, 신해철, 이재용, 최강욱, 최진실, 황선홍
@+6 己酉 1969 봉준호, 김완선, 이원석
@+7 庚戌 1970 박영송, 송경호
@+8
辛亥 1971 일론머스크
@+9 4
壬子 1972 김건희, 서태지, 지단
@+10
癸丑 1973 박주민, 박찬호, 한동훈
@+11
甲寅 1974 김용민, 변희재, 이재정
@+12
乙卯 1975 안젤리나졸리
@+13 丙辰 1976
@+14 丁巳 1977
24/25
@+15 戊午 1978
@+16
己未 1979 신상은, 권오영, 김범수, 이효리
@+17 庚申 1980 차두리, 장윤정, 옥주현, 김태희
@+18 辛酉 1981 박지성, 비욘세, 송혜교
@+19
@+20
癸亥 1983루터 탄생 500주년
@+21
甲子 1984 김정은, 카톨릭 전교 200주년
@+22
@+23
丙寅 1986 권이, 보아
@+24
丁卯 1987
@+25
戊辰 1988 장예찬
@+26
己巳 1989 이설주 (Jean Calvin 자리)
@+27
庚午 1990 조건희, 김연아, 용혜인
@+28 4
辛未 1991 임영웅, 조민
@+29
壬申 1992 권신, 류호정, 손흥민, 진(방탄)
@+30
癸酉 1993 조준희, 슈가(방탄), 아이유
@+31 甲戌 1994 권도선
@+32 乙亥 1995 권은비
@+33 丙子 1996 사유리
@+34 丁丑 1997 송소희, 정국
@+35 戊寅 1998
@+36 己卯 1999
@+37
庚辰 2000
@+38
辛巳 2001 이강인
24/25
@+39
壬午 2002
@+40 癸未 2003 3자
@+41 甲申 2004 오벨리스크
@+42 乙酉 2005 토마에 의한 복음서
@+43 丙戌 2006 마니교곱트어 사전
@+44 丁亥 2007 지민
@+45
戊子 2008 통합곱트어 사전
@+46
己丑 2009 칼빈 탄생 500주년
@+47
庚寅 2010 역사지도
@+48
辛卯 2011
@+49 壬申 2012
壬申 2012
@+50 癸巳 2013 곱트어문법
癸巳 2013 오역한시재발견
@+51
甲午 2014 권기운, 상형문 사전, 도마복음서
@+52
乙未 2015
@+53 丙申 2016
丙申 2016
@+54
丁酉 2017
@+55 10
戊戌 2018
10
@+56
己亥 2019 생사이치1권
10
@+57
庚子 2020 생사이치2권
@+58
辛丑 2021
@+59 壬寅 2022
壬寅 2022
@+60 癸卯 2023
癸卯 2023 밀레니엄족보
@+61
甲辰 2024 생사이치3권

1984갑자 +7 원판

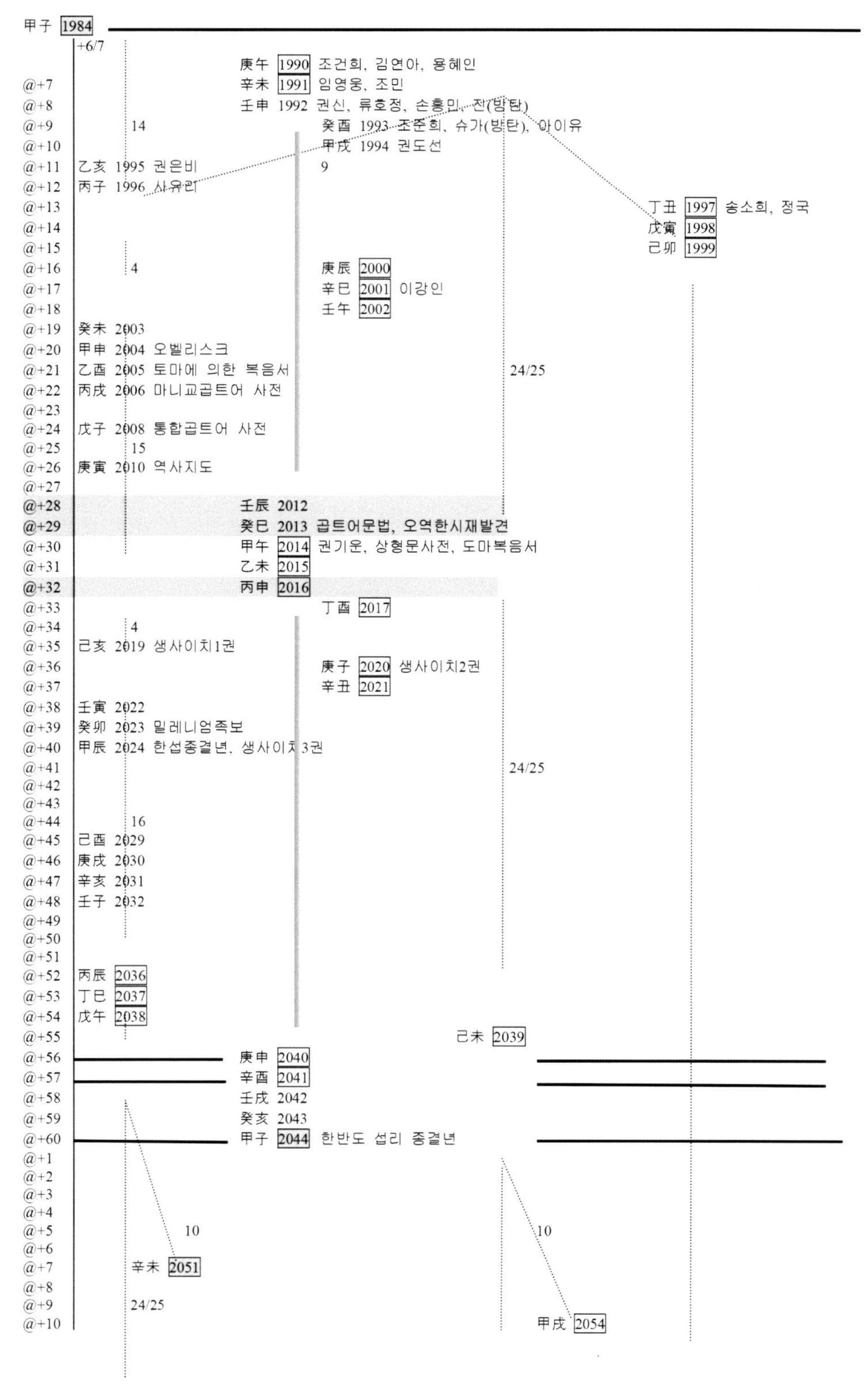

甲子 1984
+6/7
庚午 1990 조건희, 김연아, 용혜인
@+7 辛未 1991 임영웅, 조민
@+8 壬申 1992 권신, 류호정, 손흥민, 진(방탄)
@+9 14 癸酉 1993 조준희, 슈가(방탄), 아이유
@+10 甲戌 1994 권도선
@+11 乙亥 1995 권은비 9
@+12 丙子 1996 사유리
@+13 丁丑 1997 송소희, 정국
@+14 戊寅 1998
@+15 己卯 1999
@+16 4 庚辰 2000
@+17 辛巳 2001 이강인
@+18 壬午 2002
@+19 癸未 2003
@+20 甲申 2004 오벨리스크
@+21 乙酉 2005 토마에 의한 복음서 24/25
@+22 丙戌 2006 마니교곱트어 사전
@+23
@+24 戊子 2008 통합곱트어 사전
@+25 15
@+26 庚寅 2010 역사지도
@+27
@+28 壬辰 2012
@+29 癸巳 2013 곱트어문법, 오역한시재발견
@+30 甲午 2014 권기운, 상형문사전, 도마복음서
@+31 乙未 2015
@+32 丙申 2016
@+33 丁酉 2017
@+34 4
@+35 己亥 2019 생사이치1권
@+36 庚子 2020 생사이치2권
@+37 辛丑 2021
@+38 壬寅 2022
@+39 癸卯 2023 밀레니엄족보
@+40 甲辰 2024 한섭종결년, 생사이치3권
@+41 24/25
@+42
@+43
@+44 16
@+45 己酉 2029
@+46 庚戌 2030
@+47 辛亥 2031
@+48 壬子 2032
@+49
@+50
@+51
@+52 丙辰 2036
@+53 丁巳 2037
@+54 戊午 2038
@+55 己未 2039
@+56 庚申 2040
@+57 辛酉 2041
@+58 壬戌 2042
@+59 癸亥 2043
@+60 甲子 2044 한반도 섭리 종결년
@+1
@+2
@+3
@+4
@+5 10 10
@+6
@+7 辛未 2051
@+8
@+9 24/25
@+10 甲戌 2054

1984갑자 +39 원판

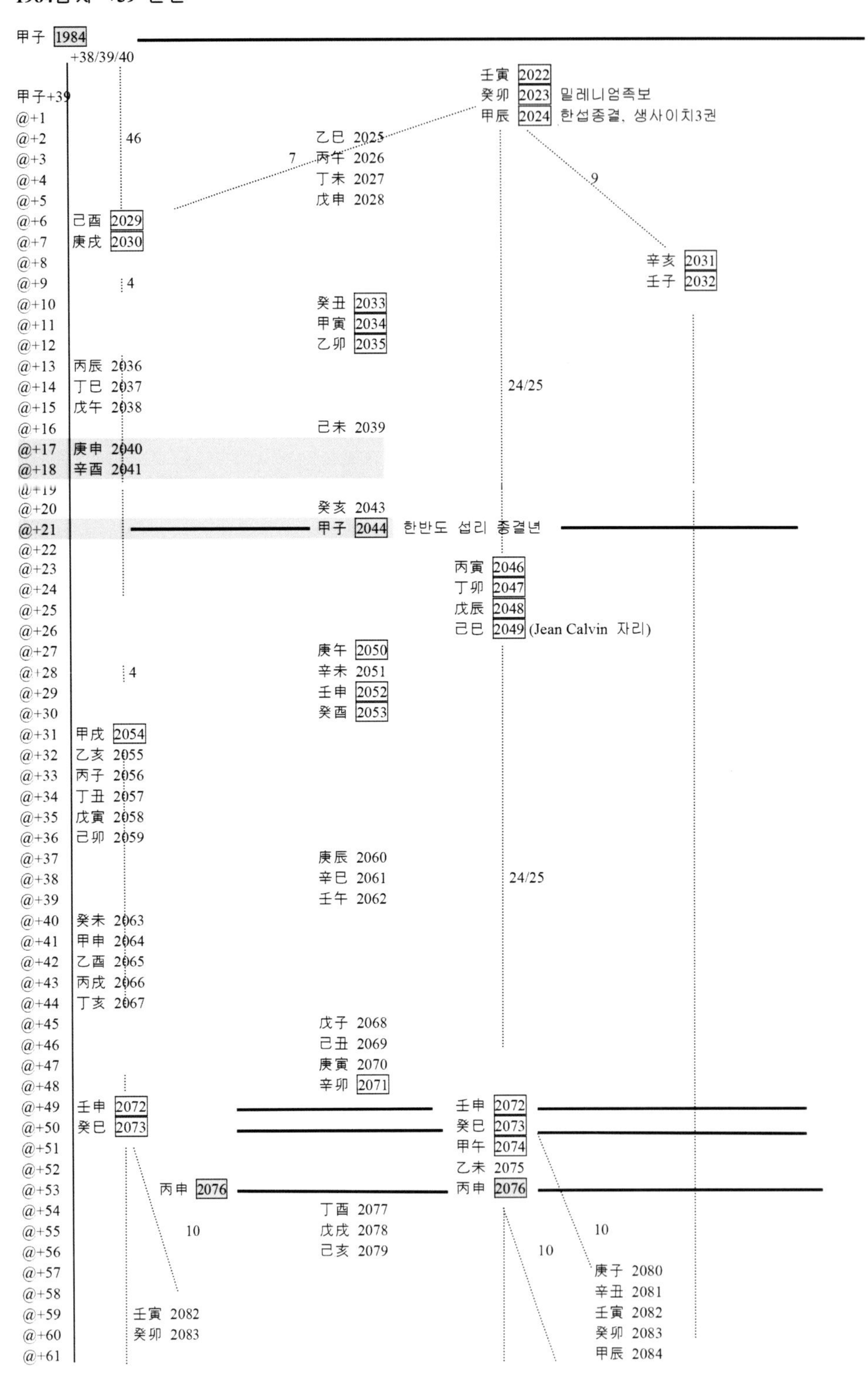

甲子 1984
+38/39/40
甲子+39
壬寅 2022
癸卯 2023 밀레니엄족보
甲辰 2024 한섭종결, 생사이치3권
乙巳 2025
丙午 2026
丁未 2027
戊申 2028
己酉 2029
庚戌 2030
辛亥 2031
壬子 2032
癸丑 2033
甲寅 2034
乙卯 2035
丙辰 2036
丁巳 2037
戊午 2038
己未 2039
庚申 2040
辛酉 2041
癸亥 2043
甲子 2044 한반도 섭리 종결년
丙寅 2046
丁卯 2047
戊辰 2048
己巳 2049 (Jean Calvin 자리)
庚午 2050
辛未 2051
壬申 2052
癸酉 2053
甲戌 2054
乙亥 2055
丙子 2056
丁丑 2057
戊寅 2058
己卯 2059
庚辰 2060
辛巳 2061
壬午 2062
癸未 2063
甲申 2064
乙酉 2065
丙戌 2066
丁亥 2067
戊子 2068
己丑 2069
庚寅 2070
辛卯 2071
壬申 2072
癸巳 2073
甲午 2074
乙未 2075
丙申 2076
丁酉 2077
戊戌 2078
己亥 2079
庚子 2080
辛丑 2081
壬寅 2082
癸卯 2083
甲辰 2084
46
7
9
4
24/25
4
24/25
10
10
10
@+1
@+2
@+3
@+4
@+5
@+6
@+7
@+8
@+9
@+10
@+11
@+12
@+13
@+14
@+15
@+16
@+17
@+18
@+19
@+20
@+21
@+22
@+23
@+24
@+25
@+26
@+27
@+28
@+29
@+30
@+31
@+32
@+33
@+34
@+35
@+36
@+37
@+38
@+39
@+40
@+41
@+42
@+43
@+44
@+45
@+46
@+47
@+48
@+49
@+50
@+51
@+52
@+53
@+54
@+55
@+56
@+57
@+58
@+59
@+60
@+61

부록

'세대주의' 다시보기

(1) 기독교 전통의 세대주의 역사구분

스코필드나 닐슨 다비와 같은 세대주의자들은, 하나님께서는 다음과 같이 일곱 시대로 역사를 구분하여 단계적으로 인류구원 역사를 펼치셨다고 보았다.

기독교 전통 세대주의 역사 구분 방법

1) 무흠시대 (the dispensation of Innocence 아담 타락 전 창 1:1-3:7)
2) 양심시대 (of Conscience 아담에서 노아까지 창 3:8-8:22)
3) 인간치리시대 (of Government 노아에서 아브라함까지 창 9:1-11:32)
4) 약속시대 (of Promise 아브라함에서 모세까지 창 12:1-출 19:25)
5) 율법시대 (of the Mosaic Law 모세에서 그리스도까지 출 20:1-행 2:4)
6) 은혜시대 (of Grace 그리스도에서 재림까지 행 2:4-계 20:3)
7) 천년왕국시대 (of a literal, earthly 1,000-year Millennial Kingdom 계 20:4-6)

다비로부터 형성된 기독교 전통 세대주의 역사관은 이제 약간의 수정이 필요한 이유는, 세대주의론자들마저 정확하게 이해하지 못한 채 우리에게까지 전해졌기 때문이다.

(2) 세대주의 역사구분 재해석

1) 무죄시대(무흠시대)- 인류 타락까지의 에덴 동산 시대
the dispensation of innocence (Gen 1:1-3:7), prior to Adam's fall,

아담의 타락 이전이라 하니 에덴동산과 원죄가 없던 무죄시대라 이해하지만,
본래의 의미는 아담의 타락과 그로 인한 죄의 존재를 아직 모르던 무의식의 시대라는 의미이다.
또한 '인류타락까지의 에덴동산 시대'를 '타락-에노스'로 수정해야 한다.

원칙적으로 세대를 통한 경륜 자체가 인간의 타락으로 인해 생긴 후발적 구원방편이기에
에덴동산 기간은 포함되지 않고, 아직 하나님 앞에서 인간이 범죄했다는 것조차 의식하지 못하던
무의식의 시대를 말한다. 엄밀하게 따지면, 죄도 없는 에덴동산 시절은 구원을 위한 세대 경영
속에 들어올 필요조차 없겠고, 죄를 지었으나 그 죄를 의식하지 못하는 무의식의 시대란
아담의 타락 직후부터 처음으로 하나님을 부르던 시대까지를 말하는 것으로 이해할 수 있다.

2) 양심시대 (타락-홍수)
of conscience (Gen 3:8-8:22), Adam to Noah,

양심시대로 해석하고 있으나 정확히는 죄를 의식하기 시작한 시대라는 뜻이다.
타락 직후에는 하나님도 잊어버리고 죄를 자각하지도 못한 시대가 있었던 반면,
아담의 세 번째 아들 셋의 아들인 에노스 시대에 비로소
여호와의 이름을 부르던 것을 상기할 필요가 있다(창4:26).
'타락-홍수'는 '에노스-홍수'로 수정되어야 한다.

3) 인류통치시대 (홍수-아브라함을 부르심)
of government (Gen 9:1-11:32), Noah to Abraham,

인류 통치시대가 아니라,
하나님의 아들들이 이민족의 지배 하에 놓여있던 시대를 말한다.

4) 약속시대(아브라함-시내산 율법을 주실 때)
of promise (Gen 12:1 – Exod 19:25), Abraham to Moses

약속시대가 아니라,
3대 족장에 의해 인도되던 족장시대를 말한다.

5) 율법시대(시내산 율법-그리스도의 공생애 성역)
of the Mosaic Law (Exod 20:1 – Acts 2:4), Moses to Christ,

율법시대가 틀리지는 않으나 모세를 통해 내려진
돌판에 새긴 법의 시대란 의미를 담고 있다.

6) 은혜시대(그리스도의 공생애 성역 완성-재림)
of grace (Acts 2:4 – Rev 20:3 – except for Hyperdispensationalists)

더 이상 돌판에 새긴 모세의 법이 아니라
예레미야 선지자가 예언한 마음판에 새긴 법의 시대이고,
그리스도의 죄사함의 십자가의 연고로,
개인의 양심과 믿음을 통해 구원에의 길이 열리는 은총의 시대이다.

7) 왕국시대(천년왕국)
of a literal, earthly 1,000-year Millennial Kingdom that has yet to come but soon will (Rev 20:4 – 20:6).

실제적으로 지상에 임하는 천년왕국의 시대란 말인데,
문자적이라 함은 손으로 만질 수 있다는 말이고,
지상이라 함은 우리의 눈으로 볼 수 있는 실체적인 천국이기에
저 하늘의 영적인 왕국이 아니길 바라는 염원을 담은 말이다.

세대주의 다시보기

기독교 전통의 세대주의 역사구분

1) 무의식시대 (the dispensation of Innocence 아담 타락 전)
2) 양심시대 (of Conscience 아담에서 노아까지)
3) 인간치리시대 (of Government 노아에서 아브라함까지)
4) 약속시대 (of Promise아브라함에서 모세까지)
5) 율법시대 (of the Mosaic Law 모세에서 그리스도까지)
6) 은혜시대 (of Grace 그리스도에서 재림까지)
7) 천년왕국시대 (of a literal, earthly 1,000-year Millennial Kingdom)

수정 세대주의 역사구분

무의식 시대	아담의 타락에서 에노스까지 : 하나님 앞에 인간이 범죄했다는 것을 의식하지 못했던 무의식의 시대
죄를 의식하기 시작한 시대	에노스에서 홍수심판까지: 아담의 셋째 아들 셋의 아들인 에노스 시대에 비로소 여호와의 이름을 불렀음
하나님의 아들들이 이민족의 지배하에 있던 시대	홍수심판에서 아브라함의 부르심까지
3대 족장들에게 인도되던 족장시대	아브라함에서 시내산 율법을 주실 때까지
모세를 통해 내려진 돌판에 새긴 법의 시대	시내산 율법에서 그리스도 공생애 성역까지
은총의 시대	그리스도 공생애 성역완성에서 재림때까지: 마음판에 새긴 법의 시대로서 십자가로 개인의 양심과 믿음에 의한 구원에의 길이 열리는 은총의 시대
천년왕국 시대	문자적으로 지상에 임하는 천년왕국시대로서 실체적인 천국을 말함

*수정 세대주의 역사구분 - 권영흠

[표14: 세대주의 다시보기]

카타르와 알비 십자군

18/07/2019

'카타르'라는 말의 의미

'카타르'(Cathare)라는 말은, '알비 십자군'(croisade des albigeois) 사건이 일어나던 당시에는 전혀 쓰이지 않았다고 한다.
이 용어는 훗날 19세기 중반에 이르러 샤를 슈미트(Charles Schmidt)와 같은 역사학자들에 의해 '알비 카타르들' (cathares albigeois)이라는 식으로 처음 등장했다고 한다.
'카타르'의 의미에 대해서도 독일어로 고양이를 의미하는 '카트'(Katte)에서 찾는 등 학자들 간에 여러가지 의견이 있으나, 너무 어렵게 생각할 필요없이 그리스어로 '순결'과 '순수'를 의미하는 단어인 '카타로스'(καθαρός)에서 기인한 것으로 보는 것이 무난하다고 본다.

'카타르'와 마찬가지로, 본인들은 결코 쓰지 않았으나 카타르 역사를 기술하면서 등장한 중요한 용어로 '완전자'(Parfait)라는 단어가 있다. 사제나 설교자와 같은 카타르 집단의 최고 지도자들을 지칭하며, 카타르를 이단으로 정죄하며 심문하는 과정에서 탄생한 용어인데, 남여 평등을 추구하던 카타르 종교 집단에는 남여 '완전자'들이 많았다고 한다.

카타르 탄압에 관한 직접적 역사 자료

카타르를 제거하기 위한 알비 십자군이 활동하던 당시의 상황을 전해주는 직접적 사료로는 세가지가 있다. 하지만 이 자료들은 과학적인 역사 사료가 아닌 다소 편향된 기록물이기에 주의해서 접근해야 한다.
1/ ***Historia Albigensis*** 십자군을 주도하던 Simon de Montfort의 측근인 Pierre des Vaux-de-Cernay가 남긴 자료. 십자군 내부 상황에 대한 상세한 기록을 남겼다.
2/ ***Chronique*** 뚤루즈 공작 레이몽 7세의 보좌 신부였던 Guillaume de Puylaurens가 남긴 기록물. 십자군과 카타르 양 진영의 상황을 서술했다.
3/ ***La Chanson de la Croisade des Albigeois*** 나바르 출신의 Guillaume de Tudèle이 남긴 자료.

카타르 이단의 발흥과 무력 탄압

카톨릭 교회와 교황청이 이단으로 규정한 카타르의 활동과 전파는 12세기 후반부에 들어 점차로 늘어났고, 독립 공국이던 뚤루즈(Toulouse)를 비롯해 인근 지역인 알비(Albi)와 까르까손느(Carcassonne) 그리고 피레네 산지에 있는 푸와(Foix) 지역에서 성황했고, 급기야는 전통적인 카톨릭 교회의 질서와 중세 봉건 사회의 기반을 흔드는 위기감이 고조되어 결국 무력을 통한 이단 척결의 움직임이 일어났고, 50여년 간의 한바탕 군사적 유혈 진압을 통해 잠잠해졌으며, 이 지역은 프랑스 왕국에 귀속되게 된다.

중세 봉건사회의 모순이 극대화되고, 그 모순에 의한 폐해를 극복하거나 해소하며 민중을 지켜야 되는 교회의 일탈과 무능에 민중은 절망했고, 나아가서는 왕권과 귀족 권력과 공존 공생하는 카톨릭 교회를 보며 신앙의 근본에 대해 되묻기 시작한 것이 카타르 운동의 본질이라 할 수 있다. 하지만, 카톨릭 교회와 교황권은 이단으로 정죄하며 그들을 멸절시킴으로 자신의 권위를 일층 고양시키고자 했었고, 왕권 역시 마찬가지 였으며 남부 이단을 척결하는 군사 행동을 통해 북부 제후들의 이권과 국경을 더욱 확장하는 기회로 삼게 된다.

군사적인 물리력을 앞세운 종교적 탄압의 결과 탄생한 이단으로서의 카타르 신화는 오늘날까지 많은 오해와 왜곡된 정보로 전해지고 있으나, 교회와 국가 권력이 더이상 공존 공생하지 못하는 시대를 살아가는 현대인들이 여전히 과거 카톨릭 교회가 탄생시킨 왜곡된 신화의 희생자가 될 필요는 없으리라. 카타르 운동 속에는, 잘못된 세태와 교회의 억압으로부터 사상과 신앙의 자유를 추구하는 개혁 정신이 있었고, 그러한 그들의 투쟁이 성서를 통해 접하는 예수 정신에 부합한다는 확신이 짙게 깔려있었기 때문이다. 어제의 카톨릭의 이단이 후일 동질성을 지닌 개신교의 이단은 될 수 있을 지언정, 그렇다고 오늘날 자유와 평등과 박애를 중시하는 우리 모든 현대인들의 이단이 될 수는 없을 것이다.

카톨릭 교회의 입장에서 보면, 카타르가 출현하기 이전까지의 모든 이단은 비교적 개인적인 신앙 차원의 문제였으나, 12세기가 되면서 개인적 차원의 신앙적 문제를 넘어 전통적 봉건 사회의 규범과 질서를 위협하리만치 큰 규모의 사회문제로 처음 등장한 것이 바로 카타르 이단 문제였다. 따라서, 카톨릭 교회는 더이상 좌시할 수 없어 1112년 뚤루주 공의회에서 처음 문제를 제기하며 왕권과 군주들의 무력 개입을 요청하기 시작했고, 1139년에 열린 제2차 라트란 공의회에서는 지상 권력은 영적 권력과 합력하여 이단을 징계할 의무가 있음을 환기시켰으며, 1179년 제3차 라트란 공의회를 거쳐 1215년 제 4차 라트란 공의회에 이르러 결국 카타르 이단 박멸을 실행에 옮기게 되었으며, 당시 교황이었던 이노센트 3세(Innocent III)는 역사에 영원히 남는 대 박해의 시대를 여는 인물로 기억되게 되었고, 일단 이단 척결이 결정되자마자 군사적 움직임은 빠르게 진행되었고, 문제되는 지역인 랑그독 지방 전역을 대상으로 그 유명한 '이단 종교재판소'(Inquisition)도 설치되어 활동을 시작하게 된다.

카타르의 종교적 의의

카타르에 대한 일차적 자료는 존재하지 않는다. 이단으로 정죄되어 제거되는 과정에서 다 불태워졌기 때문이다. 전해지는 극 소수의 자료는 카톨릭측 입장에서 바라보고 서술된 자료이기에 신뢰성에 한계가 있음이 당연하다. 그리고 그것이 얼마나 부정적으로 다루어지고 있는지 우리는 익히 알고 있다.

카타르가 지닌 긍정적 의의가 있다면 그것은 어떤 것일까?
카타르는 루터보다 몇 세기 앞서 당시 일반 민중의 언어인 랑그독 지역의 '옥시탄'(Occitan) 언어로 자신의 종교를 전파하고 설교했다는 점을 높이 평가할 수 있다. 당시의 카톨릭 교회는 라틴어를 쓰고 있었음을 감안하면, 루터의 종교개혁에 선행한 또다른 종교개혁이었으며, 교회의 개혁을 넘어 민중의 호응과 지지에 기반하였음을 알 수 있다. '푸와'(Foix) 지방에서의 박해와 불구덩이에 던져지는 운명을 간신히 피한 카타르의 주기도문이 우리 시대에 비로소 발견된 예도 있는데, 이는 카톨릭 종교처럼 일정한 형태의 조직과 위계 질서가 그들 내부에 존재했음을 시사한다.

카타르는 오늘날의 교회처럼 그들만의 집회소를 가졌었고, 일종의 위계 질서가 있어, 밑으로는 일반 신자 그룹에서부터, 본격적인 '신앙 입문자'와 '집사' 그리고 상층부에 '완전자'(Parfait) 그룹에 속하는 '사제'들이 존재했었다고 전해진다.

카타르의 주기도문

1950년, 프랑스의 남불 아리에쥬 지역 시골에서 몇 세기에 걸쳐 구전되어 내려온 카타르의 기도문이 발견되었기에 잠간 아래에 소개한다. 랑그독 방언으로 매일 저녁 이 기도문을 암송하던 한 농촌 여인은 1947년 서거했고, 1967년 책자로 처음 출간되었으며, 아래 소개되는 문장은 1996년에 출판된 Michel Gardère의 저서에서 옮겼다.

"Père saint, Juste Dieu des Bons Esprits, toi qui ne te trompas jamais, qui jamais ne mentis, qui jamais n'erras, qui jamais ne doutas afin que nous ne mourrions pas dans le monde du Dieu étranger (le Malin) puisque nous ne sommes pas de son monde et qu'il n'est pas des nôtres, appreds-nous à connaître ce que tu connais et à aimer ce que tu aimes.
Les Pharisiens tentateurs se tiennent à la porte du Royaume et empêchent d'y

entrer ceux qui voudraient le faire alors qu'eux-mêmes ne veulent pas y venir. Voilà pourquoi je priele Père saint des Bons Esprits. Il a le pouvoir de sauver les âmes et, grâce aux Bons Esprits, celui de faire germer et fleurir. Pourtant, au milieu des bons, il donnes également vie aux méchants, il agira ainsi tant qu'il y aura des bonnes âmes en ce monde, jusqu'à ce qu"il n'y ait plus un seul (de ses petits) des siens sur terre. Les siens, ce sont ceux, originaires des sept royaumes, qui sont tombés du Paradis, autrefois, quand Lucifer les attira en leur affirmant que Dieu les trompait car il ne leur autorisait que le BIEN. Le Diable, infiniment faux, leur promettait le BIEN et le MAL. Il leur assura qu'il leur donnerait des femmes à aimer, qu'il pourraient commander, que certains seraient rois, comtes ou empereurs, qu'avec un oiseau ils pourrait en capturer un autre, avec une bête en sasir une autre.
Tout ceux qui obéiraient au Diable descendraient en bas et pourraient, à leur guise, faire le MAL et le BIEN, comme Dieu au ciel ; il ajouta qu'il valait mieux être en bas où ils pourraient choisir entre MAL et BIEN tandis qu'au ciel Dieu ne les autorisait qu'à faire le BIEN.
Ainsi, certains montèrent sur un ciel de verre et s'élevèrent au firmament, d'autres tombèrentvet trouvèrent la mort.
Alors Dieu descendit de ciel avec douze apôtres et il enfanta - s'enfanta en - Sainte Marie. (Pour venir sauver ceux qui sont bons - BON Chrétiens)."

(Extrai des Rituels cathares par Michel Gardère, La Table ronde, 1996, p.89-91.)

카타르 사상의 기원

카타르 사상의 기원에 관해서는 당시로부터 오늘날까지 여러가지 의견이 제시되었으나, 한결같이 부정적인 관점에서 묻는 문책성 논의들이기에 진실성에 한계를 지닌다. 초대 교회의 영지주의로부터 보고밀과 마니교에 이르는 일련의 원인 제공자들을 향한 비난들은 대체로 선과 악을 극명하게 대비하는 '이원론'을 공통분모로 설정하고 있으나, 역사 상 출몰하는 거의 모든 이단들은 사실 기독교 자체 내부에 존재하는 모순에서 기인하기에, 카타르 사상의 기원 역시 다른 곳이 아닌 기독교 자신이 지닌 본질적인 문제에서 그 연원을 찾는 것이 옳을 것이다. 기독교는 출발 당시부터 이단 출현의 가능성을 열어 둔 태생적 한계를 지니고 있었다는 말이며, 바로 그 이유 때문에 기독교 역사에서 이단의 출몰은 끊이지 않았고, 아무리 탄압하더라도 사라지지 않는 이유는, 모든 이단 들의 뿌리가 기독교 자신의 내부에 있었기 때문이며, 기독교 자신이 바로 생성 당시에는 그 시대의 이단이었음을 잊어서는 안될 것이다.

카타르를 비롯한 여러 이단들의 사상이 지닌 모순과 오류를 지적하기 이전에, 기독교의 경전인 성서는 근본적으로 미래를 향해 열려있으며, 기독교는 초기부터 이 열려진 가능성을 무시한 채 교회의 일치를 위해 무리하게 봉합하고 힘과 권위로 교리의 일관성과 일치를 강요하며 출발하였고, 이로인해 이후의 역사 속에서는 간헐적으로 이를 문제삼는 논의는 끊이지 않았으며, 교회의 해석과 부합하지 않는 모든 논의는 이단으로 정죄되고 만다. 곧, 이단의 탄생과 기원은 다른 곳이 아닌 교회 스스로에게서 찾아야 한다. 기독교가 없으면 기독교 이단도 없어질 것이며, 교회의 강압적 성경과 인생에 대한 비합리적인 해석이 없어지면 오직 남는 것은 신앙의 자유를 비롯한 자유로운 사색과 탐구이기 때문이다. 그런 의미에서, 카타르 현상은 교회와 기독교 사상의 본질적 모순에 대한 용기있는 질문이었고, 그것이 불가능한 시대에 신앙의 자유와 사상의 자유를 추구했던 루터 종교개혁의 선구자였음을 알 수 있다. 카타르에게 잘못이 있었다면, 그것은 그들의 이단성이 아니라 자신의 시대를 너무 앞서 걸어간 것이라 할 수 있다. 기독교 역사를 피로 물들이던 모든 이단 척결의 역사는, 정단과 이단의 투쟁사가 아니라, 시대를 앞서 열어가던 이들과 그것을 제지하고 막는 자들의 충돌의 역사이다.

카타르와 이원론

카타르를 비롯한 많은 이단 종교에서 두드러지는 사상이 바로 '이원론'(Dualisme) 사상이다.
카톨릭 교회는 이러한 사상을 한결같이 반박하였는데, 그 이유는 카톨릭은 유일신을 주장하는 반면 이원론은 선과 악 두가지 성격의 신과 세상을 구분하였기 때문이다. 전지전능하시고 유일하시며 선하신 하나님이 창조한 세계에도 분명히 악이 존재하고 있고, 신이 끝없이 대척점에 놓고 싸우는 대상으로서의 신적 악한 존재가 분명 존재하고 있기에, 역사는 유일신이 인도하는 단순 역사가 아니라 선신과 악신이 대립하는 복합적 역사로 그들은 인식했던 것이다.
카타르에 분명 존재했던 '이원론' 사상이 지닌 신관과 인간관은 매우 특이하다.
먼저, 하나님은 유일무이한 존재가 아니라, 신에도 두가지 성격의 신이 있어, 선한 신과 악한 신이 존재한다 믿었고, 선한 신은 순수한 우리 영혼을 창조하였고 하늘을 지배하고 있는 반면, 악한 신은 우리들의 모순으로 가득한 이 세상과 그와 유사한 우리 인간의 육체를 창조한 후 이 세상을 지배하고 있다고 보았다. 따라서 모든 인간은 육신을 벗어나기 위한 노력과 여정이 필요했기에 이원론에서는 인간 영혼의 윤회를 믿었으며, 아홉번의 윤회를 거치면서 마지막 여정은 천국 또는 지옥으로 귀결된다고 생각했다. 하지만, 지옥이 따로 있는 것이 아니라 이 세상이 곧 지옥이라고 설교하는 이원론자들도 있기에, 세부적인 사항에서는 많은 다양성이 존재하는 것이 이원론이기도 하다.

이원론의 중요한 핵심은, 이 세상이 지옥이냐 아니냐가 아니라, 선한 신이 창조한 인간 영혼이 악한 신이 창조한 세상에서 악한 산물인 육에 갇힌 존재라고 인식하는 데 있으며, 이러한 인식은 카톨릭이나 기독교 자체가 전통적인 영향력과 힘을 상실한 오늘날에는 별다른 의미를 지니지 못하지만, 당시 중세 사람들에게는 참으로 중요한 문제였었고 매우 심각한 결과를 초래하곤 했다.

카타르가 그러했듯이, 이원론을 받아들인 사람들은 이내 교회가 가르치는 전통적인 신관과 예수의 십자가를 통한 구원관 그리고 사후의 세계 등등 모든 것에 회의를 품게 된다.
그들에게는, 악한 몸을 쓰고 나타난 예수라는 존재 자체도 받아들이기 힘들었기에 예수도 악한 신이 보낸 자라는 주장에까지 이르렀고, 그러기에 예수가 달린 십자가를 통해 악이 극복된다는 것도 받아들이지 못했고, 교회가 베푸는 각종 성사가 지닌 가치와 구원력을 의심하였고, 교회가 베푸는 죄사함과 용서를 받지 못하면 사후에 지옥에 간다는 것도 받아들이지 않았다. 카타르 신앙인들은, 오직 자신들의 카타르 믿음만이 사후에 선한 신이 창조하신 빛의 세계로 들어가는 것을 가능하게 한다고 굳게 믿었다.

카타르의 제의

카타르에서도 카톨릭 교회와 마찬가지로 전통적인 물 세례를 중시했으나, 물 자체에는 큰 의미를 두지 않았고 대신 자체 내의 신앙 절차를 통해 '완전자'(Parfait)가 되거나, 임종 세례를 통해 보다 완전한 세계로 진입한다는 일종의 통과제의를 더욱 중시하였다.
카타르에서는 일반 신자의 입장을 넘어서 더욱 성숙된 신앙인이되면 도달하는 신분이 바로 '완전자'이며, 완전자가 되기 위해 거쳐야하는 특별한 의식이 바로 '콘솔라멘툼'(Consolamentum)이라 하며, 일종의 성령이 임하는 영적인 안수와 같은 것으로서 이것이야말로 진정한 카타르의 세례에 해당하며, 임종을 앞둔 신자들에게도 베풀어진 의식이기도 하다.

카타르의 사제들은 모두 '완전자'들이며, 카타르에서는 남여의 차별이 없이 모두 평등했기에 여성들도 완전자가 되고 사제가 될 수 있었다. 완전자가 되기 위한 '콘솔라멘툼' 의식을 받기 위해서는 준비 기간이 필요했고, 대략 1년 정도가 걸리는 이 시기 동안에는 더욱 강화된 신앙수련이 필요했으며, 채식을 주로 했으며, 기름과 생선을 제외한 각종 육류 섭취가 금지되었고, 우유와 계란 치즈 등의 각종 유제품도 금지되었으며, 술은 허용되었다. 완전자가 되는 마지막 절차인 안수 의식은 카타르의 사제 서품에 해당한다 하겠다. 완전자인 카타르의 사제들은, 카톨릭 교회와는 달리, 반드시 자신이 먹을 것은 자신의 노동을 통해서 획득하였다고 한다.

카타르 사건의 전개

일반적으로, 카타르의 마지막 항거지인 '몽세귀르' (Montségur) 산성이 함락되고 210명의 신도들이 화형당하던 1244년을 카타르 사건의 종결시기로 보고 있다. 하지만, 1255년에는 '케리뷔스' (Quéribus) 산성이 함락되었고, 카타르 신앙을 지키던 마지막 완전자가 화형 당한 기록이 1321년에도 남아있다.

남불 지역에 카타르 신앙이 유입된 시기는 정확하게 알 수 없으나, 이원론을 신봉한 것으로 알려진 중근동의 마니교나 불가리아의 보고밀과의 사상적 유사성으로 인해 그들과의 연결을 추정할 수 있고, 카타르 신앙으로 인한 첫 희생자는 1022년 툴루즈에서 10명이 화형당한 것에서 찾아볼 수 있다. 이후, 1119년의 툴루즈 공의회에서 인근 지역에 널리 퍼진 이단들에 대한 경각심이 환기되었고, 제2차 라트란 공의회에서는 알비 지역에 대한 보고가 재차 확인되었다. 처음에는 평화로운 경고성 메세지로 시작되었으나 1180년에 교황의 칙사에 의한 본격적 십자군 발동이 촉구되기 시작하였으며, 1208년 교황의 칙사가 살해당하면서 사건은 급격히 진행되었고, 1209년부터 1224년에 이르는 기간 첫 십자군이 출동되게 된다. 그리고 1226년부터 1229년까지 제 2차 십자군이 행해졌고, 카타르를 완전히 없애기 위한 마지막 군사적 움직임인 십자군이 1243년부터 1255년 사이에 행해지게 된다.

1145　성 베르나르에 의해 랑그독 지방에서 점증하는 이단에 대한 경고가 발해짐
1163　투르 공의회에서 아무런 조치가 현지 군주에 의해 취해지지 않음을 지적
1165　알비 인근 롱베르에서 카톨릭 사제와 카타르 지도자간 격렬한 논쟁이 일어남.
　카타르의 핵심 지도자들은 서로를 '선남'(Bonshomme), '선녀'(Bonne femme) 또는 '선한 기독교'인 내지 '참 기독교인'이라고 불렀고, 대부분 '완전자'들이기도 하다.
1167　생 펠릭스 로라게(Saint-Félix Lauragais)에서, 카타르를 견제하기 위한 공의회가 소집, 툴루즈(Toulouse)와 카르카손느(Carcassonne)와 아젠(Agen)에 특별 감독 구역 설정.
1177　툴루즈 공작이 생 베르나르의 시토 수도원에 보낸 서한에는 일부 귀족들마저 카타르를 신봉한다는 이단 창궐에 대한 깊은 우려와, 종교 문제에 대한 현실적 대처에 한계가 있음과, 프랑스 왕실의 도움을 요청하면서도 그로인해 자신의 영역인 랑그독 지방에 군사적인 화가 미칠 것에 대한 우려가 엿보임.

카타르의 영향력이 급속도로 퍼져 나감에도 현지 교회 당국은 속수무책이었는 데, 그 주된 이유는 카타르는 라틴어로 설교하며 귀족들과 어울리는 카톨릭 사제들과 달리 민중들과 동일한 언어로 대화했고 그들과 삶을 공유했기 때문이었다. 또한 로마의 결정을 따르며 준수하는 데 급급하는 카톨릭 사제의 가르침보다, 성경과 기독교의 근본 정신을 강조하는 카타르의 가르침이 더욱 설득력이 컸기 때문이었다. 게다가 일부 카톨릭 사제들의 타락한 모습과 카타르 완전자들의 생활 모습은 민중들에게 큰 인상을 심기에 충분했다. 그 결과, 카타르 신앙은 민중은 물론이요 귀족들로부터도 점차 호응을 얻게 되었으며, 카타르의 각종 모임과 의식에 수많은 귀족들이 참여하는 것은 물론이요, 일부 귀족들은 카타르의 완전자가 되기도 하고, 특히 남여 평등 사상과 여성들에게도 열려있는 교회 최고 지도자직은 더더욱 긍정적인 반응을 귀족들로부터 얻기에 충분했다.

1178　이 해부터 3년 간 교황 칙사인 삐에르 드 파비 (Pierre de Pavie)의 조정과 권고에 의해 루이 7세 프랑스 왕과 헨리 2세 영국 왕이 동시에 파견한 현지 감찰단이 툴루즈 지역에 상주하게 된다. 이 기간 동안 두 차례의 카타르 재판이 열렸고, 오랜 심문 끝에 모두 카타르 신앙을 버리고 카톨릭으로 돌아오는 개종에 성공한다.
　한 개종자는 예루살렘 성지 순례와 40일 간 그곳에서 체재하는 벌칙이 내려졌다.
1198　셀레스틴 3세 교황의 서거로 인해 이노센트 3세 교황이 등장.
　이노센트 3세는 즉시 이단 척결을 위한 군사 행동을 촉구.
1204　: 두 명의 교황 특사 파견. Pierre de Castelnau, Raoul de Fontfroide.
　이 해는 4차 십자군이 콘스탄티노플을 약탈한 해이기도 하다.
　특별 특사로 또다시 시토 수도원장인 아르노 아모리(Arnaud-Amaury)를 임명.
　아모리의 지원 요청으로 시토 수도원장인 폴게(Folguet)를 툴루즈 주교로 파견,

이후 카타르 이단 척결의 선봉장이 된다.
: 아라곤 왕의 주선으로 카르카손느에서 카톨릭과 카타르의 공개 논쟁.
Foix공작의 누이 Esclarmonde 카타르로 개종.

1206 스페인 오스마(Osma) 주교인 디에그 아시베(Diégue d'Acibès)에 의한 민중을 향한 새로운 접근과 카타르와의 대화 시도. 미래의 성 도미니크.

1207 : 좋은 결과를 얻자, 이노센트 3세에 의해 새로운 접근법의 일반화.
카타르에서 벗어난 소녀들을 보호하는 시설 마련과 카타르와의 대화 시도.
이단 척결에 소극적이라는 이유로 아모리 특사에 의한 레이몽 공작의 추방 명령.
: Montréal에서 다시금 카타르와의 논쟁 발생

1208 아를르(Arles) 인근 론 강 우안 쌩 질(Saint-Gilles)에서 교황 특사 Pierre de Castelnau가 살해됨으로서 다시 되돌이킬 수 없는 유혈 역사가 시작 됨.

제 1차 알비 십자군 (1209-1224)

교황을 대신하여 시토 수도원장인 아르노 아모리에게 군사 종교 양면에의 전권이 주어졌고, 시몽 몽포르(Simon de Montfort)의 전격적인 협조 하에 첫번째 십자군이 형성, 추수기가 오기전 여름철 40일 간이 군사 행동의 기간으로 주어졌었다. 교황의 십자군 출전 명령에 호응하여 각지에서 모인 수만명의 군사들은 우선 리용(Lyon)에 집결하여 남하하기 시작했고, 발랑스(Valance)를 거쳐 론 강을 따라 내려가다가 보케르(Beaucaire)를 통과한다. 이후의 군사 행군과 주된 작전은 아래와 같다.

1209년 7월27일 : 베지에 (Béziers) 대 학살로 약 2만명이 희생
« Tuez-les tous, Dieu reconnîtra les siens »
1209년 8월15일 : 카르카손느(Carcassonne) 함락, 모든 거주자 추방.
베지에와 카르카손느 성주 트랑카벨 포로, 살해당함 (24세).
1209년 9월 : 까바레(Cabaret)에서 처음으로 공략 실패
1209년 10월 : 빠미에 (Pamiers), 몽레알(Montréal) 함락
1210년 3월 : 몽로르(Montlaur), 항거한 전 주민을 교수형.
브람(Bram)에서의 무자비한 처벌.
100여명의 눈을 빼고 코를 베어 까바레(Cabaret)로 보내 겁박함.
4월 : Cabaret 공략과 Alaric 성 함락
7월 : 미네르브(Minerve) 성 함락과 140명 화형.
성주 귀욤의 소유권은 시몽몽포르에게 넘어 감.
8-11월 : Termes 성과 Puivert 성 함락
1211년 3월 : Cabaret 공격
5월 : 라보르(Lavaur) 함락, 400여명 화형, 가장 큰 희생
레 까세스(Les Cassès) 60여명 화형.
6월 : 툴루즈(Toulouse) 포위 실패
카스텔노다리(Castelnaudary)에서 전투
1211년 겨울 : 알비(Albi) 포위와 전투
1212년 봄 : 알비 재 공략
1212년 여름 : Quercy 하부와 Agenais 지역 함락.
9월 : 툴루즈 공작 레이몽6, 동서지간인 아라공 왕 삐에르2에게 도움 요청
가을 : 툴루즈 포위와 농성
1213년 1월 : 아라공 특사의 로마 교황청 외교로 이노센트 3세에 의한 종전 명령
9월 : 아라공 왕 삐에르 2세, 툴루즈를 돕기 위한 군사 출동
뮈레(Muret) 전투와 아라공 왕 전사. 레이몽6는 프로방스로 도피.
1214년 1월 : 이노센트 3세, 새로운 특사 임명. Pierre de Bénevent.
: 레이몽6, Moissac에서 농성, 영국왕 Jean sans Terre 전진.
4월 : Raymond VI, 교황청에 굴복
7월 : 프랑스 왕 필립 오귀스트 개입. 자신의 아들 루이 8를 참여시킴.

: Morlhon에서의 화형
1215 : 시몽 몽포르가 툴루즈 공작이 되고, 제4차 라트란 공의회 열림
1216 4월 : Pont-de-l'Arche (Eure)에서 최종 합의문 작성
Simon de Montfort 성공.
5월 : Avignon, 레이몽 복권을 위한 군사 행동 결의. 인근 영주들의 전폭적 지지
8월 : 툴루즈 봉기. 몽포르의 도피와 레이몽 입성
1217년 10월 : 툴루즈 포위
1218년 6월25일 : 전투 중 날아온 돌에 의해 머리를 맞고 시몽 몽포르 전사
1219년 5월 : 시몽의 아들 아모리에 의한 Marmande 함락, 5000명 학살.
1222년 8월 : 레이몽 6 서거
1224년 1월14일 : 카르카손느에서, 아모리 몽포르와 레이몽7세 푸와 공작 등
삼자 간의 협정에 의해 1차 십자군 종식
2월 : 프랑스 왕 루이 8세에 의한 2차 알비 십자군 준비

제 2차 알비 십자군 (1226-1229)

1226년 9월 : 아비뇽의 항거와 함락
많은 성들이 항복
11월 : 몽팡시에로 귀환길에 과로로 루이 왕 사망. Humbert de Beaujeu가 지휘.
1229년4월12일 : Traité de Paris. Occitane의 정치적 독립 종식 요구
: 카타르에 대한 보다 강력한 제재 조처 발동

1233년 4월 : 교황 Grégoire IX, 프랑스 Vienne의 추기경을 이단 척결 특사로 임명
두 '설교 형제단' Ordre des Frères Prêcheurs (도미니칸)에게 권한 위임
이단 심문관Inquisiteur과 이단 재판소 발족
Pierre Seila (Toulouse), Guillaume Arnaud (Montpellier)
1234년 : Moissac 210 brûlés
1240년 9월 : 레이몽2 트랑까벨, 옛 영지를 회복키 위한 군사행동
카르카손느 농성, 루이9세의 파병에 의해 실패 스페인으로 피신
알비 지역 재차 프랑스 왕군에 의해 수난
1241년 3월 : 레이몽7, 몽따르지에서 쌩 루이 알현, 충성 서약.

제 3차 알비 십자군 (1242-1255)

1242년 두 심문관 도미니칸 귀욤므 아르노와 프란시스칸 Etienne de saint-Thiberi
몽세귀르 남부 지역과 Lauragais 탐문
5월28일 : Avignonet에서 유숙하던 심문관 일행 11명이 전부 피살됨.
8월 : 헨리3세가 이끄는 영국과의 연대가 급속도로 무너지고
1243년 1월 : 레이몽7세 Gâtinais 지방 Lorris에서 성 루이 왕에게 항복
5월 : 몽세귀르 포위 시작. 9개월 간의 농성.
1244년 2월 : 마지막 방어 실패와 항복과 15일 간의 휴전.
1244년3월16일 : 몽세귀르Montségur 함락과 배교를 거부한 215여명 집단 화형
Guilhabert de Castres (1165-1240)을 이은 Bertrand Marti도 이 때 희생
Raymond de Péreille et Pierre-Roger de Mirepoix 몽세귀르 공동 영주
삐에르 로저는 특히 심문관 귀욤므 아르노 살해에 연루
1249년 : 아젠Agen, 80여명 화형.
툴루즈 공작 레이몽7 서거.

새 주인은 레이몽의 딸과 결혼한 루이9세의 동생 Alphonse de Poitier

1255년 : Quéribus 함락
1255년 : Traité de Corbeil
1271년 : Alphonse de Poitier 부부의 사망. 툴루즈 공작령은 프랑스 왕실로 귀속
1291년 : 프랑스 왕 Philippe le Bel, 이단 심문관이 자신의 군대 동원 금지.

몽세귀르의 비극 이후에도 살아남은 극 소수의 카타르 신자들의 움직임이 역사에 남아있다. 1280년 경 Lastours 성의 일부인 Cabaret에서는 여전히 카타르의 남여 지도자들이 거주했었고, 푸와의 노떼르(notaire de Foix) Pierre Authié 는 1296년 이탈리아로 이주하여 그곳에서 카타르 활동을 계속 하였으며, 1299년에는 자신의 동생 Guilhem과 함께 푸와로 귀환, 어려운 상황 하에서도 포교 활동을 하다가 1309년 체포되어 사형을 언도받았고, 1310년 4월 10일 화형이 집행되었다.

카타르에 대한 또다른 마지막 기록으로는,
1321년 Guilhem Bélibaste가 Villlerouge-Termenès 성 앞에서 화형당한 기록이 있는데, 그는 1280년경 태어나 1305년 이단 심문관에게 카타르를 고발한 한 목동을 살해한 후, 완전자로서 Teruel에서 소상인으로 숨어 살다가 결혼으로 말미암아 완전자의 자격을 상실했지만, 이단으로 체포되었으나 자신의 신앙을 굽히지 않아 화형 당하였다. 동일한 사안으로, 1325년 한 카타르 여인이 카르카손느에서 처형되는 사건에 대한 기록도 남아있다.

몽세귀르의 마지막 카타르를 지속적으로 지원하던 이탈리아 카타르 교회의 활동은 1412년 이래 더이상 보이지 않으며, 마지막 카타르 집단의 흔적이 보스니아에서 발견되었으나, 1463년 오토만의 지배로 인해 역사의 지평에서 사라지고 만다.

Sur les traces des cathares . . .
카타르의 발자취를 찾아서...

카타르 유적 탐방

카타르 유적은 지금의 지리적 조건에 의하면 10개 지방에 걸쳐 펼쳐져 있으며, 이 중
Aude 지방은 가장많은 카타르의 유적이 남아있는 지역이다.

L'Aude
Aguilar
Quéribus
Villerouge-Termenès
Peyrepertuse
Termes
Puilaurens
Puivert
les quatres châteaux de Lastours
Alet
Pieusse
l'abbaye de Fontfroide
Fanjeaux
Bram Les Cassés

L'Ariège
Montségur
Montaillou
Mirepoix

Pamiers
Foix

Le Tarn-et-Garonne
Moissac
Montauban
Cordes-sur-Ciel
Albi
Rabastens
Labaur

Haute-Garonne
Avignonet
Toulouse
Muret

Les châteaux cathares 카타르의 산성들

Le château de Minerve
Le château de Termes
Le château de Puivert
Le château de Montségur
Le château de Peyrepertuse
Le château de Puilaurens
Le château de Quéribus
Le château de d'Agular
Les châteaux de Lastours
Le château de Villerouge-Termenès

까미자르 역사

18/07/2019
21/07/2019

Introduction

1702년, 루이 14세 치하의 프랑스 남부 세벤느 지방에서, 농민들과 목축업에 종사하는 개신교도들이 신앙의 자유를 요구하며 무력 봉기를 일으킨 사건이 발생한다. 별 대수롭지 않게 생각하던 루이 왕정의 생각과는 달리, 사건은 급격하게 커져갔고 스위스와 영국 네덜란드와 같은 프랑스 주변 국가들도 큰 관심을 갖고 주목하기 시작했다. 불과 수천에 불과한 농민군이 2만여명의 정규군을 상대로 2년에 걸쳐 대항했고, 1704년 간신히 진압했음에도 불구하고 이후 1710년에 이르기까지 간헐적으로 국지전을 펼쳐나간다.

그들 봉기한 농민 개신교도들은 '까미자르'(camisards)라고 불리웠고, 왜 그러한 이름이 붙여졌는지에 대해서는, 농민 저항군의 지도자 중 한 사람인 아브라함 마첼(Abraham Mazel)조차도 답하기를, "...나도 정확히 모른다. 우리가 주로 밤에 기습 작전을 펼쳤기에 그렇게 불렸을 수도 있겠고, (camisade) 아니면 군인들의 정복이 아닌 허술한 바지 저고리 (camisole)만 걸치고 전선을 누볐기 때문일 수도 있겠다.." 하여튼 이 이름으로 세벤느의 농민 저항군들은 역사의 전면에 등장한다.

막강한 왕권에 굴하지 않고 지속적으로 항쟁하는 그들을 보며, 단순한 종교적 광신자들의 집단항쟁으로 보는 이도 있었지만, 그들의 불굴의 저항 속에서 반 독재 왕정과 신앙과 양심의 자유를 추구하는 영웅적인 투쟁으로 보는 이들이 더욱 많아, 프랑스 국경을 넘어 전 유럽이 뜨거운 관심과 호응을 보냈으며, 그들의 활약상은 전 유럽의 각종 매체들을 통해 여러 다양한 형태의 소식으로 퍼져나갔다.

La religion interdite

오랜 종교전쟁을 거쳐 획득했던 개신교 신앙의 자유는, 1685년 낭트 칙령 폐기(Révocation de l'Edit de Nantes)와 함께 종식되고, 개신교 신앙은 금지되었고, R.P.R (religion prétendue réformée), 곧, '자칭 개혁 종교'라고 불리우던 프랑스 개신교회는, 이 시기부터 프랑스 설 자리를 잃고 야전에서 숨어서 예배를 보아야 하는 '광야교회'(Désert) 시대로 접어든다.

La Révocation

앙리4세에 의해 개신교 신앙이 허용된 낭트 칙령(Edit de Nantes)의 효력을 중지시키고, 카톨릭만이 프랑스의 유일한 국가 종교임을 공표한 것이 퐁텐블로 칙령(Edit de Fontainebleau)이며, 낭트 칙령을 폐기하고 그 이전 상태로 되돌린다는 의미를 지니는 말이다.

새로운 칙령에 담긴 내용은, 모든 개신교 교회를 파괴시켜야 하고, 일체의 개신교 신앙 모임이 금지되며, 모든 목사들은 보름 안에 추방될 것이며, 개신교 가정의 아이들은 카톨릭 교회의 지도와 수세와 신앙 교육을 의무적으로 받아야하며, 개신교도들이 함부로 왕국을 떠나는 것도 금지되며, 만일 어길 경우에는 남자는 평생 노예선을 젓는 징계를 받을 것이며 여자들은 투옥될 것이라고 명시되어 있다.

Dragonnades

'드라고나드'는 '용기병'이라는 뜻이며, 왕의 직속 기마병을 의미하는 데, 이들 군인들을 개종을 거부하는 개신교 귀족의 거주지 안에 난입 주둔시켜 개신교도들이 개종할 때까지 모든 강압과 악행을 범하는 것에 대해 국가와 교회는 묵인하는 제도를 말한다. 이미 칙령이 발동되기 전인 1681년 쁘와뚜(Poitou)에서 실시하여 익히 그 효과가 입증된 바 있기에, 이 제도는 전국적으로 실시되어 엄청난 만족스러운 결실을 거두었으며, 까미자르의 봉기가 일어난 랑그독과 세벤느 지방도 예외가 아니었고, 전국에 걸쳐 모든 개신교도들의 공포의 대상이 되었으며, 그들의 기억 속에 씻을 수 없는 상처를 남긴다. 표면적으로는 어쩔 수 없는 대규모 개종이 일어났으나 내심 불의에 굴복치 않고 때를 기다리며 살아가는 사람이 많았고, 금지되었건만 더이상 그러한 원치않는 신앙을 강요받으며 사는 삶을 거부하는 개신교도들의 해외 도피 행렬 역시 그치지 않아, 칙령이 시행된 1685년부터 18세기 초반인 1715년까지 신앙의 자유를 찾아 조국을 뒤로하고 해외로 발길을 옮긴 이는 20만을 넘어선 것으로 알려진다.

'까미자르'(camisards)

이러한 상황 하에서 프랑스 개신교회는 '광야'(Désert) 시대로 돌입하게 되고, 개신교도들이 집중적으로 모여있던 남불 랑그독 지역에서도 세벤느 지방의 개신교도들의 고통과 불만은 극에 달하게 되었으며, 그 오래된 억압의 결과가 바로 세벤느에서 터져나온 '까미자르'(camisards)의 무장 봉기였으며, 이것은 단순히 폭정에 시달리던 가난한 농민의 폭동이 아니라, 개신교 신앙의 박탈로 인한 신앙과 양심의 자유를 갈구하는 민중들의 염원이 표출된 자유의 항쟁이었다.

위그노 피난민 (Le Refuge huguenot)

프랑스 초기 개신교도들을 '위그노'라고 부르며, 낭트 칙령 폐기로 인해 신앙의 자유를 찾아 해외로 떠나간 그들의 수는 근 20만에 이르는 것으로 추산된다. 그들의 망명 대상국은 유럽 전역에 이르며, 더욱 멀리 러시아와 아메리카 신대륙과 남아프리카에까지 그들의 발길이 미친다.

프랑스 개신교도들인 위그노가 가장 많이 찾아간 곳은 오늘날의 네덜란드 지역이며 7만여명이 이주하였고, 영국으로 5만여명이 찾아갔으며, 독일 45000, 스위스 30000, 그 외 신대륙 아메리카로 수천명이 떠나갔으며, 러시아와 멀리 남아프리카로 떠난 사람을 모두 합하면 20만을 넘었던 것으로 알려지고 있다.

광야 시대 (Le Désert)

개신교 신앙의 자유가 박탈된 1685년 퐁텐블로 칙령으로부터
다시금 신앙의 자유가 허용된 1787년까지의 기간을 프랑스 개신교의 '광야시대'라고 지칭한다.
이 시기 동안 프랑스 개신교도들은 깊은 산이나 동굴 속에 숨어 모임과 예배를 드렸고,
핍박의 시기 산과 광야에서 유리하는 자신들의 처지에서
성서 속에 나오는 이스라엘 민족의 광야 유랑 모습을 보았고,
감시의 눈을 피해 매번 회합 장소를 바꾸면서 예배를 드렸으며,
1702년경 세벤느와 비바레 지역 까미자르들의 비밀 정보 교환 서신 속에서는
'광야에서'라는 표현이 자주 사용되고 있다.

광야시대의 유명한 위그노 지도자이자 목회자는
Pierre Jurieu 1637-1713
Claude Brousson 1647-1698

까미자르의 원천적 힘은 무엇인가?

평화롭게 농사를 짓고 양떼를 몰던 농촌의 사람들이,
어느날 갑자기 조직적인 무력 항쟁의 기치를 들게되었으며,
잘 훈련된 군인도 아닌 일반 농민들이 봉기하여
정교군을 상대로 오랫동안 전투를 치루는 그 원천적인 힘은 어디서 나올까?
프랑스 남불 오지의 세벤느 지방에서 일어난 농민 무장 봉기의 저력이 무엇인지를 놓고
전 유럽인들이 궁금해했으며 특히 주변 개신교 국가들은 마음 속으로 응원했다.

예언 운동의 시작

무장 봉기 이전에 영적인 움직임이 먼저 있었음을 사료는 전하고 있다.
숨어서 자신들의 신앙을 지켜나가던 프랑스 개신교도들에게는,
집요한 카톨릭의 감시와 왕군을 통한 엄청난 추적과 파괴 앞에 정신적 공황이 초래되었고,
목숨 걸고 신앙을 전파하던 목회자들과 그들을 따르던 개신교도들이
수없이 잡혀가고 죽임을 당하면서 생긴 영육을 아우른 현실적 공백 사이로,
어언 소리없이 스며든 영적인 기운이 있었으니,
이것이 바로 어느순간부터 갑자기 발생하여 소리없이 퍼져나가던 '예언 운동'이었다.

성령의 폭발 현상

해외 선교로 인한 부흥 역사의 시대를 거쳐 온 오늘날의 개신교도들에게는 생소한 현상이 결코 아니지만, 18세기 초엽의 프랑스인들에 이러한 영적 움직임은 처음 보는 현상이었기에, 카톨릭 교회는 당연하고 심지어는 개신교 역사학자들과 같은 영적인 경험이 전무한 이들은 카톨릭과 동일한 결론을 쉽게 내리기를, 한마디로 '파나티즘'(fanatisme) 곧, 종교적 광신과 미친 사람의 병적 행위로 보았다.

하지만, 영적 경험이 풍부한 오늘날의 개신교도들에게는, 어떤 중요한 시대와 장소와 순간에 하늘이 적극 개입하심으로 인해 비롯된 영적 현상임을 이해하고, 오늘날의 개신교 언어로 표현하자면, 폭발적인 '성령의 역사'라고 할 수 있다.

성령의 역사가 분출되던 세벤느 지방을 가르켜, 당대의 역사가이자 목격자인 Maximilien Mission 은 그의 저서 제목을 통해 '세벤느의 영적 무대'라고 불렀으며, 그의 저서 속에 나오는 예언 현상에 대한 그의 목격담을 아래에 인용한다.

"[...] 1701년에 들어서자, 어쩌면 그 이전일 수도 있지만, 우리들 주변에 남녀노소를 불문하고 (주로 어린애들과 젊은이들이 주를 이루었지만) 기이한 영적인 현상이 나타나기 시작했는데, 갑자기 바닥에 쓰러져 격렬하게 몸을 떠는 행위가 속출했고, 그런 후에는 멀쩡한 몸과 정신으로 되돌아오는 일이 빈번했다. 영적 엑스타시가 진행되는 동안에 어떤 이들은 많은 아름답고 중요한 메세지를 전하기도 했기에, 그들 주변에는 수많은 신실한 사람들이 귀를 기울여 듣곤 했다.

어려운 시대를 극복하는 지혜와 용기와 격려가 쏟아져 나왔고, 동시에 행실이 나쁜 이들이나 배교자와 카톨릭의 우상을 쫓는 이들에 대한 질책과 저주도 쏟아져 나왔다.
전체적으로, 이들은 예언을 하고 있었고, 죄인들을 심판하거나, 어려움을 인내하고 하늘의 뜻을 견지하는 이들에게 무한한 축복을 발하는 영적 메신저 역할을 하고 있었다."

"[...] 나의 이웃 가족 중에도 어린 딸이 하나 있었는 데, 여덟이나 아홉살 정도된 어린 아이였다. 하늘이 특별히 이뻐하셨는지, 종종 이러한 영적 상태로 떨어지는 것을 보았다. [...]
어느날은, 내 눈 앞에서 그러한 현상이 찾아왔기에 나의 무릎에 누인채로 모든 현상을 지켜 본 적 있는데, 거의 숨이 멎어 간신히 호흡하는 정도로 위태로운 상태였고, 가슴은 간헐적으로 충동을 일으키며 전신을 떨고 있었다. 얼마 후, 제 정신으로 돌아온 그 아이는 마치 그러한 일이 익숙한 듯 평온하였고, 특히 그 아이는 무언가 자신만이 알게 된 것을 여러가지 말했는 데, 그 중 기억나는 것은 아래와 같다.

"하나님이 이 모든 시험을 내리시는 것이기에 놀라지 말아야 하고, 인간이 자행할 수 있는 온갖 핍박과 시련이 지금 이 땅을 휩쓸고 있는 것도 하나님의 뜻인 즉 감내해야 하고, 사실 이 모든 시련도 우리들의 잘못과 죄로 인함이니 더욱 큰 시련도 이겨나가야 한다. 오직 우리들이 겸허히 회개하고 기도한다면, 하나님은 필히 우리를 구원하고 축복하실 것이다."

(Maximilien Mission, *Théatre sacré des Cévennes*, 1707, p.70-71)

La guerre des camisards (1702-1710)

1701년부터 세벤느와 인근 지역에 점차 확산되는 영적 운동을 바탕으로 세벤느의 예언자들의 활동이 두드러지기 시작했고, 이러한 특이한 이질적인 분위기로 인해, 개신교 신앙과 집회를 금지하고 단속하는 루이 왕조의 대리인은 물론이요 카톨릭 교회와 심지어는 일반 민중들 간에는 긴장이 팽배해졌고, 당국은 종교적 광신자들과 요주의 인물들에 대한 각지의 정보를 바탕으로, 1701년 여름 대대적인 체포 작전을 펼쳤으며, 개신교도들의 비밀 회합과 일부 광신도들의 돌발적인 행동이 점증하자 더더욱 가혹한 군사적 탄압을 가하게 된다. 바로 한달 전인 6월에도, 카톨릭 신부에 의해 잡혀갔던 예언자 한 사람을 동료들이 급습하여 구출했고, 커톨릭 성당을 불태우는 사건이 발생했었으며, 체포된 주동자 세 사람은 각기, 한 사람은 산 채로 타살 당하는 처형에 처해졌고 또 한 사람은 교수형, 그리고 마지막 사람은 노예선을 평생 젓는 조처가 취해졌었다.

왕권의 탄압도 지나쳤지만, 개신교 지도자들의 선동도 더욱 가세하여, 마침내 예언자들로부터 아포칼립스와 임박한 종말이 선포되기 시작했고, 그들 예언자들 중 한 사람인 Abraham Mazel은 본래 Saint-Jean-de-Gard에서 양털 깎는 사람이었지만, 마침내 여러 예언자들의 한결같은 예언의 목소리에 부응하여 본격적인 무력 항쟁을 전개하게 되고, 그가 남긴 회고록에 당시 예언자들의 공통된 선포 메세지의 내용이 나오는 데, 다음과 같다.

"돌이켜 회개하고, 미사에 참여하지 말며, 우상숭배를 그쳐야 한다.
거짓 선지자들에 의한 사탄과 짐승이 세운 왕국이 곧 무너질 것이며,
온 나라에 큰 환란이 임하겠고, 성당은 불탈 것이며,
죄인들의 거주지는 거대한 파멸이 임해 황무지로 화할 것이며,
칼과 불로 인한 거대한 파멸이 임할 것이다."

게다가 수많은 예언자들은 특별히 1702년 초에 큰 전환점이 도래할 것이기에 핍박자들에게 무력으로 싸울 것을 촉구하고 있었다.

또한, 후일 영국 런던에서 망명 중이던 1708년, 아브라함 마첼은 자신의 영적 부름에 대해 다음과 같은 회고문을 남겼다. 1701년과 1703년 3월까지의 시기에 대한 회고문이다.

"[...] 손에 칼을 들고 무장 투쟁을 시작하기 불과 몇달 전까지만해도,
나는 지극히 평범한 아무 생각없는 목동이었다.
그런데, 어느날 꿈 속에서 한마리 검은 황소가 나타나
내가 가꾼 정원에서 자라고 있는 야채들을 다 삼키고 있는 것이 보였으며,
어떤 알 수 없는 한 사람이 나타나 나에게 명령하기를, 속히 저 검은 소를 쫓아내라 요구했고,
내가 망설이자 재차 강하게 명령함으로 내가 순종하여 검은 황소를 정원 밖으로 쫓아내었다.
그러자마자 돌연 주의 성령이 나를 엄습하여
이전의 무력한 나를 밀어내고 강하고 담대한 능력의 사람으로 덧 입혔으며,
내가 거역할 수 없는 강한 기운에 의해 나의 입을 열어 소리 높여 선포하게 하기를,
정원은 나의 교회요 방금 본 검은 황소는 교회를 삼키는 사제들이라.
그들을 대신하게끔 나는 불림 받았노라."

아브라함 마첼은 그 외에도 여러차례 영적인 불림을 받았고,
"핍박자들을 물리치고 내 형제를 구하기 위해 칼을 들 것을 명령받았으며,
로마 교회와 사제들을 불과 칼로 응징하며 그들의 제단을 불태우라"
는 명령을 받았다고 주장했다. (Mémoires ..., p.3-5)

1702년 7월 22일, Bougès 인근에서 회합을 가진 Mazel은, Esprit라는 별명이 붙은 Pierre Séguier를 비롯한 여러 예언자들과 함께 성령을 통한 특별 작전을 수령하는 데, 샤일라 신부에게 잡혀가 갇혀있는 형제들을 구하기 위해 무력을 사용하는 계획을 준비하라는 내용이었다. 그리고 이틀 후에 그들은 실행에 옮겼고, 박해자인 신부를 죽이고 도망쳤다. 그리고 바로 직후 도주 길에 있는 Frutgères 마을의 신부도 살해하라는 성령의 명령도 실행하게되며, 집에 불을 지르고 교

회 내부의 우상인 성상들을 파괴하였으며, 동일한 공격을 Saint-André-de-Lancize에서도 가하게 된다. 그들의 폭력 행위는 Devèze 성을 공격한 후 멈추는 데, 원래 목적은 무기를 탈취하는 데 있었으나 사태가 본의아니게 한 가족을 살해하기에 이르면서 개신교의 악행으로 널리 알려지는 오명을 얻게 된다.

결국, 극에 달한 긴장상태와 팽배한 영적 분위기를 바탕으로, 1702년 여름, 샤일라(Chayla) 신부가 살해되면서 까미자르 전쟁은 촉발된다. 1702년 7월 24일 늦은 밤, 60여명의 청년들이 각종 무기를 손에 들고 시편을 나즈막하게 노래하며 le Pont-de-Montvert 마을의 샤일라 신부가 머물고 있는 집으로 들이닥친다. 샤일라 신부는 당시 그 지역의 최고 통치자인 바빌(Bâville)의 오른팔이자 종교적 이유로 도피하는 자들과 미쳐 날뛰는 개신교 광신도들을 잡아들이는 총책이었기에 주민들의 원성을 한 몸에 받고 있던 인물이었다. 침입자들은 체포된 동지들을 구출하고 집에 방화한 후 하나님의 자녀들을 핍박한다는 죄목으로 신부를 칼로 찔러 죽임으로, 되돌이킬 수 없는 상황으로 돌입하고 만다.

까미자르에 의한 만행 소식을 접하고, 랑그독 지방의 군사책임자인 Broglie는 급히 몽뻴리에서 달려왔고, 도망자들을 잡기 위한 특별 군대의 대장인 Poul에게 신속히 다 잡아들일 것을 명했고, Fontmort에서 은거하던 Esprit Séguier와 다른 두명의 혐의자들을 체포하는 데 성공한다. 이들은 모두 사형을 언도 받았고, 1702년 8월 12일, Séguier는 오른쪽 손목을 절단된 채 시편을 노래하며 산 채로 화형당하였다. 연속되는 체포와 처형으로 인해 세벤느 지역의 개신교에서 카톨릭으로 개종한 사람들에 대한 우호적인 정책도 한계에 도달한다.

세귀에르가 처형된 바로 다음날인 1702년 8월 13일, 꽤 멀리 떨어진 평원 지역에 살며, 카톨릭으로 개종하자마자 적극적인 협조자로 변신한 Saint-Côme 자작이 Cailar와 Vauvert에 사는 몇명의 청년들에 의해 돌로 살해되었고, 이 가운데 나중에 catinat로 불리우는 Abdias Maurel도 있었다. Bâville은 즉각 개입해 이들을 기어이 잡도록 독려했고, 체포된 그 중 한명을 본보기로 산 채로 바퀴에 묶어 처형하였다.

전직 군인이었던 Gédéon Laporte에 의해 지휘되는 세벤느 지역의 까미자르 그룹에 이어, 저편 Uzès 지역에는 Andouze 에서 가까운 Ribaute에서 제빵업에 종사하던 Jean Cavalier가 성령을 받은 후 쥬네브에서 돌아와 그 지역의 까미자르를 이끌고 합류한다. 우수한 두 지도자의 지휘 아래, 까미자르들은 힘을 합쳐 카톨릭 군을 수시로 공격했다. 대수롭잖게 생각되던 농민 봉기는 어언 전쟁 양상을 띠게 된 것이다. 처음 봉기가 발생했을 때는 종교적 '광신자'들의 돌출 행위로 보다가 차츰 '불만분자'로 표현이 바뀌었으며 1703년이 되면서는 정식으로 '까미자르'라는 칭호로 바뀌었다.

까미자르 군들은, 60에서 100명 정도로 편성되거나 크게는 300명 정도의 규모로 작전을 펼쳤으며, 그 선두에는 샤일라 신부의 살해에 가담했던 모든 이들이 앞장 서고 있었으며, 1702년 전사한 Gédéon Laporte외에도, Abraham Mazel, Salomon Couderc, Nicolas Jouany 등이 까미자르를 이끌었고, 특히 두 사람이 단연 두드러졌는 데, Jean Cavalier와 1702년 가을부터 등장한 Rolland 이라고도 불리우는 Mialet의 Pierre Laporte였으며, 그 역시 성령을 받았으며 Vaunage 일대에서 젊은이들을 규합했다.

1703년에 들어서면 새로운 이름들이 등장하는 데, Castanet, Catinat, Ravanel, La Fleur, Claris, Bonbonnoux 등이 그들이다. 대부분이 20대의 청년들이었고, 그들 모두가 세벤느 일대의 산지나 평원에 산재한 마을에서 농사를 짓거나 가내수공업 또는 세벤느의 직조업에 종사하는 가계 출신들이었고, 군인 출신도 있었다. 이들은 두 그룹으로 나누어 조직적으로 작전을 전개했고, Vaunage와 Uzège가 있는 저지대, 곧 평원 지역에서는 Jean Cavalier가 200에서 700명의 전투원을 거느리고 있었고, Catinat의 지휘 하에 있는 50여 기병들의 지원을 받았다.
특히, Jean Cavalier가 이끄는 까미자르 조직이 가장 이름이 알려졌었는데, 휘하에 Rastelet, Catinat, Ravanel, Bonbonnoux 등의 지도자를 거느렸고, 물자 조달은 Claris가 맡았다.

까미자르 내부에는 많은 수의 영능력자들이 존재했다고 한다. 성령을 받아 예언을 하거나 무리 앞에서 연설을 하며 내부 결속을 다졌고, 까미자르를 이끄는 군사 지도자 19명 중 13명이 모두 성령을 받은 이들이다. Eli Marion이 남긴 자료에 의하면, 약 65명의 남자들과 17명의 여자들이 예언의 영능력을 받아 활동을 했다고 한다. 이들 예언자나 설교가들을 중심으로 회합이 자주 열리었고 결속이 다져졌다고 한다.

세벤느 산악 지대에서는 소규모로 게릴라 전을 전개했는데, Rolland의 휘하에 300-400명이 움직였고, Mazel이 50-100명을 지휘했으며, Bougès에서 활동하던 Jouany가 300-400명의 전투원을 거느렸으며, Castanet가 가장 적은 수의 무리를 이끌고 Aigoual에서 활약했다. 1704년 Cavalier가 항복하고 그가 이끌던 전투원이 정규군으로 흡수되자, Rolland은 남은 1200여명의 까미자르로 항전을 계속해 나간다.

카톨릭 왕군 쪽으로는, 총독 Bâville을 비롯하여 랑그독 군사령관인 Broglie가 있고, 상황이 악화됨에 따라 특별히 파견된 Montrevel과 Villar 장군이 있다. 이들의 휘하로 드라고나드 기마병 여단과 일반 보병 및 산악 소총부대, 그리고 카톨릭 열성 청년들로 구성된 자원병 등, 총 동원 병력은 2만명을 넘어섰다.

카톨릭 열성 당원으로 구성된 자원병 부대는 모두 세가지가 있었는데, Florentins, partisans, Cadet de la Coix가 그것이다. 까미자르 난을 제대로 진압하지 못하자 까미자르 이단들을 박멸하기 위해 1702년 구성된 전투 부대였고, 당국과 교회의 전폭적인 후원과 지원을 얻었으나, 아무 연관이 없는 개신교에서 가톨릭으로 개종한 이들을 박해하거나 살해하는 등의 폐해가 심해지자 1704년 이후, Montrevel과 Villars 그리고 Bâville은 이들을 군의 통제하에 두게된다. 이들은 camisards blancs이라고도 불리웠다.

Chroniques de la guerre (septembre 1702 ~ avril 1704)

1702년 10월 22일 Sainte-Croix지역 전투에서 Gédéon Laporte전사

11월 15일과 17일 양일간 Aigues-Vives 광장에서 공개적으로 회합
철수하는 길에 Mandajor성 공격
Cavalier와 Rolland은 Générargues와 Mialet 등지에서 여러 교회를 불태우고 사제와 밀고자들을 살해

12월 점증하는 까미자르의 위협으로, 군대를 증강함과 동시에, 왕실에서도 Julien이 인도하는 특수군을 파병한다.

1703년 1월 La Frayeur, 북상하면서 수십 군데의 교회를 불태우고 사제들 살해.

5일 Belvézet에서는 카톨릭 교도들을 학살하고 방화

12일 Catinat와 Ravanel의 까미자르가 Nîme 인근에 출몰했다는 소식을 듣고
Broglie 남작은 드라고나드 3개 연대를 파견했으나
mas de Gaffarel 전투에서 패배, Poul 대장 전사.
빠리와 베르샤이유 궁, 그리고 외국에서 큰 관심거리가 됨

2월 2일 Jouany, Génolhac 무기고를 급습하고 살육. 쥴리앙에 의해 퇴치

10일 Cavalier는 Vivarais의 개신교도들과의 연합을 시도했으나
Vagnas에서 Julien의 전투 부대에게 대패

14일 왕실에서는 Broglie를 대체하는 새 군대장관으로 Montrevel 파견
동시에 사태를 종식시키기 위해 3000명의 피레네 산악 특수부대를 파견

17일 Jouany에 의한 Génolhac 무기고 재차 습격과
Chamborigau의 카톨릭 교도들 공격

21일 Castanet, 자신의 고향 마을인 Vébron을 장악한 후 이를 거점으로
이웃 카톨릭 마을인 Fraissinet-de-Fourque를 징계성 공격.
대다수가 여성과 아이들인 40여명의 주민 학살

25일 왕의 포고문 : 모든 수단을 다 동원해서 까미자르를 체포한 후
재판없이 사형시키고, 까미자르를 돕거나 숨기는 자들도 마찬가지.
또한 까미자르의 부모들의 모든 년금과 권리를 말소하고,
허가없이 일체의 거주 이전을 중지시키고

당해 지역에의 외지인 출입금지를 명함

2월-3월 영국과 Hollande, Brandebourg, 모든 위그노 해외 망명자들이
연합전선을 구성해 세벤느의 항거를 돕고
루이14세와 전쟁을 하자는 여론이 팽배
위그노 망명의 예 :Le marquis de Miremont

3월 6일 Rolland, Pompignan에서 패배
Mialet와 Saumane 그리고 Lézan의 모든 개종 개신교들
(N.C=noueaux conertis) 까미자르 협조 이유로 Perpignan으로 강제 이주

15일 영독불 3개 국어로 까미자르 항거의 이유를 전 유럽에 천명하는 공개문

4월 1일 비밀 회합 소식이 누설되어 님므 인근의 moulin de Agau에서
거기에 참석했던 20여명의 부녀자와 아이들이 모두 피살
이에 Cavalier는 600여명의 까미자르를 데리고 전 지역을 돌며
가담을 호소하고 교회를 불태움.

30일 Arlès 부근 tour de Billot에서 왕군의 급습으로 대패

5월 17일 Bruyés에서 다시한번 패배한 후, 추수기로 인해 전투 중지

6월-7월 Miremont의 호소로 연합군을 편성하여 프랑스로 진격
까미자르를 돕는 계획이 비밀특사 David Flottard를 통해 협의됨

9월-12월 까미자르와 외국과의 연합 가능성이 큰 위협으로 대두
실제로 영국과 홀란드의 군함이 Sète 해안에 도달했으나 상륙에 실패
까미자르의 공격이 계속되자 바빌 총독은 상부 세벤느에서
전 거주민 소개령 내림 (Mende의 31개 교구, 669개 마을과 608개 주거지
총 13212명의 주민이 추방되었고 모두 N.C임)
3일 안에 모든 가재도구와 가축들을 데리고 정해진 보호소로 대피할 것.
9월말, 쥴리앙의 군대에 의해 모든 가옥 방화와 파괴
카톨릭 Florentins의 무자비한 약탈과 방화도 가세함으로
Rolland과 Jouany에 의한 카톨릭 마을 Sainte-Cécile d'Andorge 에 보복
하지만 다시금 카톨릭에 의한 Branoux 개신교도에 대한 보복이 발생
Rouergue 봉기 실패
Catint와 marquis de Guiscard 결실없는 회동
Cavalier의 활약으로 Hautes-Cévennes의 완전 파괴 저지
9월20일에는, 카톨릭 마을인 Saturargues와 Saint-Sérières 방화 살해
10월2일에는 Sommierès 공격 Camargue에서는 여인들을 화형에 처했으며
Nîme의 교회당 입구도 불질렀다.
그리고, Nages, Vergèze, Tornac 등지에서,
쫒겨난 개신교 거주민들과 합류해서 집회를 가짐

12월 20일 까미자르를 피해 군인들이 도피 중이던 Tornac 성 급습 방화

1704년 1월 양털깎이 작전 실시. Vallee Borgne, pays de Valleraugue.
군인들에게 무제한으로 약탈할 자유구역 설정
카톨릭 Les Cadets de la Croix 약탈 가담

18일 Rolland은 Pont-de-Vallongue의 100여 군인들을 급습 무기와 탄약을 탈취
평지 지역에서는, Cavalier가 수 차례 공격을 가해 무기와 탄약을 탈취했고,
도망자들과 죽은 자들의 금품을 빼앗고 여러가지 농공 시설을 공격하거나
밀고자들을 살해하고 그들의 거주지를 불태웠다.

2월 Vivarais에서의 재차 봉기 실패. 가혹한 탄압 초래.
Camargue에서는 Rolland이 80여명의 까미자르들을 인솔해 무차별 공격을
가해 공포심을 야기했고, 도주 시에는 한 필의 말 위에 두 사람씩 타고
도주해 Beaucaire까지 이르러 Cavalier와 합류하곤 했다.

3월 14일 Saint-Chapitres로부터 400여 marine특수부대와 60여기의 드라고나드의
추적을 받다가, Martignargues에서 벌어진 전투에서 Cavalier는 대승.
상당한 량의 각종 전투 물자와 금품을 획득함으로 사방에 명성을 떨쳤다.
왕실에서는 Montrevel 원수를 해임하고 당시 최고의 명성을 얻고있던
Villars원수를 급파하여 사태를 수습하게 함.

4월 대부분 개신교 개종자로 구성된 Branoux와 Saint-Paul-la-Coste의 거주민 150 명을, 이적 행위를 했다고 왕군과 카톨릭 자원대에 의해 전부 교살됨.
떠나기 전 마지막 공격을 준비한 Montrevel의 군대 3000여명에 의해, Cavalier의 100여명의 까미자르가 패퇴 북으로 도주하여 Euzet 숲에 은신.
거기서도 계속 산악 특수군에 의해 쫒기다가, 물자와 약품 그리고 식량을 숨겨 둔 동굴이 적발 몰수됨으로써 Cavalier로서는 결정적인 손실이 초래 됨.

12일 때마침 도착한 Villars원수는, 까미자르와 백색 테러를 자행하는 카톨릭 자원대 상호 간의 끝없는 비극을 종식키 위한 색다른 조처를 취하고자 함.
Cavalier 역시 휴전의 필요성을 느끼고 있었다.

30일 Villars 원수에게 신앙의 자유와 투옥된 사람들과 갈레리언들을 석방할 것을 요구하는 서신을 보냄

5월 12일 Villars의 특사 Lalande 장군이 Arlès인근 Avêne 다리에서 Cavalier와 회동
이 자리에서Cavalier는 단호하게 자신의 요구사항을 밝혔고
400명의 동지들과 출국할 수 있기를 원했고
용서를 구하는 내용과 휴전을 제의하는 문서에 서명했다.
이튿날, 최근에 평화를 이유로 카톨릭으로 개종한 Aigaliers남작을 특사로 다시 만났고, 조건없는 특별사면을 요구하는 편지를 보낸다.
회답을 기다리는 동안 전투는 그쳤다.

16일 Nîme에서 Villars원수는 Cavalier를 접견했고, 이 자리에서 까발리에는 출국허가를 다시한번 정중하게 요구했으며, 휴전을 원했고,
그에 대한 왕실의 회신이 오기까지 까발리에는 모든 까미자르 군을 Calvisson으로 후퇴 집결시켰으며, 10일 동안 그곳은 민중의 대 집회장으로 변했고, 군인들의 묵인 하에 밤낮으로 각종 설교와 예언이 성행하며 자유 토론이 이루어지고 시편을 노래하는 등 자유의 무대로 화했다. 왕이 조만간 전반적인 신앙의 자유가 정히 어렵다면 최소한 집회의 자유는 허락하리라는 희망이 만연해 주변의 개종자들도 다 몰려와 그들과 합세했다.

24일 Thoiras에서 두 까미자르 지도자 회동
하지만 롤랑의 생각은 전혀 달라, 까발리에가 제시한 조건을 전혀 부정했고, 그러한 거부 의사를 빌리에 원수에게 전함과 동시에, 무장 해제의 대가로 낭트칙령의 회복을 요구했다.

27일 왕실로부터, 휴전이 받아들여졌고 까발리에와 동지들의 출국도 허락되었다.

28일 Calvisson에 모여있던 까미자르들은, 이 결정에 격분했으며, 까발리에만 복직되어 빠져나가는 결정을 이해하기 힘들어했고, 때마침 외국의 구원병이 온다는 전갈도 다시 도달하던 차였기에 더욱 실망.

6월 8일 변치않는 Rolland과 Ravanel 태도에 Villars 원수는 휴전 종결 선언.

23일 100여명의 전우들과, 까발리에 군대를 추종하던 이들과 감옥에서 석방된 이들을 데리고 세벤느를 떠남. 그리고 명령에 따라 Neuf-Brisach로 향함.

26일 스위스로 방향을 틀어 연합군에 귀속 시킴
Lion 만에 도착한 연합군, 악천후로 상륙 실패

7월 연합군의 상륙 실패를 모른 채 Rolland은 계속 Tpbie Rocayrol 밀사 접촉
계속적인 항거를 독려받음. Aigaliers남작의 투항과 망명 권고도 거절.

8월 13일 Castelnau-Valance성에서 밀고로 인해 Rolland 피살.

9월 14일 Ravanel에 의해 지탱되던 소수의 까미자르,
추격에 쫒겨 Saint-Bénézet 수풀에 은신

10월 까미자르 지도자들 차례대로 투항.
Castanet (11/09) Jouany et Salomon Couderc (1/10)
La Rose et Marion, Mazel malade (8/10)
대부분 해외로 추방되어 스위스로 갔다.

12월 거의 모든 까미자르 지도자들이 죽었거나 투항. 일견 상황 종료.

1705년 마지막 남은 까미자르 지도자 Ravanel et Claris
Mazel은 다시금 회합을 주도하다가 1월 말 체포
Catinat는 스위스에서 다시 국경을 넘어왔고, La Vallet, Marion, Castanet도

	뒤를 이어 입국했으나 이내 도피 상황에 놓임
1705-1706	까미자르 지도자들이 하나 둘 재 입국했다가 체포되어 처형 당함
	Jean Jalaguier는 Uzès에서 교수형 (1705년 2월)
	Castanet는 Montpellier에서 산채로 갈아 죽임 (1705년 3월)
	여러명의 지도자들은 'Ligue des Enfants de Dieu' 사건에 연루 처형
	100여명이 체포되어 60여명이 사형
	Vilas는 차형, Ravanel과 Catinat는 화형 (1705년 4월)
	Salomon Couderc 산 채로 화형 (1706년 3월)
	Fidel Abric 타살형
	예언자 Moïse Nicolas와 (1706년 6월)
	Jacque Couderc dit La Fleurette 몽벨리에에서 산채로 갈아죽임 (12월)

Bonbonnoux의 회고록

옛 기마부대 출신이었고 1710년까지 까미자르 투쟁을 지속하던 그는, 1715년 Antoine Court를 만나고 난 후 까미자르의 과거를 청산하고 1729년까지 비밀 집회의 설교가로 살아간다. 그 후 쥬네브로 망명하여 1730년 Court의 요청으로 회고록을 남기며, 자신의 1705년부터 1710년까지의 설교가로서의 경험을 그린다.

1706년 이래, Cavalier는 연합군에 소속되었고, 옛 까미자르 동지들과 망명자로 구성된 군대를 이끌게 되고, 주 임무는 카탈론느를 통해 랑그독으로 침투하는 것이었다.
1707년 4월에 있은 스페인 Almenza 전투에서 그의 부대는 괴멸되었고 자신도 중상을 입는다. 다시 영국으로 망명하였고, 이후부터는 런던에 있는 옛 까미자르 동지들과도 거리를 두고 산다.

French Prophets

1706년 가을 무렵부터 세간에 이름이 알려지며, Elie Marion, Jean Cavalier de Sauve, Jean Akkut, Durand Fage 등이 활동하고 있었다. 그들은 낡은 구 시대를 공격하였고 목회자들을 욕했으며, 위그노도 앙글리칸과 동일한 존재로 비판했다. 또한 그들의 천년주의 사상과 예언 활동은 방황하던 무리들에게 호응을 얻었고, 프랑스 망명자 공동체가 영국 현지인들로부터 비난을 사게도 하였다. 열광하며 받아들이는 이들도 있었지만 대개는 좋지않은 눈으로 바라보고 있었다.

그들의 영적 확신이 맞음을 증명하고 전파하기 위하여, 열성 신도 중 한 사람인 Maximillien Misson은 1707년, Le Théatre sacré des Cévennes 라는 제목의 책을 발간했고, 거의 동시에 Marion은 유명한 Avertissements prophétiques 라는 책을 통해 까미자르 전쟁에 관한 기억을 담았다.

한편, Mazel은 Constance탑에 갇혀있었는 데, 1705년 7월 16명의 동지들과 함께 기적적으로 탈옥에 성공하여 Marion과 다시 만났고, 함께 쥬네브와 로잔느를 거쳐 런던으로 오게된다. 그 후 1709년 4월에 프랑스로 잠입하여 영국의 후원 아래 Vivarais 무장 봉기를 준비한다. 1709년 7월의 거사는 실패로 끝나며 진압되었고, Claris와 다시 손을 잡고 세벤느와 랑그독에서의 봉기를 준비했으나, 1710년 7월 영국 해군이 간신히 Sète에 상륙했으나 Noailles 공작의 군대가 몰려오자 급히 철수했고, 아무런 원군이 오지 못하였음에도 Mazel은 포기하지 않고 Claris와 Corteiz등과 결탁 또다른 거사를 모의하던 중 밀고로 인해 10월 14일 우체스에서 피살되고 Claris는 체포되어 그 해 10월 처형되고 만다. 까미자르의 전설적인 초기 지도자인 Abraham Mazel의 죽음으로 이제 더이상의 지도자는 세벤느 지방에 남아있지 않았고, Jouany 역시 1711년에 처형되었다.

Elie Marion은 Jean Allut와 함께 유럽 이곳저곳을 돌아다니며, « 모든 나라가 흑암의 바벨론에서 속히 벗어나 그리스도 안에서 평안을 얻는 시기가 왔음을 깨닫고 준비하라 »는 선포를 하고 있었으며, 1713년 Livourne에서 서거했다.

지겹던 스페인 왕위 계승 전쟁도 Utrecht 조약과 함께 종식되었고, 영국 여왕 Ann의 주선으로 종교적 이유로 노를 젓던 136명의 갈레리언들이 프랑스에서의 추방을 조건으로 해방되는 조처가 1703년 6월에 발해졌다. 하지만, '낭트 칙령'의 회복은 여전히 먼 곳에 있었다.

프랑스 개신교는 다시 혼자가 되었다. 사방의 모든 원조가 끊긴 것이다.
외국과의 전쟁이 마무리되자 루이 14세는 서거하기 얼마전에, 개신교 신앙을 금한다고 다시한번 못박았고, 1715년 3월의 칙령을 통해 모든 왕국 내의 거민은 카톨릭 교도가 되어야 하며 로마 교회에 속해야 한다고 공포했다.

까미자르의 희생 규모
Le sort des camisards

Marion이 1710년경 남긴 회고록에 의하면, 까미자르 지도자 19명 중에서,
- 13명　비참하게 전사
- 5명　스위스나 영국 망명
- 1명　왕군에 합류 (Jaques Savin, dit Le Cadet La Forêt)

Pierre Rolland의 증언에 의하면, 7500 ~ 10000명의 까미자르가 3년 기간 동안 활동했었고
- 200여명　재판을 거쳐 각종 형태로 사형
- 2000여명　전사 (1000여명은 즉결처분)
- 200여명　갈레리언으로 보내 짐
- 2000여명　투옥 또는 군 강제 입대
- 1000~1200여명　대규모 투항이 있던 1704년. 대다수는 스위스로 추방
- 1000~3500　1702년과 1704년 사이의 전투 기간동안 실종된 숫자

Antoine Court

1715년 8월경부터 한 젊은 개신교 설교자가 등장하여, Bonbonnoux와 Pierre Corteiz와 같은 망명지에서 되돌아 온 예전 까미자르의 설교자들과 접촉하며 개신교 교회를 새롭게 재건할 것을 권유한다. 그는, 개신교 교회를 새롭게 세우려면 먼저 까미자르와 결별해야하고, 예언자들에 의해 선동되는 가격하고 광적인 운동을 배제해야한다고 주장했으며, 특히 여 선지다들이 문제임을 지적했다. 그렇게 함으로써 낭트칙령 폐기 이전의 목회자 중심의 교회로 되돌아 가야한다고 주장했다. 또한, 책략적 입장에서, 모든 형태의 무장 항거를 중지해야 하고 국내 뿐 아니라 망명지에서도 당국에 순종함으로써 등을 돌린 민중의 호응을 다시 되찾는 것이 중요하다고 주장했다.

그는 Antoine Court였고, 까미자르와 그의 최종적인 목표는 동일하여, 양심의 자유와 집회의 자유 그리고 태어나고 죽기까지 카톨릭 교회와 무관하게 살아갈 자유를 추구하며, 왕실이 허락하기를 강력하게 촉구하였다. 1745년부터 10여년간 한 차례 핍박의 시기가 있었으나 그 외 모든 개신교에게 유리한 정책과 관용이 이루어졌다면 그것은 거의 모두 Antoine Court의 호소와 정책 때문이라고 할 수 있다.

까미자르의 무력 항쟁에도 불구하고 변치않은 현실과, 끝없이 되풀이되고 누적되는 폭력과 피해로 인해, 양 진영 모두 새로운 접근으로 출구를 모색함으로 서서히 상황은 종료되어 갔으며, 저편 Vaville과 이 편의 Antoine Court가 대표적인 인물이라 할 수 있다. Vaville은 과감하게 Jean Cavalier와 그의 동지들을 대거 용서하고 해외로 망명시킴으로 위기를 완화시켰고, 개신교 내부에서도 자성과 화해의 움직임이 일어났던 것이다.

프랑스 개신교 시각의 문제점

오늘날, 그 당시를 되돌아보는 신 구교의 많은 신학자들과 역사학자들도, 양편이 마찬가지로 해악을 저질렀음을 인식한 후 서로 잃은 것도 얻은 것도 없다는 결론을 자랑스레 내리는 중이다. 하지만 여기에 큰 함정이 있음을 최소한 개신교측 역사학자들은 모르고 있는데, 자유와 진리를 향한 투쟁은 장사가 아니기에 상업적 이윤타산이나 조정에 의해 가치가 결정되는 것이 아니기 때문이다. 옳고 그른 것은 서로 밀고 당기는 문제가 아니라 반드시 시간이 걸리더라도 쟁취해야하

는 것임을 간과하고 있다.

예전 카타르의 항쟁은, 너무도 이른 시기, 곧 너무 시대를 앞선 신앙과 사상의 자유 그리고 성서가 가르치는 인간의 기본권을 요구했기에 불가능의 벽에 막혔다 할 수 있으나, 그로부터 450년이 지난 까미자르 항쟁의 시대는 전혀 다른 것이, 주변 유럽 제국이 이미 한발 앞서 나가고 있건만, 유독 프랑스만이 개신교 개혁을 책략과 불의로 누르고 여전히 카톨릭 구 체재 속에 놓여있었고, 그로인해 루이 왕정은 장차 어떠한 불리한 운명이 자신과 국민에게 다가오고 있음을 모르는 채 카톨릭 교회와 함께 독재의 칼을 쌍으로 휘두르고 있었던 것이다.

카타르의 비극은 당시로서는 받아들이기 힘든 요구 때문이었다면, 까미자르의 비극은 전적으로 카톨릭의 욕심과 루이 왕조의 무지가 만든 합작품이었으며, 그런 의미에서 카타르가 이유있는 몸부림이었듯이, 까미자르는 더더욱 이유있는 항쟁이요 당연한 자유를 보장받고자 하는 민중의 정당한 요구였다고 할 수 있다.

시대를 역행한 루이 왕조와 프랑스 카톨릭 교회는 그리 멀지않은 장래 혹독한 댓가를 치루게 된다. 1789년에 일어난 프랑스 대 혁명은, 반 왕정과 반 카톨릭을 표방하며 민권과 사상의 자유를 촉구 했는 데, 프랑스 혁명이 일어나기 1년 전인 1788년에서야 루이 16세에 의해 신앙의 자유가 선포되지만..., 폭발하는 민중의 분노를 잠재우기에는 이미 너무 늦었다.

어느 까미자르 사형수의 마지막

Saint-Germain-de-Calberte의 신부 Jean-Baptiste l'Ouvreleul가 남긴 기록으로서,
Fraissinet-de-Fourques 살해의 공범으로 사형을 언도받고
1703년 5월 17일 Mende에서 교수형에 처해진 Jacques Pontier에 대한 증언

타고난 악한 기질과 잘못된 이단적 교육에 의해 그는 죽었다.
사형 언도문이 다 낭독된 후, 내가 그의 옆으로 다가서자, 그는 거부하며 나에게 말했다.

"뒤로 물러서시오! 당신은 내게 사탄과 같으니 꺼지시오!"
나는 말하기를,
"사랑하는 나의 형제여, 나는 하나님의 이름으로 왔고 은총의 제도를 통해
고통을 감내하고 고통스러운 죽음의 공포로부터 자네를 구하고자 하네."
그는 내게 쏘아붙이기를,
"내겐 당신의 도움이 전혀 필요없소!
나의 불행에 내가 의탁할 자는 오직 하나님 한 분 뿐이요!"
그렇게 말한 후, 그는 눈을 들어 하늘을 향해 크게 외치기 시작했다.

"세상의 구원자시여,
오직 당신에게만 저의 구원을 의탁하나이다!
이 환란의 순간에 부디 저를 불쌍히 여기소서!
당신은 그 어떤 목자를 통해서라도 저에게 무언가를 지시하고 가르친 적 없습니다.
오직 저와 저희 어린 아이들을 향해 직접 말씀하셨습니다.
<너희 핍박받고 무거운 짐 진 자들아 내게로 오라,
내가 너희를 쉬게 하리라...>[마11:28]
다윗의 아들, 인자하신 주여,
이제 그 실행의 때가 왔사오니, 당신의 큰 자비를 제게 베푸소서!"

(*Histoire du fanatisme renouvelé*. T.1, p. 119)

까미자르에 대한 역사적 평가 문제

까미자르에 대한 평가는 긍정보다는 부정적인 시각이
당시로부터 오늘날에 이르기까지 지배적이다.
심지어는 프랑스 개신교 일부 역사학자들에게조차도 그러하다.

그 모든 역사의 교훈을 뚜렷이 목격한 프랑스 개신교이건만, 영감이 부족한 일부 김빠진 맥주같은 역사학자들이 (그들은 까미자르의 비극의 원천을 활발한 예언 활동과 광신적인 예언자들의 선동때문이라 비난한다) 목회 단상과 대학 강단을 지배하고 있는 현실은 매우 개탄스럽기만 하다.

프랑스 본토의 부정적 시각

오늘날, 영감이 부족한 일부 프랑스의 개신교 교회사가들은, 까미자르의 난이 Marion과 Cavalier가 그토록 소리 높여 외치는 '성전'(guerre sainte)이 되려면, 이방에 진정한 종교를 전파하는 '십자군'(croisade) 운동이어야 하는 데, 폭력과 파괴와 살상으로 가득찬 까미자르 항쟁이기에 성전이 못된다고 스스로 결론내리는 중이며, 까미자르에게 있어 뺄 수 없는 또 하나의 공통된 주장인 '신앙과 양심의 자유'(la liberté de conscience)가 오히려 유일하고도 정당한 투쟁 목표라고 주장한다. 그러나, 이 신성한 신앙과 양심의 자유를 까미자르는 특유의 외골스러운 자유로 변질시킴으로써, '미사에 참여하지마라' '핍박은 피해 달아나야 한다' '성령의 인도에 따라 하나님을 모시는 자유를 찾아야 한다'는 모순된 예배를 외쳤고, 그 변질의 배후에는 '성령운동'(les inspirations)이라 불리우는 영적 광신과 예언자들의 충동이 있었다고 비난한다. 그리고, 그들 자유를 잘못 이해한 까미자르들은 1704년 Calvisson 광장에서, 결코 오지도 않는 신앙의 자유와 집회의 자유 그리고 마음대로 예언하는 자유를 만끽하는 달콤한 꿈을 잠시 꾸었다고 비웃는다. 그리고 그것도 모자라 한마디 더 덧붙이는 친절을 베푼다. "인민의 게릴라 전술처럼, 신앙과 양심의 자유라는 숭고한 기치는, 절망감 속에서 파생된 소위 성령과 예언 운동으로 인해 사라졌다. 이것이야말로 까미자르 역사에 대한 현대인들이 내릴 수 있는 부정할 수 없는 유일한 결론이다."
[Comprendre la révolte des Camisards, Marianne Carbonnier-Burkard, Edituion Oest-France, 2008, p.87]

긍정적 평가와 예언자 운동의 발견

긍정적인 처음 평가는 프랑스 혁명이 일어나면서부터이고
그것도 프랑스인이 아닌 독일인에 의한 연극 무대에서였다.
[Isaac von Sinclair]

그러고도 50여년이 지난 후, Napoléon Peyrat는 그의 저서
Histoire des pasteurs du Désert (1842)를 통해,
까미자르의 난은 프랑스 혁명의 먼 효시임을 강조했다.

그리고, Henri Martin은 저서 Histoire de France (1850)를 통해
처음으로 까미자르 '예언자 운동'에 주목했고,
까미자르 난의 주역들이 모두 어린 세대임을 강조했으며,
기성 세대는 저항하지 못하던 것을,
새로운 어린 세대는 더이상 참을 수 없어 폭발한 것이
까미자르 현상이라고 설명했다.

[두가지 예]
역시 런던에 망명 중이던 Durand Fage가 남긴 성령의 역사에 대한 기록이다.

참으로 절실한 상황을 앞에 놓고, 우리는 전부 합심하여 기도를 하였고, 각자 전심으로 하나님이 우리 어린 자녀들이 어떻게 해야할지를 말씀해주실것을 간구하였다. 어느새 여기저기 성령이 임한 사람들이 나타나기 시작했고, 그를 통해 내려주실 말씀을 듣기 위해 곁으로 몰려들기도 했으

며, 그때까지 성령의 역사에 대해 회의적이었던 사람들도 크게 소리치며 하늘의 지시가 내려오니 안내려오니 하며 놀라와 했다. 우리는 정말 절실했기에 하늘이 도와주십사 눈물로 간구했으며 하늘이 응답해주시는 역사가 있기를 간청하며 기다렸다. 얼마 후, 몇몇 지도자들이 나서서, 기도의 응답으로 무엇을 받았느냐 물었고, 여러 계시자들이 현안에 대해 공통된 의견을 제시하기를 항상 가장 중요한 것은 지도자를 향한 절대적인 순종이라 말했고, 여기저기 쑥덕거리며 수긍하기 힘들어하는 이들은 주로 성령에 대해 무지하거나 성령의 지혜보다 자신이 더 지혜롭다고 생각하는 새로 들어온 신참들이었다. 오늘 적들을 공격할까요? 실패하여 쫓기지는 않을까요? 야간 공격이 좋을까요? 매복이 있을까요? 어떤 사고가 혹시 우릴 기다리고 있진 않나요? 전체 회합 장소를 물색해야 할까요?... 우리 모두는 별별 것을 놓고 다같이 통성기도를 했다. "주여, 당신의 영광과 우리 모두의 안위를 위해 우리들이 해야할 바를 말씀해 주소서..." 성령은 즉각 응답하셨으며, 우리의 모든 것을 인도해주셨다.
[...] 전투에 임할 때마다, 나는 감히 말할 수 있는 데, 항상 다음과 같은 말씀으로 나를 당대하게 하셨으니, "아무 걱정 말아라, 내 아들아, 내가 너를 인도하고 도우리라." 나는 흡사 철갑으로 무장한 듯 전장에 용감하게 뛰어들었고 적들은 마치 약한 양털 인형처럼 여겼다. 성령의 이 모든 위로의 말씀으로, 우리들의 열두어살 어린 전사들은 마치 용맹한 군인같이 좌우로 뛰며 칼을 휘둘렀고, 칼이 없는 자들은 창과 나뭇가지로 대항했으며, 날아오는 탄환이 귓전을 울리거나 모자나 소매를 뚫고 지나갈 때도, 오직 ''두려워 말라"는 성령의 말씀에 의지하여 정말 비나 우박을 맞는 정도로 생각하며 겁없이 싸웠다.
(Maximilien Mission, *Théatre sacré des Cévennes*, Londre, 1708, p.123-128)

역시, 런던에 망명 중이던 Elie Marion의 까미자르 내부의 '성령의 역사'(les inspirations)에 대한 기술이 있기에 잠시 살펴본다.

"성령이 우리의 심장을 사로잡음으로
우리는 이때까지 가장 소중했던 우리의 가족과 친지 이웃과 결별했으며,
예수 그리스도의 명을 따라 사탄과 그 하수인들과의 전쟁터로 나섰다.
성령의 강림으로 말미암아 우리는 비로소 진정한 하나님을 향한 열정이 무엇이며,
진정한 종교가 무엇인지를 깨달았기 때문이다.
[...] 오직 성령의 지시에 따라 우리는 전투를 벌였고,
거듭되는 성령의 역사에 의해 우리는 우리들의 성스러운 전쟁을 수행했다.
하늘의 도우심이 없었다면, 아무런 지식도 없고 경험도 없는
자그만 어린 영혼들이 그렇게 엄청난 역사를 일으킬 수 있었을까?
우리들은 힘도 없었고 조언해주는 책략가도 없었으며
오직 성령만이 우리들의 조언자요 의지처였다.
성령의 명령으로 우리는 우리의 지도자를 뽑았고 그가 우리를 인도했었다.
성령은 우리들의 군사 훈련교사였고 그의 지혜를 따라 적들을 무릎 꿇게 만들었으며
시편을 노래하며 그들을 몰아내었으며, 적들은 그 노래 소리에 크게 두려워했다.
성령은 우리 양떼같은 연약한 자들을 용맹한 사자로 만드셨고
우리를 통해 큰 영광을 드러내셨다."
(Maximilien Mission, *Théatre sacré des Cévennes*, Londre, 1708, p.88)

마무리 글

종교개혁이 지나고도 한참 후 폐지된 낭트 칙령.
불필요하고 과도한 억압과
자유가 박탈된 시대의 역행 앞에서
하늘의 기도의 응답과 영적인 개입과 약동함,
그리고 어린 세대들의 집단적 반응...
이 모든 것이 눈 앞에 나열되어 있음에도
퍼즐을 맞추지 못하는 프랑스인들...

다가오는 역사는
그러한 프랑스인들의 욕심과 눈 멂에 대해 응분의 댓가를 치루게 했고
세벤느에서 분출한 성령의 영적인 기운은
이제 영국을 거쳐 신생 아메리카로 건너가게 되며
더욱 더 멀리 가고 있으리라

남불 세벤느 지방의 까미자르들은
거역할 수 없는 성령의 불과 빛에 노출되었던 어린 영혼들이었으며
그들을 사로 잡았던 불과 빛은
먼저는 프랑스의 영광이 지는 그림자를 드리웠고
새로운 미래의 영광의 시대를 열어가는
희망의 빛도 동시에 던졌다.

까미자르의 가슴을 불태우던 그 불과 빛을 이어받는 자
그는 까미자르가 가다 못 간 그 길을 연이어 갈 것이니
그 연이은 발걸음을 역사 속에서 찾는 자는
세벤느에서 분출된 불과 빛을 발견하는 자요
그 불과 함께 또다시 까미자르의 생을 살 것이다.

까미자르는
우리 가운데서 죽지않고 되살아나는
재생과 영생의 다른 이름이다.

참고

Elie Marion 1678-1713
Chateau de Cornely : proprete de la famille de Cathrrine et MartheBringuier,
les compagnes respectives de Malhier et de Rolland
François Pelet, baron de Salgas (1646-1717) 몇 안되는 NC noble. 갈레리언에 처해졌다가 1716년에 풀려났다. 부인은 1685년 이래 쥬네브로 피신.

‘프렌치 프로페트’

프렌치 프로페트의 등장

1598년 앙리 4세에 의해 공표되었던 ‘낭트칙령’은, 그로부터 87년이 지난 1685년 루이 14세에 의해 퐁텐블로 칙령이라는 이름으로 전격 폐지된다. 유럽 대 부분의 나라에서 신앙의 자유는 나날이 확대되고 있건만 루이 왕조의 욕심과 오판으로 인해 자유를 누리던 수많은 프랑스 개신교도들은 크게 낙심하였고, 분노한 민중들 속에서는 예기치 않은 시대의 역행에 직면한 정신적 충격으로 말미암아 루이 왕조와 카톨릭의 멸망을 넘어 진정한 정의가 이 땅에 실현되는 종말론과 천년왕국 도래를 열망하는 분위기가 팽배해지게 된다.

낭트칙령 폐기로 인한 직접적 피해자들인 프랑스 개신교도들은 즉각 반발하고 나섰고, 프랑스 남불 세벤느 지방에서는 ‘까미자르’에 의한 무장 봉기가 일어났으며, 근 10여년에 걸쳐 항거 운동은 지속된다.

까미자르의 무장 항거는 1702년에 시작되었고, 그 전 해인 1701년부터 세벤느의 젊은 청년들 사이로 널리 확산된 예언자 운동에 기반하여 결국 폭발하였는데, 성령의 능력을 덧입은 수많은 청년들의 이유있는 분노를 잠재우기 위해서는 당시 유럽의 최강의 군대로 일컬어지던 루이 왕의 정규군으로서도 10년이란 세월이 요했다.

까미자르의 전설적인 군사 지도자 장까발리에(Jean Cavalier1681-1740)는 1704년 돌연 무장 투쟁을 멈추고, 왕실과 타협한 후 자신을 따르던 수백명의 부하들과 함께 해외 망명의 길을 선택한다. 그의 갑작스런 결정에 많은 까미자르들은 당황해했으나, 이내 남은 지도자들을 중심으로 계속적인 무장 항거의 길을 걷는다.

까미자르의 전설적인 군사지도자 장 까발리에는 스위스를 거쳐 영국으로 건너갔는데, 망명 이후에는 옛 전우들과의 만남도 자제하며 더이상 역사의 전면에 나서지 않았으나, 그의 휘하에서 까미자르 전선을 누비던 옛 동지 중 세 사람은 얼마 후 런던에서 우연하게 서로 다시 만나게 되며, 이들 세 사람의 까미자르 전사이자 예언자들이 힘을 합쳐 자신들의 확신을 새로운 망명지인 런던에서 모임을 통해 조금씩 전파하면서 서서히 모습을 드러내었고, 런던 사람들은 그들의 모임을 가리켜 ‘프렌치 프로페트’(French Prophete)라고 부르게 된다.

1706년, 망명지인 영국 런던에서 ‘프렌치 프로페트’를 구성한 세 명의 까미자르 이름은 엘리 마리옹(Elie Marion1678-1713), 뒤랑 파제(Durand Fage), 그리고 동명이인으로서의 또 다른 장 까발리에(Jean Cavalier1676-1749)이며, 이들을 대표하는 리더 격 인물은 엘리 마리옹(Elie Marion)이었다.

프렌치 프로페트는 런던의 귀족과 지식인들로 이루어진 일부 상류층의 호응을 얻었고, 그들의 도움을 바탕으로 빠르게 전파되어 나갔으나, 임박한 종말과 파루시아, 곧 그리스도의 재림과 심판을 선포하는 그들 특유의 종말론적 선포로 인해 이내 망명 위그노 목회자들과 영국 국교도들에게 경계 대상으로 지목받아 반대와 압력이 가해졌고, 1707년에는 결국 이들 모두에게 위그노 교회 협의회에서의 축출령이 떨어지게 된다.

1706.12.29 마리용의 설교

“조만간 내가 유대인들의 눈을 열리니,
그들이 열방에서 으뜸임을 알 것이요
또 나를 아는 지식을 회복하리라.”
“그들의 사로잡힘이 머지않아 끝날 것이요,
내가 와서 그들을 채운 쇠사슬을 깨부수리라.
그들에게 내가 말하노니
내가 그들의 조상과 맺은 언약을 기억하고 그 약속을 지키리라”

"내 아들아, 내가 그 언약을 새롭게 하겠고,
그들의 눈을 가린 장막을 거두리라.
그리고 멀어졌던 나의 교회로 그들을 인도하며
큰 연민으로 다시금 모여 거기서 나를 만나게 하리라."

1707.1.7 마리용의 설교
"모든 가증스러운 종교들은 부숴지리니,
내가 그들의 불의를 깨끗이 말살하고
그들의 미신적인 예배들을 없이하리라.
그리고, 그들을 모두 강보에 쌓인 아기처럼
처음 순전하던 때로 되돌리리라."

프렌체 프로페트는, 임박한 종말과 그리스도의 재림과 심판을 대비한 회개를 선포함으로써 많은 사람들의 이목을 끌었다. 하지만, 기본적으로 초교파적인 성향인데다가 인위적인 교회의 모든 조직과 규률에 대해 무시하는 태도를 보였고, 성찬과 세례에 대해서도 부정적인 입장이었으며, 영적 세례를 중시했고 유아 세례는 불필요한 것으로 보았다. 그들의 이러한 부정적인 태도는 기존 교회와 교단들로부터 공격받기에 충분했다.

"너희들은 사탄을 그리라면 즐겨 검은색으로 표시하면서
너희들은 정작 왜 검은 옷만 즐겨 입느냐?"

이러한 프렌치 프로페트의 자기 식의 예단과 특히 독신인 Marion 의 입장 속에서,
우리는 프렌치 프로페트의 차 세대인 어메리칸 세이커(Shakers)를 엿 볼 수 있다.

프렌치 프로페트의 쇠퇴

런던에서의 프렌치 프로페트 활동의 쇠퇴는 두가지 사건과 함께 다가온다.

팜플렛 사건

1707년 3월 30일, Marion과 Cavalier 그리고 Fage 세 명에 대해 런던 프랑스 교회협의회가 축출 조처를 내리자, 이들은 그동안의 모든 예언과 설교를 문서화하여, 책자로 발간하며 전도에 임하게 된다. 문서 발간을 주도한 사람은 프렌치 프로페트의 멤버이자 유명한 작가인 '미숑'(Francois –Maximilien Misson)이며, 그는 이탈리아 여행기와 세벤느 지방 까미자르 여행기로 유명한 인물이다.

하지만, 이들의 문서 전도에도 교회 당국의 집요한 반대와 핍박이 쇄도하여, 소위 '팜플렛 소송'(the Battle of Pamphlets)이라 불리우는 사건이 야기되어 더이상의 활동이 어려워 진다. 소송에 휘말린 이들을 향한 성령의 위로의 메세지는 다음과 같았다.

"참으로 불쌍한 내 자녀들이로다.
기 죽지말라. 내가 용기를 주노라.
너희를 비난하는 모든 글들에 내가 단연히 마주 서겠고
너희를 향한 모든 비난과 욕설에도 그러하리라 [...]
이 도성에서 내가 큰 영광을 떨치겠고
너희를 향한 핍박이 크면 클수록
너희 내면의 기쁨도 크게 되리라"

1707년 12월, Marion, Fatio , Daudé 세 사람은, 결국 교회와의 분쟁에 지게되어, 벌로 공공 장소인 런던의 한 복판에서 자신들의 죄목이 적힌 종이를 이마에 붙인 채 행인들의 비난을 받으며 하루종일 서 있는 pillory라는 말뚝형에 처해진다.
이 사건을 계기로 프렌치 프로페트의 활동은 크게 위축되게 된다.

당시의 주 멤버이던 Bulkeley의 표현을 빌리자면,

> "프렌치 프로페트는 런던 교회들이 결코 생각지도 않았던 것들을 제시했으며,
> 그들이 믿고 싶지 않는 신앙만을 요구했다."

부활 사건

1708년 5월에는 엘리 마리용의 의도와는 달리, 프렌치 프로페트의 일부 열성 멤버들에 의한 결정적으로 해로운 사건이 발생하는 데, 최근에 병사한 주 핵심 멤버였던 Thomas Emes 박사의 부활 사건 소요가 일어났으며, 런던 근교 Islington의City Road에 있는 Bunhill Fields Burial Ground에 묻혀있는 그가 다시 살아나는 부활의 기적이 일어난다고 공개적으로 발표함으로, 약속된 날 수만명의 군중이 운집하는 사건이 발생한 것이다.

당연히 부활의 기적은 일어나지 않았으며, 이 사건으로 인한 내부분열의 결과 여러 멤버들이 떠나게 되었고, Jean Cavalier와 그의 부인 Jeanne, 그리고 Abraham Whitrow의 가족들과 Dorothy Harling과 Stephen Halford 등의 축출이 결정되었고, Richard Roach와 Sarah Wiltshire 역시 책임을 지고 쫒겨났으며, 1710년에는 Bulkeley 마저 서거하면서 총 30여명의 회원들이 사라지게 된다.

프렌치 프로페트의 마지막 활동

프렌체 프로페트의 남은 인원들은 이스라엘의 12 부족 단위로 나누어, 영국 전역을 상대로 전도를 실시한다. 그리고, 1709년부터 1714년까지는 영국을 넘어 유럽의 여러 나라를 향한 마지막 전도 여행을 시작한다.

할레의 경건주의자들과의 만남

1711년, Marion 일행은 Halle의 경건주의자들을 방문하여 환대를 받았고,
1712년에는, 까미자르와 프렌치 프로페트 현상이 이미 출판물을 통해 널리 알려져 있었음이 드러났다. 1713년에도 Marion 일행은 다시 Halle에서 한달 유숙했는데, 일행이 떠나간 직후 다섯명의 경건주의 멤버가 성령을 받기 시작했고, 1714년에는 Halles의 경건주의 그룹 속에서 동조자들이 대거 등장 활동을 시작하며, Franke의 반대에도 불구하고 40여명의 프렌치 프로페트 동조자들이 생겼고 그들 중 Eberhard Ludwig Gruber(1665-1728) 목사는 예언의 령을 받은 후 독자적으로 '진리의 영을 받은 이들의 모임'을 이끌었고 Friedrich Rock 목사는 30년 이상을 예언자로 활동하였으며 진젠도르프(1700-1761)와 Spener와 같은 모라비안들에게도 많은 영향을 끼쳤다.
일군의 모라비안들이 영국의 프렌치 프로페트의 현장을 찾아가던 길에
죤 웨슬레(1703-1791)와 만난 사건은 유명하다.

참고로, 엘리 마리용은, 1713년 11월 29일, 조악한 여건 속에서의 무리한 여행으로 인해
서른 다섯이라는 젊은 나이로 병을 얻어 도중에 운명한다.

1716년, Nicolas Fatio가 전해 준 Marion의 책자를 통해, Lyon 부근에 거주하던 그의 두 질녀
21살인 Marie Huber와 아홉살 Deborah자매가 성령을 받는다.
특히 언니인 Marie Huber는 Mme de Warens와 함께
장자크 루소의 정신적 스승이자 영적 대모 격인 여성이다.
1717년, Fatio는 Jean, Henriette Allut와 함께 Worcester로 이전했고,
Charles Portales와 그의 형제 Jacques도 이 무렵부터 더이상 보이지 않는다.

펜실바니아 퀘이커와의 만남

프렌치 프로페트에는 초기부터 퀘이커 교도들이 다수 연결되었다.

여러 여 선지자들 중 Anne Steed와 Anne Finkley가 퀘이커 출신들이었고,
Mary Keimer의 가족 역시 그러했다.

1718년이 되면, 여 선지자 중 한 사람인 Mary Keimer가 아메리카 Pennsylvania로 진출하는 데, 자신의 오빠 Samuel Keimer가 프렌치 프로페트를 떠나 본래 소속되었던 퀘이커로 돌아갔고, 여동생의 미국 선교를 돕기 위해 연결해 준 것이다. 이들은 이미 1708년2월에 퀘이커 창시자 William Penn을 만난 적 있고, 벤자민 프랭클린에게도 선교 차원에서 접근했으나 별 반응을 얻지 못했다.

여러가지 면에서 프렌치 프로페트를 가장 잘 이해하는 곳이 퀘이커였다.
1721년의 기록을 보면, 여러가지 내부 문제가 있었음에도 불구하고,
오직 신대륙에 메세지를 전파한다는 일념으로 6차에 걸친 선교와
네 명의 연사가 대중 집회를 연 기록이 남아있다.

이곳 아메리카에도, 프렌치 프로페트 선교자가 도착하기도 전에 이미 보도를 통해 많이 알려져 있었고, 낭트칙령 폐기와 함께 프랑스 남부 랑그독 지방의 오랑쥬에서 이미 미국으로 이주한 위그노들이 남 캐롤라이나에 살고 있었는 데, 아마도 그들도 알려지지 않은 까미자르 예언자 출신들인듯 하다.

한가지 특이한 것은, 그들이 지닌 시현 중에는 런던에서의 프렌치 프로페트와 너무 유사한 움직임도 보였는데, Peter Rambert라는 사람은, 성령의 명령을 따라 자신의 부인을 버리고 미혼인 처제와 결혼했는데, 이것은 영국에서 프렌치 프로페트의 핵심 멤버였던 Lacy가 자신의 부인을 버리고 여 선지자 Elisabeth Grey와 사실혼의 관계를 맺어 물의를 빚은 것과 유사하였다. Lacy는 가끔 모습을 드러내다가 1730년에 서거했다.

앤리의 쉐이커 교단

워들리 그룹과 앤리의 등장

1707년 이래, 멘체스터 지방으로 진출한 프렌치 프로페트의 영향으로 Bolton-le-Moors의 퀘이커 교도였던 James 와 Jane Wardley 부부가 그 지역의 새로운 멤버가 되었는 데, 1747년 부인인 Jane Wardly가 계시를 받음으로 말미암아, 초기의 정신을 잃고 점차 내면의 세계로만 침잠하는 퀘이커를 벗어나 새로운 길을 개척하기로 마음먹고 Wardley Society 또는 Wardley Group이라 불리우는 신앙단체를 만들었다. 이들은 자신을 새로운 신앙단체로 자부하며 Proud Quakers로 불렀고, 몸을 격렬하게 흔들며 춤도 추는 그들의 요란한 집회로 인해 사람들은 Shaking Quakers 라 불렀다.

그들은 또한, 프렌치 프로페트와 마찬가지로, 임박한 재림을 주장했을 뿐 아니라, 심지어는 다시 오는 재림주는 여성의 몸으로 온다고 주장했다.

1758년, 이들의 단체에 Manchster 출신인 앤리(Ann Lee Standerlin 1736-1784) 가족이 가입했고, 당시 스물 두살이던 앤리는 타고난 탁월한 영적 능력을 통해 이 집단을 급속도로 발전시켰고, 앤리는 교인들로부터 '어린양의 신부' 또는 '말씀' '어머니(Mother)'로 불리우며, 여성 메시야 역할을 했다. 너무나도 급진적인 주장과 소란한 집회로 인해 주민들의 고발로 여러차례 구속되기도 한다.

쉐이커 교단의 탄생

1772년, 앤리는 하늘의 계시를 받기를,
"새로운 처소가 예비되었으니 아메리카로 건너가라"
는 명령을 받는다.

1774 년, 자신을 따르는 아홉명만을 데리고 앤리는 아메리카로 이주했고,
그곳에서 'the United Society of Believers in Christ's Second Appearing'이라 불리우는
신앙 공동체를 설립했으며, 뉴욕에서 일하여 번 자금으로 뉴욕 서쪽에 토지를 구입하여
오늘날의 Albany 근처에 있는 Watervliet 이라는 마을을 'Niskeyuna'로 명명한 뒤
그곳에다가 쉐이커(Shakers) 교단의 근거지로 삼았다.

쉐이커 교단은 많은 호응자를 얻어 크게 발전하였고
19 세기에 들어서면 24 개 공동체에 4-5000 명의 신도들이 살고 있었으나
앤리의 서거와 함께 급속도로 세력이 줄어들어
현재는 당시의 생활상이 궁금해서 찾아오는 관광객들과
역사의 현장을 찾아오는 순례자들을 위한 박물관 역할로만 남아있다.

아메리카는 앤리가 도착한 그 이듬해부터 시작된 8 년 간의 독립전쟁을 겪었고(1775-1783)
1776 년 빠리 조약에 의해 독립을 얻게된다.

이렇게하여, 세벤느에서 출발하던 성령의 불과 빛은 어언 신생 아메리카에 도달하였고
이곳을 중심으로 전 세계를 향해 새로운 역사와 함께 뻗어나가게 된다.

프랜치 프로페트가 영국으로 건너가 런던에서 그들 특유의 종교활동을 시작할 즈음의 영국과
런던의 종교 상황을 놓고, 당시 이성과 자유의 개창자이던 볼테르는 the country of sects 라고
비꼬았다고 한다.

The Country of Sects

종교개혁이 몰고 온 여러 긍정적인 효과 중 하나는, 세계 각국의 사람들이 자신의 언어로 성서를
읽을 수 있었다는 점이다. 그리고, 성서가 널리 보급되면서 찾아온 큰 변화 중 하나는, 성서에
대한 자유로운 접근과 연구였고, 그 결과 초래된 새로운 현상 중 하나가 바로 여러 다양한
종파의 탄생이라 할 수 있다.

카톨릭은 성서를 제대로 보여주거나 가르치지도 않았으나 대신 성서의 절대적인 가치에 대해서는
확실히 인각시켜 놓았었기에, 성서에 담긴 내용을 처음으로 자세하게 접하자마자 그동안 배운
것과 큰 차이가 있음을 알았고, 양심과 신앙의 자유에 입각한 개개인의 성서에 대한 깨달음은
교회가 책임지기 힘든 수준까지 발전하였고, 전통적인 사제와 교회의 입장을 개개인이 대체하는
선까지 발전하게 된다. 말 그대로 교회를 대체하는 사람은 더이상 교회를 나갈 필요성을 느끼지
못했고, 사제 없이도 자신의 구원은 자신의 노력과 신앙에 의해 결정됨을 처음으로 인지하기
시작하였으며, 하늘과 인간 사이에는 오직 한 분 예수 그리스도만이 계심도 처음으로
인식하였다.

성서에 대한 자유로운 접근은 신앙과 신학 양 방면에서 새로운 변화를 가져왔는데, 특히 구약
다니엘서와 신약 말미에 있는 계시록에 근거한 '천년왕국설'이 등장했고, 어지러운 시대 속에서
종말을 읽는 이들의 종교적 열정이 너무 지나쳐서 '광신'적인 형태도 역사의 전면에 새로이
등장한다. 그리고, 광신의 극치 중 하나는 바로 자기 자신 속에서 끝날에 오신다는 그리스도와
재림주의 상을 발견하는 형태라고 할 수 있다.

'천년왕국설'은 '전 천년설'과 '후 천년설'로 나뉘며, 교황권을 적그리스도로 규정하며, 세상이
끝날에 이르렀다는 사상도 널리 퍼짐에 따라, 그 천년왕국(millennium)이 언제 도래할 것인가에
대한 시기 산정에 대한 시도도 즐겨 등장한다. 특히 조만간 다가올 1666 년을 주목했는데,
666 이란 숫자는 성서에 기록된 짐승의 숫자이기 때문이었고, 1666 년이 지나가도 종말에 대한
관심은 여전하였으며, 거기에 따른 여러 다양한 소종파들은 더더욱 많이 생기며 서로 난립하기
시작했다.

종교개혁과 함께 가장 먼저 등장한 것은 '재세례파'로 불리우는
'아나밥티스트'(Anabaptists)들인데,
그들은 카톨릭이 실시하던 유아세례를 부정했고, 신약성서에 나타나는 초대교회를 모델로
추구했다. 1520 년대 독일에서 시작하여 유럽 전역으로 빠르게 번졌고, 영국에는 16 세기 중반에
들어와 이미 존재하던 '로욜라파'(Lollard communites)를 비롯하여 많은 사람들의 호응을 얻었다.

'로욜라파'는 위클리프 Wycliffe 1320- 386(66) 사상을 옹호하는 사람들을 말하며, 위클리프는
처음으로 현지어인 영어로 설교와 저술 활동을 했고, 교회의 타락과 교리를 공박했으며, 성서
속에 있는 은총의 신비를 강조하는 가운데, 물질이 지배하는 교회를 공박하며 기독교에 내재하는
순수성을 강조하였다. 그리고, 처음으로 신구약을 번역 발간했다.

17 세기 후반, 국교회의 미진한 프로테스탄트 개혁으로 청교도들의 불만이 시민전쟁(Civil
War)으로 분출되었고, 이 혼란기를 틈타 더욱 과격한 종교 성향들이 산출되었다. 유명한
것으로는 '레벨러'(the Levellers), '디거파'(Diggers) 그리고 '제 5 왕정파'(Fifth Monarchists)
등인데, 저마다 성서 해석은 달리하였으나 한가지 공통점은 다같이 조만간 다가오는 천년시대를
맞이하기 위해서는 사회 정의를 제대로 실현해야 한다고 생각한 점이다. 주께서 친정하는 시대가
다가오기에, 우리는 최대한 사회를 정의롭게 만들어 놓고 기다려야 마땅하다고 생각했던 것이다.

또한 '렌터파'(the Ranters)와 초기 '퀘이커'(early Quakers)가 17 세기 영국 사회에서는 가장
과격하기로 이름난 종파들이었는데, 이 양자는 서로 경쟁하면서도 일치하는 신념은 바로 하늘과
개인은 중보자가 필요없이 직접적인 연결이 가능하기에 그것을 중시하며 추구한다는 점이었다.
하지만, 이 두 종파의 동일한 성향은 각기 상반되는 방향으로 흘러갔는 데, '렌터파'가 주장하는
개인 속에 내재하는 성령인 'indwelling Spirit' 는 죄로부터의 자유를 가능케했기에 종교적
자유분방을 초래하였고, 초기 퀘이커들이 중시하는 개개인의 내면에 숨어있는 '내면의 빛''Inner
Light'는 국가에 대한 선서 거부와 교회를 배불리우는 십일조 거부를 거쳐 모든 물질세계와의
엄격한 거리두기로 발전하게 된다.

'Millenarianism' 천년왕국 사상은, 당시 모든 종파들의 공통 희구사항이었으며,
영국 국교회 역시 시민 전쟁을 통해 적그리스도가 제거되기를 원했고, 더 나아가 전 유럽의
청교도들 역시 성서의 예언과 약속이 성취되기를 갈망했고, 까미자르난을 비롯한 각종 사건을
향해 유럽 전역에 흩어진 프로테스탕들의 관심은 더욱 집중되었다. 한마디로,
Millenarianism 천년왕국 사상은 1650 년대 당시 모든 종파들의 공통 언어였다.

영국 국교회는 17 세기가 끝나면서 로마는 망하고 파루시아가 실현되리라는 소망을 지녔다.
하지만 시간이 흐르면서 서서히 그러한 막연한 기대와 예언과 종말론으로부터 벗어나 보다
이성적인 기독교를 지향하는 쪽으로 성향이 이전되었고, 종래의 여러 극단적인 주장들은 국교회
회복시대(Restoration)를 맞이하면서 거의 사라지게 된다.

1660 년의 영국 국교회 회복과 함께, 국교회를 거부하는 여러 종파들에 대해 더욱 엄격한 제재가
시작되었고, 특히 '퀘이커'와 '재세례파' 그리고 '회중교회'와 '장로교'를 위시한 여러 독립파들이
주 대상이었다. 하지만, 국교도 안의 관용주의자들(Latitudinarians)은 점증하는 무신론이나
카톨릭의 세력에 대항하기 위해서라도 이들을 보다 널리 포용하며 연합을 이루는 것을 요구한다.

이것의 결실이 1689 년의 '관용조례'(The Toleration Act)이며, 모든 삼위일체를 믿는
프로테스탄트들을 수용키로 하여 서로간의 불신과 긴장을 완화했으나, 일부 극단적인 성향들은
여전히 더욱 멀리까지 나아가고 있었으니,잠시잠간 사이에, 여러 환상을 보는 자들과 신비주의자
그리고 자칭 메시야들이 여기저기 나타나, 파루시아와 천년시대의 시작을 외치기 시작했던
것이다.

결론

이성의 시대와 광신

18 세기는 이성의 시대였으며, 이성이 지배적인 사회에서 종교적 '열정'이 설 자리는 없다
그리하여, 종교적 열정은 곧바로 종교적 '광신'과 동일하게 취급되었고,
광신은 더더욱 이성의 시대에서 받아들일 수 없었다.

프렌치 프로페트 항쟁의 핵심에는 예언자 운동이 있고, 그 예언자 운동을 통해 나타나던 영적
현상은 종교적 열정인가 아니면 광신인가? 그들을 정죄하고 제거해야만 했던 루이 왕조와 카톨릭
교회로서는 당연히 광신이었고, 그들은 프랑스에서도 그리고 영국 런던에서도 동일한 대접을
받으며 역사의 뒤안으로 서서히 사라져 갔다.

이성이 지배하는 시대와 사회 속에 잠시 등장했던 프렌치 프로페트가 남기고 간 영적 유산은,
성서 속에서나 만날 수 있던 일종의 영적 원형(architype)을 드러내었고,
그것은 기독교의 본질에 속하면서도 중요한 핵심이기도 한 '성령을 덧 입는 것'
곧 '성령'(holy spirit) 현상이었던 것이다.

종교적 '열정'이나 종교적 '광신'과 구별되는 '성령' 현상이 지닌 가장 큰 차이점은
열정이나 광신은 본래의 자신을 잠시나마 상실하게 하는 반면
성령의 역사는, 잊혀졌거나 숨어있던 내면의 진정한 자아를 발견하고 회복시키는 기능을
발휘하는 데 있다.

이것이 선명하게 구분되거나 이해되지 않으면, 사회와 법 질서를 위협하는 신체적 정신적
질병으로 전락하고, 영국 사회 속에 갑자기 던져졌던 프렌치 프로페트 현상은 바로 이 모든
문제를 압축하여 보여준 사건이기도 하였다.

18 세기 이성의 시대를 넘어, 오늘 이 순간은
이성에다가 상식과 과학이 지배하는 시대를 살고 있다.
게다가 18 세기이래 오늘에 이르기까지, 온갖 유형의 종교적 열정이든 광신이든
심지어 성령 현상이든간에 지겹도록 목격한 세대이자 시대를 살고있는 중이다.
우리 시대에도 성령이 설 자리가 아직도 남아 있는가?
그것이 설혹 긍정적 의미로서의 성령 현상이라할지도,
여전히 설 자리는 매우 협소한 것이 현실이다.

이를 두고 그 옛날 예수 그리스도는 말씀하시기를

"인자가 올 때에 세상에서 믿음을 보겠느냐?"(눅 18:8) 하셨고,

이 말씀은 믿음이 땅에 떨어진 불신의 시대를 지적하셨다고 해석되어 왔으나,
실상은 믿음이 더이상 불필요한 미래를 내다보신 말씀일 수도 있겠다.

믿음이 더이상 필요하지 않는 미래...
종교적 열정은 물론이요 종교적 광신이나 맹신도 불필요한 시대는
성령을 덧 입거나 성령에 지배받아 자신을 잊어버리는 것도 필요치않는 시대이며
오직 우리 인간들이 처한 모순된 상황이나 악한 생의 조건을 고발하고
억압되고 상실된 자아를 회복시켜주는 성령의 역사만을 필요로 하는 시대이다.
고칠 것이 많고 극복할 것이 많았던 초기 시대의 성령의 역사는
프렌치 프로페트와 쉐이커에서 처럼 무척 시끄럽고 소란했지만
많은 것이 회복된 시대일수록 성령의 역사는 점차 조용해지며
자아가 회복되면 될수록 개개인을 향한 성령의 역사 역시 더욱 조용해 진다.

한번 죽으심으로 영원한 구원의 이정표를 세우신 그리스도처럼
한번 성령이 우리들의 영혼을 관장하고 역사하심에
고요히 나와 내 이웃의 삶을 관조하고
인생과 역사 속에 흐르는 하늘의 섭리를 발견하거나
그 발견된 섭리를 수리나 도식 또는 언어의 형태로 이치화 시킬 수 있는 사람들은
이미 자신의 속에 하늘의 섭리를 바라 볼 수 있는 눈이 심겨져 있기 때문이리라.

그리고, 또다시 세월이 흘러 시대가 바뀌면
날 때 부터 믿음이 내장된 인생이 태어나게 될 것인데
구약 성서에는 아래와 같은 구절이 있고
나는 항시 조금 다르게 그 구절을 읽고 있다.

"그들이 다시는 각기 이웃과 형제를 가르쳐 이르기를
너는 여호와를 알라 하지 아니하리니
이는 작은 자로부터 큰 자까지 다 나를 알기 때문이라" (렘 31:34)

"(그 날이 오면),
그들이 다시는 각기 이웃과 형제를 가르쳐 이르기를
너는 여호와를 알라 하지 아니하리니
이는 작은 자로부터 큰 자까지 다
(태어나면서부터) 나를 알기 때문이라"

일본 교회사 요약

10/11/2017

복잡한 일본 기독교사를 간단하게 요약해 보자.
몇가지 자료를 통해 순차적으로 살펴본다.

1단계 [자료 1] 일본 개항을 전후한 기독교 역사의 흐름을 살펴보면서
개방되기까지의 사건들을 개략적으로 제시한다.

2단계 [자료 2] 일본 기독교를 3대 밴드로 요약 설명한다.
그와함께 흔히 간과하는 제4 밴드와 중요성을 강조한다.

3단계 [자료 3] 일본 기독교사에 내재한 +33 수리 이치를 설명한다.
+33의 근거는, 그리스도의 생애에서 비롯되며,
모든 사람이 꼭 그렇게 살아가는 것은 아니나,
사명의식이 강한 일부 종교인들의 삶에서 두드러진다.
그리고, 마지막 1897년을 설명하는 과정에서,
한반도에서의 역사가 출발하는 것과 시카고에서의 움직임 및
일본으로 넘어오는 일군의 인물들의 존재를 간략하게 소개하고
그들을 들어 쓰시는 하늘의 숨은 역사에 주시하며
그 숨은 역사가 바로 마지막에 다룰 생애년표를 통한
각자의 사명이 공생애를 통해 이어짐과 동시에
공생애들이 서로 어떻게 맞물려 들어가는 가를 도표를 통해 확인한다.

4단계 [자료 4-1]과 [자료 4-2]
루터와 칼빈의 생애를 통해, 생애년표가 어떻게 나오는 가를 함께 본다.
칼빈의 생애 뒷면에 나오는, 생애년표 구조를 설명하면서
공생애 준비기간 중간 지점에서 결정적인 깨우침의 사건이 있음과
공생애 기간 21년이 매우 중요하기에, 여러 사명자들을 연이어 세워
하늘이 섭리해 나가시는 방식을 이해한다.

5단계 [자료 5] 수명년표와 생애년표의 결합' 이라는 도표를 다시 상기한다.
역사 속에서 등장하는 인물들 상호간에
생애 및 공생애가 함께 어울려져 돌아가는 것을 목격하게 되고
그러한 역사를 우리 인간이 알지 못하는 가운데 행하시는 것을
하늘의 '섭리' 라 부르고 그러한 섭리가 역사 속에 내재되어 흐르는 것을
'섭리사' 라 부른다.
그리고 그 섭리의 흐름이 일본 땅에 도달하면 '일본섭리' 가 시작되고
그 섭리의 흐름이 한반도로 진입하면 '한국섭리' 가 탄생하고,
장차 한반도를 떠나 중국으로 전진하면 '중국섭리' 가 탄생하게 된다.

이상, 몇가지 자료를 중심으로 일본 교회사를 순차적으로 이해한다.
攝理 '섭리' 란 말은 본래 교회사에서는 매우 긍정적인 의미로 쓰이는 용어이다.
하지만, 한국 근세사 이래 무분별하게 등장한 여러 신흥종교들로 인해
그 용어를 사용함이 꺼려지리만치 부정적인 의미로 손상되어 안타깝다.
이곳에서의 모든 연구와 논의는, 역사를 깊이 분석하는 데 집중할 뿐
어떤 특정한 신흥종교나 단체를 지칭하거나 옹호하는 것과는 거리가 멀다.
삼권분립에 입각하여 정부 수장으로서의 대통령 직이 필요하다는 것과
어리석은 대중들의 잘못된 판단으로 무능한 대통령이 당선되어 독재를 감행함으로
숭고한 민주주의의 가치를 훼손하고 나라를 망치는 것은 별개의 문제임과 같다.

[자료 1] : **개항을 전후한 일본 기독교 역사**

1549　　사비에르 (1506-1552) 일본 남부 가고시마에 도착 (8/15),
　　　　포르투칼 카톨릭 선교사 도래, 성서 번역 시작
1583　　마태오리치 중국 도착
1613　　제쥬이트에 의해 신약성서가 번역 발간되었으나
　　　　후일 1800년대 들어 개신교 선교사에 의해 재개.
　　　　이 해에 '게이오 유럽 사절단' 출발
1636　　'출도'(出島) 데지마 설치 - 1636년부터 1859년까지 네덜란드 동인도 회사가 문을
　　　　닫고 일본이 개항하기까지 218년 동안 일본의 나가사끼 앞 바다에 위치한
　　　　서양세계와의 유일한 교역 창구 역할을 한 인공 섬.
1637　　'시마바라 아사쿠사 (島原天草)의 난' 발생. 천주교의 영향으로 봉건제도에 저항한
　　　　농민운동. 약 3만7천명이 학살당함. 이후 포르투칼 천주교 박해 초래 후, 네덜란드가
　　　　주도를 잡음.
1811　　Bernard J. Betterlheim (1811-1870), 오끼나와에 머물렀던 선교사,
　　　　누가 요한 사도행전 로마서 등 일역.
1837　　Karl Gutzlaff (1803-1851)는 런던선교회 소속으로, 기존에 존재하던 한문성서인
　　　　신천성서(神天聖書)를 참고하여 마카오에서 요한복음 일본어역을 처음으로 출간
1854　　미일통상조약
1858　　일법통상조약, 신구교 유입
1859　　일본은 미일통상조약에 이어 일법통상조약을 맺으면서 개방체제를 갖추었다.
　　　　미국을 필두로 한 서구제국과의 조약체결은 일본에 개신교 선교사의 도래와 활동을
　　　　가능케 하는 계기가 되었다. 첫 일본주재 선교사로 일본을 찾은 선교사들로서는
　　　　미국 감독교회(성공회)의 죤 리긴스(John Liggins 1829-1912),
　　　　챠닝 윌리암스 (Channig M. Williams), 미국장로교회의 의료선교사
　　　　제임스 커티스 헵번(James Curtis Hepburn 1815-1911)과 그들의 동역자들
　　　　그리고 미국의 네덜란드개혁교회 소속 브라운(S. R. Brown)등이다.
　　　　이들은 일본 문호개방의 이듬해인 1859년에 모두 도착했다.

제임스 커티스 헵번(James Curtis Hepburn 1815-1911)은 의료사업과 교육사업에
힘썼는 데, 그의 아내가 만든 '헵번숙' 은 지금의 메이지대학으로 성장했고
그의 초청으로 1869년 도일한 메어리 키더 (Mary E. Kidder 1834-1910)의
진료소에서 후일 페리스 여학원이 탄생한다.
또한, 헵번은 성서 번역 사업에도 힘을 기울였으며, 1861년에 도일한 동료선교사인
발라 (James Ballagh 1832-1920)선교사를 도와 요코하마에 작은 집회를 시작하였다.
신앙의 자유가 금지된 상태였지만 9명의 일본청년들이 세례를 받으며 출발한 교회가
요코하마 최초의 개신교회 '카이간 교회' (海岸教會)이다.

그외 기억할만한 중요한 선교사들로서는,
Uriah Smith 1832-1903 '다니엘과 계시록에 대하여'
　　　　(Thoughts on Daniel and the Revelation) 저자
William Baxter Godbey 1833-1920 웨슬리언 성령운동 복음주의자,
　　　　나까다쥬지에게 영향
William Eugene Blackstone 1841-1935 무디 영향 받은 시오니스트,
　　　　나까다쥬지에 영향, Jesus is Coming 저자

1873　　신앙의 자유가 선포되고 요코하마교회는 더많은 청년들이 모여들었다.
　　　　헵번의 숙소는 언더우드나 아펜젤러가 한국으로 가기위해 잠시 머물렀던 곳이다.
　　　　그의 조언과 재정적 뒷받침이 있었고 한국 성서 번역 작업에도 큰 도움을 주었다.

[자료 2] : 일본 기독교 3대 구분

1/ **삿뽀로 밴드** 개인적 신앙을 중시, 무교회주의 지향
William Smith Clark 1826-1886 삿보로 농학교, 메리만헤리스와 함께
1877년 삿보로벤드 결성. 클라크의 영향으로 배출된 주요 인물은
우치무라 간조(內村鑑三)를 비롯해
니토베 이나조(新渡戶稻造),
타카기 미즈타로(高木壬太郞),
미야베 킨고(宮部金吾)
특히 우찌무라 간조 (內村鑑三 1861-1930)는 무교회주의로 유명한데,
무교회주의란 교회를 없애자는 것이 아니라, 기존의 서구형 교단 지배를
벗어난 독립교회로서의 신앙공동체를 구성하되 사람이 중심이지
교회와 교권이 중심이 되어선 안된다는 사상이다.

2/ **구마모도 밴드** 국가적 신앙을 중시, 영향력있는 구미아이 조합교회組合教會로 발전.
Leroy Lancing Janes (1837-1909) 1871년 구마모토(熊本) 洋學校에
초대된 육군사관, 에비나단죠 등 배출.
니지마 죠(新島襄 1843-1890), 1875년 同志社대 설립.
에비나단조 (海老名彈正 1856-1937) 구마모토벤드, 8대 도지샤 총장
고자키히로미치 (小崎弘道 1856-1938) 구마모토벤드, 도지샤 2대총장.

3/ **요코하마 밴드** 교회적인 신앙 중시, 일본 장로교회로 발전
James Ballagh 1832-1920 일본도착 1861
오시가와마사요시 (押川方義 1852-1928) 도후쿠학원 창립자
사코이카지노스케 (정심미지조 1854-1940) 메이지학원 창립멤버
우에무라 마사히사 (植村正久1858-1925) 메이지학원 창립멤버
요코하마밴드의 인물을 배양했던 곳이 '바라숙' 이고, 바라선교사의 지도를
받았던 청년들은 거의 개종하게 되었고 대표적인 인물이 우에무라이다.

러・일 전쟁기인 이 시기 일본 기독교계를 대표하는 인물 세 사람 :
우찌무라 간조 (內村鑑三) 1861-1930 1877 삿보로벤드. 무교회주의자
에비나단조 (海老名彈正) 1856-1937 1876 구마모토벤드. 도지샤 총장
우에무라 마사히사 (植村正久) 1858-1925 1872 요코하마벤드. 메이지학원 창립멤버,

총결론
삿뽀로 밴드는, 개인적 신앙과 무교회주의를 지향했기에 근세사의 격변기를 통해 역사의 뒤로 후퇴했으며, 구마모도 밴드는, 국가 신앙을 중시했기에 패전과 함께 점차 힘을 잃게 되었고,
요코하마 밴드는, 서구식 교회와 신앙체계를 따름으로 살아남았으나 현재 이 순간 기독교인은 전국민의 0.3%에 불과하다.

여기에서 한가지 중요한 점은, 아직 다루지 않은 제4의 밴드가 있다는 것이고
이 밴드는 기원도 특이하지만 조선으로 진출하면서 다른 형태로 발전하게 된다.

제4의 밴드는 **1893년에 구성된 마쓰에(松江)밴드이며,** 퀘이커 신앙의 조상을 가진 성공회 신부이자 일본 성결운동의 아버지라 불리우는, Barclay Fowell Buxton (1860-1946)에 의해 출발했으며 , 1903년 일본전도단 (Japan Evangilistic Band=JEB)을 발족하여 전국민을 대상으로 하는 전도 활동을 벌였으며, 당시 식민지가 된 조선으로 건너가 조선 성결교회를 탄생시키게 된다.

[자료 3] : 일본 교회사에 내재하는 수리적 이치

(1) **1603+33=1636**

1603년 에도시대 (江戶時代1603-1867)가 개막되고 33년째 되던 해인 1636년
서구와의 유일한 교역 창구인 '데지마' (出島) 설치

1603 에도시대 ||========33=========|| 1636 데지마

데지마는 '출도'(出島) - 1636년부터 1859년 네덜란드 동인도 회사가 문을 닫고 일본이 개항하기까지 218년 동안 일본의 나가사끼 앞 바다에 위치한 서양세계와의 유일한 교역 창구 역할을 한 인공 섬.

(2) **1603+33=1636**

1603년은 미국 개척사에서 유명한 로저윌리암스 (1603-1683)가 탄생한 해이며
그의 탄생년 + 33년째인 1636년에 로저윌리엄스에 의해 뉴잉글랜드의 로드아일랜드
수도인 프로비던스 시가 건설되었다.

1603 로저윌리엄스 ||========33=========|| 1636 프로비던스

(3) **1831+33=1864**

1831년에는 일본에서 '플리머스형제단' 이 조직되었는데, 이 해에 조선에서는 정하상의 노력에 의한 '조선교구' 가 설립되었으며 '동양선교회' 의 본부를 일본에서 조선으로 이동함으로써 그로부터 33년 후인 1864년 갑자년을 기해 조선에서의 새로운 움직임이 출발한다. 일본에서 조선으로 중심이 이전된 새로운 움직임을 결과적으로
한반도 섭리 또는 '한국섭리' 라 부르고자 하고 1843년 일본개항 12년전에 벌써
한반도에서의 역사는 준비되기 시작했음을 알 수 있다.

1831 조선교구 설립 ||========33=========|| 1864 한섭 탄생

(4) **1864+33=1897**

한국섭리가 태동한 1864년에서 다시금 33년을 더한 1897년의 의미는 무엇일까?

1864 한섭 탄생 ||========33=========|| 1897

1897년은 인간이 처음으로 비행을 시도한 해이자 시오니즘의 토대가 놓이던 해이다.
Premier congrès israélite international à Bâle : fondation du sionisme.

하지만, 우리들에게 더욱 중요한 것은 이 해에, 무디 성서학원을 운영하던 **마틴냅이** '만국성결연맹' 을 설립하였고, 그에게 합류한 **카우만** 부부와 **킬부른** 부부가 일본으로 진출해 무디성서학원에 만난 일본인 **나까다 쥬지**와 함께 1901년 '동양선교회 복음전도관' 과 '동경성서학원' 을 설립하게되며, 1905년 동경성서학원에 입학한 조선인 **정빈**과 **김상준**을 통해 조선에까지 연결되어, 1911년에는 경성에 무교동 복음전도관과 경성 성서학원을 세웠고, 결국에는 성결교회와 서울신학대학 창설로 이어지게 된다는 점이다.

방금 언급한 일련의 흐름은 성결교회의 탄생사에 해당하니 참고하기 바라며, 이 흐름은 한편으로는 한국 성결교회를 탄생시키지만 또 다른 측면에서는 전혀 이질적인 흐름으로 발전하며, 그것이 무엇인지는 다음 기회에 알아보자.

안동민 예언

다음의 예언은, 심령과학자이자 한국을 대표하는 초능력자이셨던 안동민 선생이
오래전 1975년에 펴 내신 저서 '기적과 예언' 이란 책의 서문에 실으셨던 글이다.
영적현상인 '자동기술'에 의해 받은 예언이라고 한다.

막내딸과 함께(1978년)

"너희 한국인들은 들으라!

너희는 지난 5천년 동안
오직 시달림만 받는 가운데 인욕의 세월을 보냈으니
너희는 말세에 먼저 나의 축복을 받으리라!
하지만 너희 나라는 천년 전에 김유신이
타 민족의 힘을 빌어서 제 민족의 피를 흘려 통일을 이루었으니,
이는 나의 사랑의 원리를 어긴 짓이었느니라.
그 업보로 너희는 천년 후에 타 민족의 힘에 의해 다시 갈리어졌으니,
이는 곧 너희 나라가 선악의 대결장이 됨을 말함이니라.
그러나 6.25사변으로 너희는 그 속죄를 치르었느니라.
세계가 멸망할 것을 너희 민족이 입는 화로 대신 하였으니
너희는 세계를 위해 스스로 십자가를 진 것이니라.

이제 앞으로 너희 나라에는 많은 의로운 사람들이 나리니
이는 옛 의인들이 부활함이라.
나는 너희 나라에 일곱 기둥을 세우려 하니
많은 의로운 사람들 가운데 일곱 기둥이 무엇인지 차차 밝혀 지리라.

또한, 이 일곱 기둥은 서로 쌍을 이루리니
그 관계는 네가 필름과 포지 필름과 같느니라.
네가는 영계를 대표하는 기둥이며, 포지는 물질계를 대표하는 기둥이니,
영계를 근본으로 보면 물질계는 그림자요,
물질계를 근본으로 보면 영계가 그림자이니라.
그런고로 네가인 일곱 기둥은 소리 없이 뒤에 숨어서
포지인 일곱 기둥이 타락하지 않고 그들의 소임을 다하도록 도와야 하느니라.

또한 나는
누가 네가이며 포지인지를 밝힐 수 있는 능력을 지닌 자를 보낼 것이니,
그가 누구인지 너희는 곧 알게 될 것이며,
그의 본질은 너희 나라에 첫번째 하늘 나라가 이루어 질 때 자연히 밝혀지리라.

너희 나라에 장차 나타날 일곱 기둥은
과거세에 각기 다른 시대와 민족의 일원으로 활약한 자들 가운데 뽑히어
너희 나라에 태어날 것이니,
이는 인간은 나의 분령체이며,
내 앞에는 민족의 차별이 없고
모두 한 형제임을 밝히기 위함이니라.

한국이라 함은 한 나라라 함이니 내 앞에 한 나라를 이룬다는 뜻이며,
하늘나라가 너희 나라에서부터 이루어지며
구세주란 세상의 주인인 나를 진심으로 구하는 자라는 뜻이니
나를 진심으로 구해 마지 않는 자에게는 나의 힘이 주어지리니
이 세상에 구세주가 가득차는 날 지상천국이 이루어지리라.
지상천국이 이루어지면 하늘나라에도 함께 하늘 천국이 이루어지리니
지상에서 풀면 하늘에서도 풀리며, 지상에서 맺으면 하늘에서도 맺어지리라.

또한 너희 나라 아닌 곳에서 나머지 다섯 쌍의 의인들의 무리가 나리니,
때가 오면 너희가 서로 알게 되어 열 두개의 기둥이 되어
그 기둥 위에서 지상천국이 이루어지리라.

의인들의 수효는 모두 합하여 14 만 4 천 명이니
너희가 힘써 서로 찾아 합한즉
너희 모두에게 하늘의 축복이 나려지리라."

[1973 년 2 월 8 일]

[부록]

What time is it now?

지금 몇시인가?

시간을 묻는 질문이다.
우리가 몸담고 있고 살아가고 있는 현재 이 순간에 대해서도
시간적으로 따져 몇시쯤 되는 지를 물을 수 있음을 아는가?
시간을 말할 때 몇시 몇분 몇초 세가지 형식으로 답하듯이
우리들의 현재 이 순간의 시각에 대해서도 그렇게 3단계로 접근해보자.

제1 단계

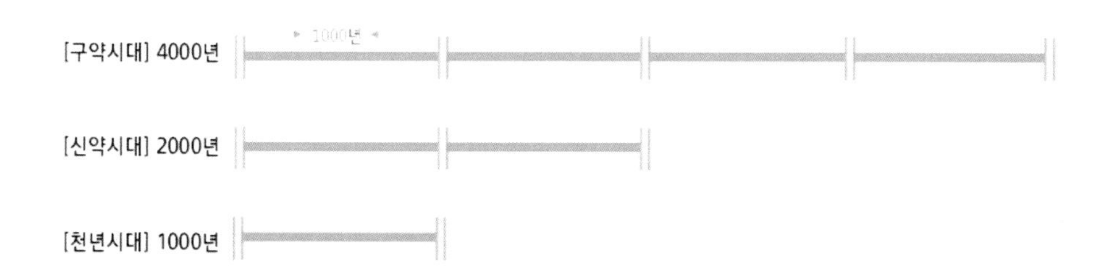

지나간 시대를 놓고 성격적으로 구분해 나가는 것을 '세대주의' 라 하고
그러한 주장을 하거나 믿고 따르는 사람들을 '세대주의자' 들이라 하는데,
구약과 신약을 구분하는 모든 기독교인들이 바로 세대주의자들이며
우리가 몸담은 현재의 시각을 언급하려면 잠시나마 세대주의자가 되어야만 가능하다.

흔히 예수 이전 '구약시대' 를 4000년으로 잡으며
예수 이후 '신약시대' 는 2000년으로 알고 있다.
그리고 신약시대 2000년이 끝나면서 새로이 시작되는 시대를 '천년시대' 라 칭한다.
구약 4000년이 신약 2000년이 되고 다시금 천년시대 1000년으로 줄어든 것은
시대의 **반감기**가 적용되었기 때문이며
현재 우리들은 천년시대의 초입에 서 있는 셈이다.
우리들의 시대적 시계가 몇시인지를 이제 알았다.

제2 단계

우리들의 선 자리가 크게 몇시인지를 알았으니
좀더 세부적으로 들어가 몇분인지를 이제 알아보자.

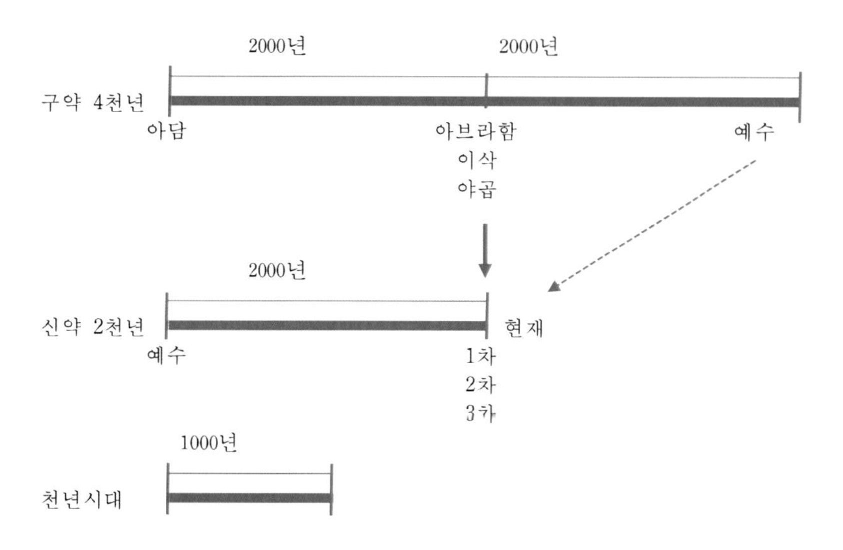

위 도표가 말하는 바는 다음과 같다.
1/ 예수 이후 2000년이 경과한 지금 우리시대는 신약시대의 종점과도 같다
2/ 우리시대는 시기적으로는 과거 예수 시대와 비견되기에 재림시대라고도 칭해진다.
3/ 우리시대는 위치적으로는 과거 아브라함과 이삭과 야곱 3대 족장시대가 투영된다.
4/ 우리시대는 예수 재림역사 시대임과 동시에 3차에 걸쳐 진행되는 역사이다.
5/ 이러한 일련의 시대가 종식되면서 비로소 천년시대가 개진된다.

위 도표와 설명이 이해되었다면
우리는 이제 몇시 몇분인지를 알게되었다.

제3 단계

from Adam to Abraham

아담에서 아브라함까지의 족보와 신약 역사 대응

창세	0	0	70 디도 황제에 의한 예루살렘 파괴 / 79 폼페이 멸망
아담	130	130	이레네우스 130-200
셋	105	235	235-240 로마제국 군벌에 의한 무정부 상태
에노스	90	325	콘스탄틴 황제의 의한 니케아 공의회 소집, 영지주의와 아리안 주의 정죄
게난	70	395	Saint Ninian, breton, évangélise l'Ecosse. 훈 족의 로마 제국 침공.
마할랄렐	65	460	
야렛	162	622	622 마호메트의 헤지라, 무슬만 원년
에녹	65	687	687 예루살렘 오마르 사원 건립 / **688-691 Coupole du Rocher, dite mosqué d'Omar.**
므두셀라	187	874	
라멕	182	1056	1054 La rupture grecque (entre Michel Cérulaire et les légats) 1054 Schisme d'Orient (Michel Cérulaire). 동서 교회 분열 1055 Les Turcs seldjoukides conquièrent Bagdad.
노아	502	1558	Mort de Charles-Quint 1558-1603 엘리자베스 1 세 여왕 등극
셈	100	1658	Fondation de la Société des Missions étrangères.
아르박삿	35	1693	
셀라	30	1723	
에벨	34	1757	
벨렉	30	1787	1784 명례당
르우	32	1819	1820 Les 'Réveils' (piétistes, théologiques, bibliques) dans la Réforme. 1820 년경 Plymouth Brethren 운동
스룩	30	1849	Occupation de Rome par les français 1850 태평천국의 난 시작, 15 년간의 내란으로 2 천만이 죽음
나홀	29	1878	Edison et Swan inventent la lampe électrique à incandescence. Fondation de l'Armée du Salut par William Booth. 정빈 (1878-1949)
데라	70	1948	Découverte des manuscrits de la Mer Morte. Guerre d'independance. Mai 1948. Les Juifs de 102 nations du monde reviennent en Israël. Proclamation de l'Etat d'Israël
아브라함	6	1954	한섭시작
아브라함	70	2024	한섭종결
아브라함	75	2029	천년시대 출발
아브라함	86	2040	이스마엘
아브라함	100	2054	
이삭	60	2114	
야곱			

한국섭리사와의 동시성

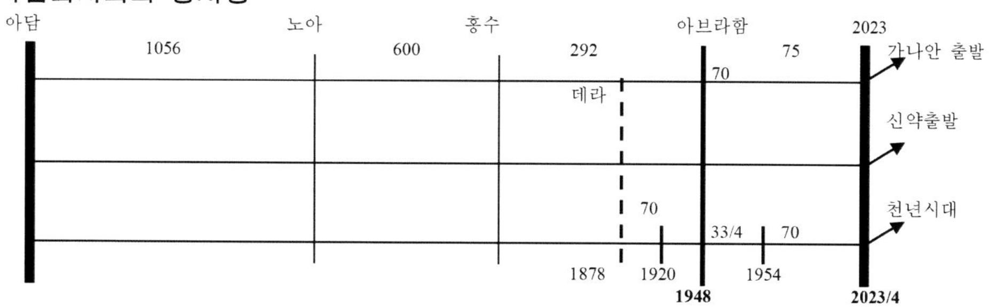

위 도표와 다음에 소개되는 도표에 담긴 의미를 다 이해한다면
우리시대의 시간에 대해서 몇 시 몇 분을 넘어 몇 초 까지 정확하게 알게된다.
1864년 한반도로 진입했던 일련의 역사는 3차에 걸친 파도를 넘어 종결점에 이르렀고
장차 일정한 기간이 흐르면 한반도를 떠나 다음 단계로 넘어간다.
새 술은 새 부대에 담는다는 말씀처럼,
새 시대의 새로운 역사는 열매 잘 맺는 다른 민족이 이어받게 될 것이다.

90년 주기 역사 이동

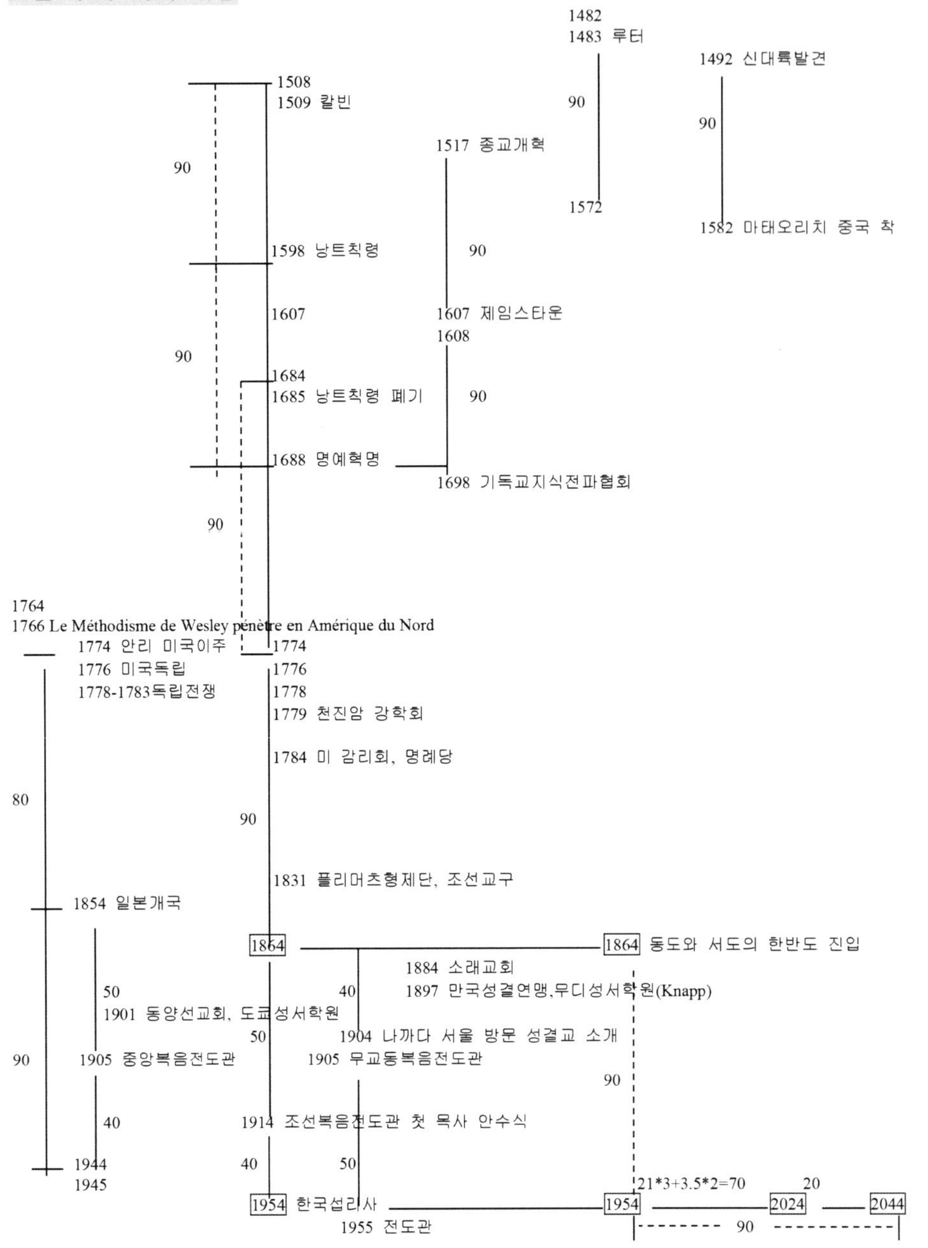
1482
1483 루터
1492 신대륙발견
1508
1509 칼빈
90
90
1517 종교개혁
90
1572
1582 마태오리치 중국 착
1598 낭트칙령
90
1607
1607 제임스타운
1608
90
1684
1685 낭트칙령 폐기
90
1688 명예혁명
1698 기독교지식전파협회
90
1764
1766 Le Méthodisme de Wesley pénètre en Amérique du Nord
1774 안리 미국이주
1776 미국독립
1778-1783독립전쟁
1774
1776
1778
1779 천진암 강학회
1784 미 감리회, 명례당
80
90
1831 플리머츠형제단, 조선교구
1854 일본개국
1864
1864 동도와 서도의 한반도 진입
1884 소래교회
1897 만국성결연맹,무디성서학원(Knapp)
50
40
1901 동양선교회, 도쿄성서학원
50
1904 나까다 서울 방문 성결교 소개
90
1905 중앙복음전도관
1905 무교동복음전도관
90
40
1914 조선복음전도관 첫 목사 안수식
1944
40
50
1945
21*3+3.5*2=70
20
1954 한국성리사
1954
2024
2044
1955 전도관
90

갑자년 약식 년보

	1444
1	1444 甲子 Rudolphus Agricola
2	1445
3	1446 한글반포, William Grocyn 1446-1519
4	1447 바티칸 수축
5	1448
6	1449 Wimpheling (1449-1558), 노르망디 수복
7	1450 Gutenberg 성서발행, William Warham
8	1451 Christopher **Columbus**
9	1452 Leonardo da Vinci
10	1453 Chute de Constantinople
11	1454
12	1455 Jacques Lefevre d' Etaples
13	1456 갈릭스트 교황에 의한 잔다르크 회복
14	1457 **Unitas Fratrum**
15	1458
16	1459 **Maximilien I**
17	1460 Vasco Da Gama
18	1461
19	1462
20	1463 Jean Pic de Mirandole
21	1464
22	1465
23	1466 Erasme
24	1467 Guillaume Budé
25	1468
26	1469 Nicolas Machiavel, Nânak
27	1470
28	1471 Guillaume (William) Briconnet
29	1472 Briconnet
30	1473 Nicholas Copernicus 지동설
31	1474
32	1475 Michelangelo Buonarroti
33	1476
34	1477
35	1478 Thomas More
36	1479
37	1480
38	1481 Franz von Sickingen
39	1482 Johannes Oecolampadius
40	1483 **Martin Luther 루터**
41	1484 Ulrich Zwingli
42	1485 Balthasar HUBMAIER
43	1486 Andreas Bodenstein CARLSTADT
44	1487 Gabriel Zwilling
45	1488 Müntzer, Thomas
46	1489 Müntzer, Guillaume Farel 파렐
47	1490 **Müntzer 뮌쩌**
48	1491 Henry VIII, Martin Bucer
49	1492 **대륙 발견**, 아랍 종식
50	1493 카톨릭 선교사 대륙 진출
51	1494 William Tyndale, Francois I
52	1495 **Menno Simons**

	1504
1	**1504 甲子 Philippe Ier de Hesse**
2	1505 Saint-Pierre de Rome
3	1506 Francis Xavier, George Buchanan
4	1507 America 지칭
5	1508
6	1509 **Jean Calvin**
7	1510 JEAN DE LEYDE 1510-1536
8	1511 **Miguel Servetus**
9	1512 Gerhardus Mercator
10	1513 John Knox 1513/4-1572.11.24 (59)
11	1514
12	1515 Sébastien Castellion
13	1516
14	1517 **La Reforme**
15	1518
16	1519 **Coligny**
17	1520 Jean Ribaut
18	1521 멜랑흐톤 책을 통해 개혁 사상 전파
19	1522
20	1523 쯔빙글리 성상 파괴
21	1524 독일 농민전쟁
22	1525
23	1526
24	1527 로마 약탈
25	1528
26	1529 프로테스탕 - 스피어 종교회의
27	1530
28	1531 Ligue de Smalkalde.
29	1532 La Réforme en Swisse
30	1533 칼빈, 국교회 출범, 엘리자베스
31	1534
32	1535
33	1536
34	1537
35	1538 William Kethe, William Fulke
36	1539
37	1540 Fondation de la Jésuits
38	1541 Calvin Geneve
39	1542 Saint François-Xavier aux Indes
40	1543 코페르니쿠스 이론 발표와 사망
41	1544 유정, 조헌
42	1545 *Concile de Trente,* 이순신
43	1546
44	1547 Edouard VI 개신교 신앙 부활
45	1548 Philippo G. Bruno
46	1549 사비에르 일본 착
47	1550 **Robert Browne**
48	1551 Henri III 1551-1581
49	1552 **Matteo Rici**
50	1553 **Henri IV**, Michel Servet 화형
51	1554 les premières Eglises réformées, 버지니아 개척

53	1496 Vasa Gustavus I	52	1555 마리튜더, 위그노 브라질
54	1497 Philip Melanchthon	53	1556
55	1498 Savonarole 플로란스에서 화형	54	1557 녹스 에코스 개혁, 폴란드 개혁
56	1499 Sebastian Franck, 보라루터, Juan de VALDES	55	1558 엘리자베스 여왕 즉위
		56	1559
57	1500 샤를 5, **Melchior Hofmann**	57	1560 Jacobus Arminius
58	1501 Johann David Joris, 이황, 조식	58	1561 Colloque de Poissy
59	1502 Premier voyage d' ésclaves noirs en Haïti	59	1562 Wassy 학살, 종교전쟁, 위그노 미 상륙
60	1503 Henri II de Navarre, Nostradamus, 양산보	60	1563 Henry Jacob, Francis Gomarus, 허난설헌

	1564		1624
1	1564 甲子 Galileo A. Galilei	1	**1624 甲子 George Fox**
2	1565	2	1625 북유럽 프로테스탕 동맹
3	1566 William Brewster 1566-1644.4.10	3	1626 Guillaume II prince d' Orange
4	1567	4	1627 Robert Boyle
5	1568	5	1628 Miguel Molinos
6	1569 Konrad Vorstius	6	1629 Louis TRONCHIN, 라호셀 함락, 경교비 발견
7	1570 John Smyth		
8	1571 **Johannes Kepler**	7	1630 침례교 미국 진출, Hamel
9	1572 *La Saint-Barthélémy*	8	1631 Philip Henry,
10	1573	9	1632 Galilée 천체운행, John Locke
11	1574	10	1633 Condamnation de Galilée
12	1575 **Jakob Boehme**	11	1634-1742 Querelle des rites chinois.
13	1576	12	1635 **Philipp Jacob Spener**
14	1577 **Formula of Concord**	13	1636 Providence, 데지마(出島), 淸
15	1578	14	1637 로드아일랜드 안허친슨 이동
16	1579 **Henri II de Rohan**	15	1638 F.A. Lampe 프랑케 경건주의
17	1580 John Smith	16	1639 Increase Mather
18	1581	17	1640 Benjamin Keach
19	1582	18	1641 Henri Arnaud 왈도파 리더.
20	1583	19	1642-1649 Première Révolution d' Angleterre
21	1584	20	1643
22	1585	21	1644 **William Penn**
23	1586	22	1645 John Mill 1645-1707
24	1587	23	1646 'Société des amis' , 크롬웰
25	1588 Johann Heinrich Alsted, Gisbert Voetius	24	1647 Confession de foi de Westminster
26	1589	25	1648 Jeanne Marie Guyon
27	1590	26	1649 샤를 1세 처형
28	1591 **Anne Marbury Hutchinson**	27	1650 Les luthériens 북미착, Guillaume III
29	1592 Jan Amos Comenius	28	1651 Quirinus, Coddington, Fénelon
30	1593 Henri IV abjure, 명조 1593-1661	29	1652 **Louis de Rohan-Chabot**
31	1594	30	1653-1658 Protectorat d' Oliver Cromwell.
32	1595	31	1654 Anthony Morris, Jr.
33	1596 데카르트, 아미로	32	1655 New York 네덜란드인이 스웨덴에서 탈취.
34	1597		
35	1598 **Edit de Nantes**, Hugh Peter	33	1656 James Abbadie 1656-1727
36	1599 **Oliver Cromwell**	34	1657 Jean Leclerc 1657-1736
37	1600	35	1658 **Hampton Court**
38	1601	36	1659
39	1602 동인도회사 설립	37	1660 복고왕정과 박해 재개
40	1603 에도시대, **로저윌리암스**	38	1661
41	1604 John Eliot	39	1662 *Acte d' uniformité* de l' Eglise

42	1605 Mary Barret Dyer		d' Angleterre.
43	1606	40	1663 Fondation du M.E.P., Auguste H.
44	1607 제임스 타운		Francke
45	1608 Champlain fonde Québec	41	1664 **Jean Meslier** 1664-1729 (65)
46	1609	42	1665 Anne Stuart 1665-1714
47	1610 Mary Berette Dyer	43	1666
48	1611 TURENNE, Henri de la Tour	44	1667
	d'Auvergne	45	1668
49	1612 Thomas Helwys 첫 **침례교 설립**	46	1669
50	1613 Jeremy Taylor	47	1670 John Toland 1670-1722
51	1614 샤를 시대 메인 주를 뉴잉글랜드로 명명	48	1671 Frederick IV
52	1615 Richard Baxter	49	1672 Hugh Boulter
53	1616 **Antoinette Bourignon**	50	1673 Experience Mayhew
54	1617 Ralph Cudworth	51	1674 Isaac Watts
55	1618 Synode réformé de Dordrecht	52	1675 *Consensus Helveticus.*
56	1619 아담샬 중국 착	53	1676 Jean CAVALIER Sauve 출신
57	1620 May Flower, Pilgrim Fathers 101	54	1677 Abraham MAZEL
58	1621 아마쿠사시로 天草四郎	55	1678 Elie Marion
59	1622 인디언전쟁, 리슐리 등장, 나가사키 박해	56	1679 Alexander Mack
60	1623 Jane Leade, Blaise Pascal	57	1680 Rolland (Pierre Laporte) camisards
		58	1681 Jean Cavalier, 이익
		59	1682 Quakers ; Philadelphie et
			Pennsylvannie 설립
		60	1683

	1684		1744
1	1684 甲子	1	1744 甲子 la guerre anglo-française en Inde
2	1685 퐁텐블로 칙령으로 낭트칙령 폐기	2	v.1745 Le clergé anglican ferme ses églises
3	1686		aux disciples de Wesley : il ordonne
4	1687		lui-même ses ministres : origine du
5	1688 Emmanel Swedenborg, 명예혁명		*Méthodisme.*
6	1689 Charles Louis de Montesquieu Secondat	3	1746 하일랜드 재커바이트 맥캔지족 몰락
7	1690 이중한	4	1747 Thomas Coke
8	1691 박문수	5	1748 Henry Alline
9	1692 살렘의 마녀재판	6	1749 괴테
10	1693	7	1750 권상연
11	1694 볼테르	8	1751 김범우
12	1695 John Glas(s)스코틀랜드 소종파 창시자	9	1752 주문모, 이존창
13	1696 Samuel Johnson	10	1753 Canada 불 식민지 5만5천, 영령 150만
14	1697	11	1754 루이 16, 이벽, 이서구, 풀러
15	1698 기독교 지식 전파 협회	12	1755 Louis XVIII
16	1699 Christian VI of Denmark	13	1756 이승훈, 유항검
17	1700 진젠도르프	14	1757 Charles X
18	1701 영국 해외복음전파협회	15	1758 정약전
19	1702 까미자르	16	1759 **Anne Cutler**
20	1703 존웨슬리	17	1760 Thomas Clarkson
21	1704 Spangenberg	18	1761 **William Carey**
22	1705 할레선교회	19	1762 Rousseau : *Contrat social* et *Emile*
23	1706	20	1763 Thomas Campbell
24	1707	21	1764 Voltaire : *Dictionnaire philosophique*
25	1708	22	1765
26	1709	23	1766 Le Méthodisme de Wesley pénètre en
27	1710 루이 15		Amérique du Nord
28	1711 Henry M. Muhlenberg, Marie Durand	24	1767

29	1712 Jean-Jacques Rousseau, 안정복
30	1713 Denis Diderot, 홍봉한
31	1714 궤홍
32	1715 프랑스개혁교회, 오자상
33	1716 John Law 에 의한 은행 지폐 발행
34	1717 La Franc-maçonnerie
35	1718 Paul Rabaut
36	1719
37	1720
38	1721 David Zeidberger
39	1722 모라비안 신앙 공동체인 Herrnhut 탄생
40	1723 Paul Henry Thiery, baron d' Holbach
41	1724 Immanuel Kant, 홍양호
42	1725 Martin Boehm
43	1726 Christian F. Schwartz
44	1727 renouveau des 'Frères Moraves' avec Zinzendorf.
45	1728 James C. Cook
46	1729 John W. Fletcher
47	1730
48	1731
49	1732 **George Washington**
50	1733
51	1734-37 **죠나단 에드워즈 부흥** 현상
52	1735
53	1736 **Ann Lee Standerlin**
54	1737
55	1738 Wesley fonde le méthodisme
56	1739
57	1740 Expédition Béring en Alaska
58	1741 홍가신
59	1742 Isabella Marshall Graham, 권일신
60	1743 Thomas Jefferson

25	1768 Joshua Marshman
26	1769 William Ward
27	1770 헤겔
28	1771 앙리마틴
29	1772 **안리 계시, 허계임, 람모한로이**
30	1773 유희
31	1774 안리 미국 이주, 데지마, 왕시옥
32	1775 미 독립전쟁, 황사영
33	1776 미 독립선언
34	1777
35	1778
36	1779 천진암강학회
37	1780
38	1781 Asa Shinn
39	1782 미 독립비준 **Robert Maurrison, William Miller**
40	1783 Paix de Verseilles (indépendance des Etats-Unis). 미 합중국에 남아있던 앵글리칸들이 프로테스탄트 감독교회를 조직
41	1784 명례당, 미 감리교 설립
42	1785 William Milne
43	1786 Alexander Campbell
44	1787 Sacre du premier évêque anglican pour le Canada. Vote de la Constitution américaine Edit de Tolérance accorde aux protestans, 루이 16세, 종교자유 선포
45	1788 Adoniram Judson
46	1789 프랑스혁명
47	1790 Champollion
48	1791
49	1792 Première société missionnaire baptiste. 윌리암케리에 의해, 이방 선교를 위한 특정침례교협회 설립 Charles Grandison Finney
50	1793 윌리암 캐리 인도 선교, John Scudder
51	1794 Christian Metz
52	1795 Fondation de la Société missionnaire de Londres : début de l' ère des missions. *London Missionary Society*. 런던선교협회 (침례장로회중 연합). Henry Havelock
53	1796 Laurent Marie Joseph Imbert, 김루시아김데레사남경문 등 초기 카톨릭 신자 탄생, Georges Storrs 1796.12.13-1879.12.28 (83) 종말론 설교가
54	1797 Alexandre R. Vinet, Mary Lyon, 현석문
55	1798 프랑스 로마 점령 공화국 선포. 교황 비오 6세 포로, 프랑스에서 사망
56	1799 나폴레옹 집권 1799 Fondation de la *Church Missionary* en Angleterre. 교회선교협회(앵글리칸)
57	1800 John Nelson Darby
58	1801 신유박해, 켄터키 천막부흥운동
59	1802 Sarah P.Haines Doremus
60	1803 Karl Gutzlaff, 모방, 샤스탕

	1804
1	1804 甲子 영국해외성서협회, 다비드아빌, 이운규
2	1805 죠셉스미스(몰몬교), 죠지뮐러
3	1806 노예제도 금지 법안 통과
4	1807 Mary Carpenter
5	1808 나폴레옹군 로마 점령, 교황포로
6	1809 **Abraham Lincoln,** Charles R. Darwin
7	1810-1825 Guerre d' indépendance dans les colonies espagnoles d' Amérique du Sud. 1810 해외 선교를 위한 미국 위원회 설립, 해외 선교에 헌신하기로 약속한 일단의 학생들에 의해 시작, 미 오순절 운동
8	1811 **Bernard J. Betterlheim**
9	1812 합중국과 영국과의 전쟁 1812-1815
10	1813 David Livingstone
11	1814 **홍수전** (洪秀全), Berneux
12	1815 James Curtis Hepburn
13	1816 미국성서협회 설립
14	1817 타고르
15	1818 Marie Antoin Nicolas Daveluy (1818-1866) 1845 김대건과 입국, 1891 우리말 라틴 대역사전, 마르크스
16	1819
17	1820 Les 'Réveils' (piétistes, théologiques, bibliques) dans tout le monde de la Réforme. 1820 년경 Plymouth Brethren 운동
18	1821 Première mission en Inde de la *Society for the Propagation of the Gospel.* 김대건, 최양업, 중국 민간종교, **George Williams**
19	1822 Gregor Mendel
20	1823 Ernst Renan
21	1824 최제우, 이필제, Robert S. Maclay
22	1825
23	1826 김일부
24	1827 최시형
25	1828 Jean-Henri DUNANT
26	1829 William Booth
27	1830
28	1831 플리머스형제단 조직, 정하상의 노력에 의한 조선교구 설립. 동양선교회, 일본에서 조선으로 본부 이전. 1831.9.9 조선교구 설립, 부뤼기에르
29	1832 Hudson Taylor, Mary Scranton
30	1833 William Baxter Godbey
31	1834 Charles H. Spurgeon
32	1835
33	1836 Fondation de la première communauté de Diaconesses à Dusseldorf, créé par Theodor Fliedner. 위엥루가
34	1837 **Dwight Lyman Moody** **매킨타이어** Arthur Tappan Pierson
35	1838

	1864
1	1864 동도와 서도의 한반도 진입으로 인한 한반도 섭리 개시
2	1865 **Kilbourne**, 하디, 로제타
3	1866 노블
4	1867 존스
5	1868 **Charles Cowman,** 명치유신 시작
6	1869 길선주, 양전백
7	1870 中田重治나까다쥬지, 최중진, 이순화
8	1871 강증산, **Lewis Chafer,** Pieters
9	1872 샤프, 구니아히데 1872 Synode général des protestants français 1872 일본 요꼬하마, 첫 개신교회 설립, 미국에서는 무디 설교 시작 1872 요코하마 일본기독교공회 (海岸教會) 건립, 일본인 신도 독립 자치원칙 획득 서구교파 소속 거부 1872 요코하마벤드 창설
10	1873 解除對基督教禁令
11	1874 切支丹 환고향, 무어, 김익두
12	1875 김구, 이승만, 슈바이쳐
13	1876 **한일수호조약**, 구마모토밴드
14	1877 삿보로밴드
15	1878 구세군, 정빈, 이반로버츠
16	1879 안중근
17	1880 고판례, 차경석, 신약성서발간
18	1881 김상준, 김장호
19	1882 웨슬리 신학대학원 전신 '웨스트민스터 신학원' 설립, 한미수호조약, 태극기 제정, 김성도
20	1883 고명우, 셰핀
21	1884 알랜도착, 불트만
22	1885 언더우드 스크랜턴 도착
23	1886 한불조약, 칼바르트
24	1887 장광벽
25	1888 가가와도요히쿠
26	1889 강대성, 아펜젤러2세
27	1890 마틴, 쇼, 이명직, 류영모
28	1891 사우어, 박중빈
29	1892 Florence E. Root, 변성옥
30	1893 마쓰에밴드, 셔우드홀, 毛澤東, 맥캔지 래한, 김남조
31	1894 백남용, 전용해, 중일전쟁
32	1895 백낙준, 백낙준, 나이아가라 성회
33	1896 **무디성서학원**설립(카우만 부부), 김응조
34	1897 만국성결연맹(냅), 최태용, 정득은, 주기철
35	1898 기독교허용, 예수교회(이호빈)
36	1899 김치선, 장면, 김활란
37	1900 이성봉, 이범석, 의화단 사건
38	1901 중앙복음전도관(동경), 이용도, 이소벨
39	1902 손양원, 한경직, **빅토르윌링턴피터스**
40	1903 원산부흥, 일본전도단, 워치만니 1903 Premier vol des frères Wright en aéroplane.

36	1839 아편전쟁, 기해박해
37	1840 **Robert Jermain Thomas**
38	1841 Henry Morton Stanley
39	1842 **죤 로스** [John Ross], 이수정
40	1843 죠지밀러가 주장한 재림 해, Simpson, Scofield
41	1844 Accord franco-chinois sur les missions (passeports)
42	1845 John Franklin Goucher
43	1846 병오박해(김대건+75)
44	1847 Sacre du premier évêque pour l' Afrique du Sud.
45	1848 백홍준, 서상륜, 칼막스 공산당선언 출간
46	1849 Occupation de Rome par les français
47	1850 태평천국의 난, 15년간의 내란으로 2천만이 죽음
48	1851
49	1852 서경조
50	1853 **Martin Wells Knapp, 벙커 Bunker, Dalziel**
51	1854 미 해군 페리 제독에 의해 일본 개방
52	1855 심시민, 전봉준
53	1856 William Benton Scranton 1856.5.29-1922.3.23 (66) 스크랜턴 여사의 아들
54	1857-1858 미 각성운동 1857 길모어 [Gilmore, George William]
55	1858 **John W. Heron, Appenzeller, Henry Gerhart, Allen, Horace Newton, 최병헌**
56	1859 개신교 선교사 일본 도착 1859 Charles Darwin : *L' origine des espèces au moyen de la sélection naturelle.* **Underwood, Horace Grant**
57	1860 A partir de 1860 : les Eglises se regroupent en Fédérations nationales ou mondiales. Les 'réveils' entraînent un malaise dans les Eglises d' Etat schismes en Ecosse, Suisse, Hollande. 남북전쟁 1860-1865, **William James Hall**
58	1861-1865 Guerre de Sécession. 남북전쟁, 윌리엄 존맥켄지 1861-1895, 內村鑑三 1861-1930.3.28, 손병희
59	1862 요꼬하마 천주교당 耶蘇寺 건립, 김형렬, 니토베이나조
60	1863 Fondation de la Croix-Rouge. 노리마쓰 마사야스 (乘松雅休 1863-1921) 다비의 플리머스 형제단 조선 선교사. 1896년 조선으로 와서 1921년 별세 **James Scarth Gale** 1863.2.19-1937.1.31 (74) 카나다 출신 선교사로 길선주 목사의 스승. 천로역정을 번역하고 구운몽을 영역. 또한 블랙스톤의 저서 '주님이 오신다' 도 번역. Heron 선교사의 미망인 헤티와 결혼.

41	1904 안식교, 성결교 도입, 러일전쟁, 유관순
42	1905 동양선교회 발족, 정교분리, 위트니스리
43	1906 LA부흥운동, 김경석
44	1907 무교동복음전도관, 평양부흥회, 성결교
45	1908 첫 여성 목회자(전밀라, 엘리자베스 슈미트), 구세군
46	1909 강신명, 안중근 거사
47	1910 한일합방, 장보스크
48	1911 중화인민공화국 1911 무교동 성서학원 설립과 함께 교회로 변모하기 시작. 성결교 이름은 1921년부터. 참고로 전도관은 1956 탄생. 1911 서울 무교동 복음전도관 부설 '경성성서학원' 설립 1911 '일본 성 교회' 에서 카우만(1868-1924)과 나까다쥬지(1870-1939) 이견 발생 1911 이호운, **James M. Stuckey**
49	1912 김용기, 김일성 1912.4.15~1994.7.8
50	1913 홀리네스 선교회가 교단이 되는 것에 반대하고 사사오데스브로 이탈
51	1914 조선복음전도관 첫 목사 인수익과 김상준(1881-1933)과 정빈 결별. 1914-1918 Première guerre mondiale. 1914 Création du Mouvement international de la réconciliation. 1914 미국에서, 성령세례를 믿는 자들이 모여 오순절 파 하나님의 성회 탄생. 1914-1918 세계 제1차 대전, 30개국 참전과 6500만명의 군인 동원, 1/7 사망, 1/3 부상.
52	1915 스톡스, 정주영
53	1916 윤성범
54	1917 러시아혁명, 박태선, 김백문, 박정희
55	1918 서남동, 안상홍, 박한경, 빌리그래함, 문익환
56	1919 Traité de Verseilles. 최규하 1919 Fondation de la *World' s Christian Fundamentals Association* 1919 김흥호, 류영모
57	1920 Création du Conseil international des Mission ; premier président, John Mott (1865-1955) laïc méthodiste américain. 1920 La Conférence de Lambeth lance un 'appel à tout le peuple chrétien' en vue de l' unité. (ang.) 1920 Intercommunion avec l' Eglise luthérienne de Suède. (ang.) 1920 미국 여성 참정권 1920 문선명, 장병길, 크레스피, 김용옥
58	1921 Fondation du Conseil international des Missions (C.I.M.)., 정진경, 남도부
59	1922 안운산, 김수환, 안병무, 정순석
60	1923 낫생, 권신찬(구원파+33=1956)

	1924		1984
1	1924 김대중 1924.1.6~2009.8.18, 양도천	1	1984 카톨릭 전교 200주년, 103위 시성식
2	1925 김준곤, 몰트만,	2	1985
	권태진 1925.8.19-2002.12.29 77	3	1986 권이
3	1926 엘리자베스2, 김종필	4	1987
4	1927 변선환	5	1988
5	1928 손흥조, 김원필, 판넨베르그	6	1989
6	1929 장병일, 하비콕스, 김영삼, 신부기	7	1990 조건희
7	1930 최경식	8	1991
8	1931 안동민, 조희성, 이만희, 전두환	9	1992 권신
9	1932 법정, 노태우	10	1993 조준희
10	1933 고백교회, 나찌집권	11	1994 권도선
11	1934 김윤열, 민경배	12	1995
12	1935 이회창	13	1996
13	1936 감리교와 회중파 내의 개혁파 신자들이	14	1997
	연합하여 프랑스 개혁교회 결성, 조용기	15	1998
14	1937 중일전쟁, 국공합작	16	1999
15	1938 프랑스 개혁교회	17	2000
	김홍도, 옥한음, 백낙청	18	2001
16	1939-1945 Deuxième guerre mondiale.	19	2002
	2차 세계대전, 57개국 참전.	20	2003 한섭 3차
	전사자 행방불명자 1500만.	21	2004 오벨리스크
17	1940 테제 공동체 par Roger Schutz.	22	2005 토마에의한 복음서
18	1941 Rudolf Bultmann : *Nouveau Testament*	23	2006 마니교 곱트어 사전
	et démythologisation.	24	2007 섭리포럼
	1941 유병언, 김정일, 이명박, 정회관	25	2008 통합 곱트어 사전
19	1942 Fondation de la *National Association of*		한국섭리이해
	Evangelicals. 미국 복음주의자 연합회 by	26	2009 섭리사이치
	칼멕킨타이어와 헤럴드오켕가. 하지만		이치와선포1
	나중에 오순절파를 수용할 것인가를 놓고	27	2010 이치와선포2
	분열(오순절파는 은사가 끊기지 않았고	28	2011
	지속된다 주장), 미국근본주의 대회와	29	2012
	미국복음주의협회(NAE)로 나뉘었고	30	2013 곱트어 문법,
	여기에서 1947년 풀러신학교 탄생.		이집트상형문 사전
	(동부의 프린스턴의 옛 정신을 계승한	31	2014 오역한시재발견,
	서부 신학교. 세대주의와 같은 극단적		도마복음서
	보수를 경계함)	32	2015
	1942 이영수(에덴성회, 전도관 계승자)	33	2016
20	1943 이재록	34	2017
21	1944 박옥수	35	2018 천부경 구조 분석
22	1945 해방. 이해인, 정명석	36	2019 생사이치1
23	1946 Fondation de l' Alliance biblique	37	2020 생사이치2
	universelle.	38	2021
	1946-1950 일본 선교, 문성진	39	2022
	노무현 1946.8.6~2009.5.23 63	40	2023 밀레니엄족보1
24	1947 허경영	41	2024 한섭 본령 종결
25	1948 사해 쿰란 문서 발견.		생사이치3
	1948 Guerre d'independance.	42	2025
	Mai 1948. Les Juifs de 102 nations du monde	43	2026
	reviennent en Israël.	44	2027
	1948 Proclamation de l' Etat d' Israël	45	2028
	1948 Amsterdam : Constitution du Conseil	46	2029
	oecuménique des Eglises : 147 Eglises	47	2030
	participent àcette première assemblée	48	2031
		49	2032

	mondiale ; elles représentent toute la	50	2033
	chrétienté non catholique. Des Eglises	51	2034
	préchalcédoniennes et orthodoxes sont	52	2035
	membres du C.Œ.E. dès sa création.	53	2036
	1948 세계교회협의회, 이현석	54	2037
	1948 김재준 박형룡 신학적 충돌로 1940 년에	55	2038
	세운 조선신학교를 한신대로 개명	56	2039
26	1949 중화인민공화국 수립. 유재열	57	2040
	1949 프랑스에서 월남 라오스 캄보디아 독립	58	2041
	1950 Déclaration du C.Œ.E : une Eglise qui	59	2042
	se déclare la seule authentique et véritable	60	2043
	Eglise (cf. Eglise orthodoxe ou catholique)	갑자	2044 한반도에서의 역사 종결.
	peut cependant entrer au C.Œ.E. qui n' est		2045
	pas une super-Eglise, mais une Assemblée		2046
	d' eglises.		2047
27	1950 Pie XII : dogme de l' assomption de la		2048
	Vierge.		2049
	1950-1953 Guerre de Corée. 한국전쟁		2050
	1950 이승헌		2051
28	1951 La Chine envahit le Tibet, 김무성		2052
29	1952 조성민, 박근혜		2053
30	1953 유선, 윤새인, 홍윤표, 권영세		2054
31	1954 Eglise de l' Unification fondée par Sun		2055
	Myung Moon. 한섭 1 차, 안경전		2056
	1954 Evanston : Deuxième Assemblée		2057
	mondiale du Conseil oecuménique des		2058
	Eglises. 163 Eglises sont représentées.		2059
32	1955 Création de l' Eglise (épiscopalienne)		2060
	de Ceylan, par l' union d' Eglises		2061
	anglicanes, méthodistes et baptistes.		2062
	이정섭		2063
33	1956 Pie XII admet l' accouchement sans		2064
	douleur.		2065
	1956 Parution de la *Bible de Jérusalem*.		2066
	1956 Guerre Israélo-arabe.		2067
	1956 La crise de Suez		2068
	1956 Indépendance tunisienne et marocaine.		2069
	1956-1957 2500e anniversaire du nirvana du		2070
	Bouddha. 권영흠		2071
34	1957 Création de l' Eglise (épiscopalienne)		2072
	de l' Inde du Nord (cf. Eglise de		2073
	l' Inde du Sud). 김형만		2074
	1957 Spoutnik I et II		2075
35	1958 De Gaulle, président du Conseil.		2076
	Constitution de la Ve République.		
	1958 Deuxième guerre israëlo-arabe.		
	추미애, 유승민, 송선애		
36	1959 Fondation de la Conférence des Eglises		
	européennes.		
	1959 Fin des prêtres ouvriers en France.		
	유시민, 심상정, 김충현, 이은미		
37	1960 노영실, 배혜경, 윤석렬		
38	1961 New Delhi : Troixième Assemblée		
	mondiale du Conseil oecuménique des		
	Eglises : Explication de la base		
	doctrinale et définition de l' unité.		

	Le Conseil international des Missions s' intègre au Conseil oecuménique des Eglises. 오세훈 1961 Construction du Mur de Berlin. 1961 Vostok I, avec Gagarine, le premier homme dans l' espace. 홍성부, 김정숙		
39	1962-1965 Concile de Vatican II : les évêques sont collégialement et localement (dans leur diocèse) responsables de l' évangélisation. 1962 Les Fédérations mondiales luthérienne, réformée, méthodiste, congrégationaliste, des Quakers, des Disciples du Christ ; l' Eglise Vieille catholique, évangéliste d' Allemagne ; les principaux mouvements issus de la Réforme qui ont des observateurs au Concile. 1962 제 2 차 바티칸 공의회(요한 23 세), 안철수, 송선미		
40	1963 Assemblée mondiale de la Communion anglicane à Toronto. 1963 Montréal : Assemblée de travail de la Commission 'Foi et Constitution' : les relations Ecriture-Tradition et la signification ecclésiologique du Conseil oecuménique des Eglises. 1963 케네디 대통령 암살 이재명, 나경원, 임찬순, 임상배, 김영우		
41	1964 La Fédération Luthérienne Mondiale demande l' instauration d' un dialogue avec l' Eglise catholique. 1964 La France reconnaît la Chine populaire. 1964 Eglise Réformée : accession des femmes au ministère pastoral. 김성은		
42	1965 USA. Loi sur le droit de vote des Noirs. 조국 1965.4.6-		
43	1966		
44	1967 이순민		
45	1968 김어준		
46	1969		
47	1970 박영송		
48	1971 이병수, 문정숙, 박성연		
49	1972 김건희, 권구락		
50	1973 주재모		
51	1974		
52	1975		
53	1976 김래원		
54	1977		
55	1978 한섭 2 차, 권은영, 오광석		
56	1979 신상은, 권오영		
57	1980 백승협		
58	1981		
59	1982		
60	1983 루터탄생 500 주년 기념		

中國民間宗教 歷史年表

2013 년 8 월 20 일

東漢

126-144	순제년간, 張陵, 사천 흑명산에서 오두미도 창립. 일설에 의하면 파두인 張修가 창립했다고도 함. 파군과 한중 일대에 신도들이 많았다.
172-178	거록인 張角, 태평도 창립. 10 여년에 신도가 수십만에 이르름.
184	장각의 황건군 농민기의
190	장수의 오두미도 농민기의
191	장릉의 손자 張魯가 장수의 손에서 교권을 탈취하여 한중에다 天師道 정권을 세움.
215	한중을 점령한 曹操에 의해 천사도 정권 종식.
216	Mani 216-277 마니교 창시자

西晉

303	李雄이 천사도수 范長生의 지지 하에 성도를 점령. 이듬해 성도왕이 되었고 3 년후에는 칭제 년호를 大成 국호를 漢으로 하였으니 이를 역사에는 成漢이라 부른다.
4 세기초	摩尼敎 전래, 二宗三際 사상 민간종교에 영향.
334	慧遠法師 334-416 82 381 려산 용천사, 386 동산 동림사, 390 려산 18 현 123 제자, 416 입적.

東晉

399	孫恩의 오두미도 농민기의. 따르는 자들을 장생인이라 불렀고 전투에 패해 바다에 투신하자 그의 매부 盧循로순이 군대를 이끌고 10 여년을 투쟁했다.
402	승려 慧遠이 려산 동림사에서 18 현자들과 함께 白蓮社를 결성 彌勒淨土法門을 열어 이후 모든 민간종교에 깊은 영향을 주다. Cf. 불교 정토종에는 미륵을 모시는 미륵정토와 아미타불을 모시는 아미타 정토로 나뉜다. 백련사는 아미타불을 모시기에 마니교 미륵교 백련채 백운종과 같은 백련교와는 구별된다.

南北朝

515	동진시에 들어온 인도 대승교를 바탕으로 승 법경이 농민기의.
527	부옹으로 불리우는 傅大士가 미륵하생을 주장하는 미륵교 창건. 백의 착복.

脩

581-600	신행의 三階敎와 末法 사상은 후일 민간종교 교의에 영향.
610	미륵교도 황궁 난입.
613	미륵교도 宋子賢의 황제 어가 기습 모의 좌절과 미륵교도 向海明의 기의.

唐

641-681	善導, 淨土宗 또는 蓮宗 창립. 혜원을 초조로 하고 자신을 백련사 전인으로 주장하며 정토법문을 열다. 선종 6 조인 혜능의 남선종과 돈오설. 이 두 불교종파의 민간종교에 대한 영향이 크다.
694	무측천, 장안에서 摩尼敎 전교사를 만난 후 합법적 전교를 허락하다.
699	三階敎 금지 칙령.
715	미륵교 금지
725	재차 삼계교 금지.
732	한인이 마니교 신봉 금지 (현종개원 20 년)
843	마니교 엄금과 전국 마니사 철폐

845	훼불과 함께 재차 마니교와 미륵교를 엄금함으로 민간비밀종교로 유입시킴

五代

920	후량말제정명 6 년, 모을의 마니교 기의

北宋

1047	미륵교도 왕측 기의. 66 일 항거끝에 잡혀 개들의 먹이로 던져지다.
1060-1125	북송 후기, 摩尼敎 漢化 演變爲 明敎
1120	방석의 명교 농민기의

南宋

1130	종상의 동정호 지구 명교 농민 기의
왕념경의 강서 명교 농민 기의.
1133	茅子元의 白蓮懺堂
1133-1170	오두미도와 태평도 이래 근 1 천년이 경과하면서 마니교 교의와도 융합된 결과 백련교 형성.

元

1280	두만일 강서 백련교 기의. 백련교 탄생 후 첫 기의.
1300	고선도 광서 백련교 기의
1304	백련교도 普度의 려산련종보감 발간.
1313	인종황경 2 년, 백련교 공인
1322	영종치지 2 년, 백련불사 금지
1325	조축사와 곽보살, 미륵불 당유천하를 주장하며 기의 도모
1337	봉호(호윤아) 미륵불 백련교 기의
1338	주자왕 강서 백련교 기의
1351	5 월　북방 백련교수 한산동과 유복통 백련교 대기의.
한산동이 살해되자 유복통이 한산동의 아들 한림아를 왕으로 추대 농민정권을 수립.
8 월　남방 백련교수 팽형옥이 서수희를 황제로 추대하며 백련교 기의
1356	백련교도 주원장 농민기의, 자칭 오국공.
1360	서수희가 죽자 부하 장수 명옥진이 백련교를 국교로 하는 정권 수립. 국호 夏, 년호 天統.
1365	호북 백련교도 란축아,
팽형옥을 사칭하며 인장을 만들고 관리를 세우며 주원장에 대항했으나 진압됨.
1366	한림아, 주원장에 의해 과주강에서 전사.
1368	정월　주원장 남경에서 칭제 건원홍무 국호 대명.
8 월　명군 대도 진입 원조 멸망.

明

1371	명옥진의 자 명승, 명에 항복.
1373	백련교도 왕원보 사천 벽련교 반명 기의
백련교도 왕옥이 호북 벽련교 반명 기의, 왕불원 자칭 미륵불 강생을 주장하며 호응.
1379	호북 진우량의 옛 부하 손량의 반명 기의.
사천 백련교도 팽보귀 기의
1381	사천 광안주 산민 자칭 미륵불 취중 반명
1384	광서 이종주 백련교 반명 기의 도모.
1386	강서 팽옥림 자칭 미륵불 조사 반명 白蓮會 조직 기의 도모.
1388	강서 주삼관 자칭 미륵불 하범 반명 백련교 기의.
1397	陝西섬서 한중현 관리 고복흥, 승 이보치, 농민 전구성 백련교 농민기의
1406	호북 승인 취중 반명 백련사 기사 도모.
귀주와 홍주 백련교도 오란, 오광, 오당화 취중 반명.
1409	고복흥 이보치 전구성의 여당 금강노, 자칭 미륵불 섬서 백련교 기의

	강서 이법랑 반명 백련교 취중
1410	강소 백련교 여지도자 추씨 반명 취중.
1414	광서 백련교도 찬억 취중 반명.
1416	산서 백련교도 유자진 취중 반명
	호남 백련교도 곡옥수 취중 반명
1418	호북 산서 여러 곳에서 백련교도 취중 반명.
1420	영락 18 년, 산동 백련여교수 당색아 반명 대기의
	북직예 백련교도 왕보순, 진정 백련교도 양득춘과 위만권 취중 반명.
1430	산동 서하현 태평사 승 명본과 법중, 백련교를 이용한 반명 여론 조성.
	섬서인 신민, 백련교 이용 반명 여론 조성.
	불설황극결과보권 발간
1431	강소인 전성, 백련교 이용 민중 반명 조성.
1434	섬서 백련교도 이고와 산서 승 료진 등 24 인 도모 반명.
1435	북직예 백련교수 장보상, 장홍 취중 반명
	강서 승인 연욱림 백련교 취중 반명.
1438	산동 백련교도 손지 취중 반명.
1442	백련교도 종원 북경 취중 반명
1443	하남 여주인 장단, 백련교 이용 기의 도모.
1449	3 월, 채묘광과 5 월, 라천사 강서 백련교 기의
1455	안휘 조옥사 백련교 기의
1464	백련교 수령 유통과 석룡화상의 유민 기의 .
1470	성화 6 년, 최대 규모의 류민 기의 발생.
	석룡 화상의 부장이었던 이원의 영도 아래 100 만이 가담.
1482	성화 18 년, 산동 래주부 묵현인 라청 무위교 창립.
	라교 또는 라조교라고도 불림. 송원과 명청 백련교의 가교 역활.
1465-1487	성화년간 산서 백련교수 왕랑과 이월 반명 기의
1509	정덕 4 년, 라조오부경 발간.
	노고오도권, 탄세무위권, 파사현정약시권 1.2,
	정신제의무수정자재보권, 위위부동태산심근결과보권.
1511	하남 백련교 조경융 기의
1518	대영화상 라청을 수승으로 모신 후 무위교 발전에 주요한 몇가지 경전을 발간.
	명종효의달본보권, 심경요의보권, 금강요의보권
1506-1521	북직예 승 정공, 무위교라고도 불리우는 静空教 창립.
1526	가정 5 년, 백련교 세가 이복달 부자 사건.
1527	정월 29 일, 무위교 창시인 라청 서거. 향년 85 세. 북경 단주 무위탑에 장사하다.
	라청의 아들 불정이 교권을 이었고 그의 딸 불광은 출가하여 소주 반산에 무위암을 짓고
	대승교라는 이름으로 제자를 받았다.
1534	백련교도 자계영 광서 기의. 백련교도 심준, 산해위군 선동.
1544	절강 처주부인 무위교도 은계남 용화회 창립.
1545	산서 백련교도 라정 ? 대와 주윤작 선동 기의.
1551	복건 포전인 임조은 자칭 득우명사수의진결 창립 삼일교.
1553	북직예 만전위 선방보인 이빈, 자칭 보명불 전세 황천교 창시.
1557	백련교도 마조사 반명 기의
1558	이빈, 보명여래무위료의보권 발간.
1560	백련교도 당운봉, 산동 반명 기의.
1562	황천도 창시인 이빈 졸, 벽천사에 장사하다.
1564	북직예 영평부 란주, 석불구인 왕삼, 자칭 법왕석불 창립 동대승교. 문향교라고도 불리운다.
1566	백련교도 채백관, 사천 중경에서 반명 기의.
1567-1572	융경년간, 북직예 유미씨 자칭미보살 용천도 창립.
1573	만력원년, 순천 보명사 제 5 대 주지 귀원, 대승교오부경 완성. 서대승교 창립.
1576	용화회 교주 은계남 투옥 6 년 판결.
1578	호북 수주인 교제시, 하남 동백산에서 백련교 수련 후 기의.
1579	북직예 천지삼양회 교수 왕탁, 제자 장곤의 고발로 체포, 포교 금지.

1580 하남 백련교수 조륜 기의.
1582 7월, 용화회 교주 은계남 출옥 후 온주에서 강경 7주야, 재 피포.
8월, 은계남 참수, 여 제자 보복 시신을 거두어 오곡알에 장사, 이후 용화회 성지가 됨.
북직예 영평부인 왕좌당 금당교 창립.
1585 광동 유청산, 무위교사 건립, 관군의 공격으로 도주.
1586 황천도 전인 보정, 보정여래약시보권 저술.
1587 임조은 삼일교주로 옹립, 수십처 삼일교 사당 건립.
1588 북직예 영평부인 환원, 환원교 창립.
1589 백련교수 이원랑 광동 반명 기의.
1590 복건 증정방 삼일교 기의.
1594 북직예 광평부인 한태호 홍양교 창립.
1595 북직예 영평부 당국 왕삼 구금 후 석방
1598 삼일교주 임조은 서거. 노문회 적전대종사로 승계.
홍양교 창시인 한태호 29세로 사망.
1600 무위교도 조일평 반명기의.
1604 복건성 오건 오창 형제 백련교 소요.
1606 무위교도 유천서 자칭 용화제왕 만여명의 도중을 이끌고 기의.
1614 왕삼 문도 이국용과 고응신의 무고로 투옥 5년 후 옥사.
1615 조정 금지 교문 – 열반교, 홍봉교, 노자교, 라조교, 남무교, 정공교, 오명교, 대성무위교.
무위교조 라청의 손 라문거, 라조오부경 교정, 후일 남경무위교도에 의해 발간.
1618 조정, 라조오부경과 무위교 금지.
감숙 백련교수 이문, 기의.
1619 양주강도 백련교수 무오공 기의 도모.
1604-1619 만력말엽, 북직예 진정부인 주인, 봉수회 창립.
1620 태창 원년, 대사면에 사교인 무의교 백련 홍봉 대승교는 제외.
1621 천계원년, 사천 백련교수 유응선, 기의 농민정권 수립
절강 처주부인 용화회 교도 요문우, 용화회 창시인 은계남 전세 주장 2대 교주.
산동 래주부 묵현에서 재리교 창시인 양재 탄생. 후일, 반청복명을 목표로 재리교 창시.
1622 5월, 동대승교 전두 서홍유 기의 농민정권 수립.
7월, 봉수회 수령 우홍지와 고세명, 서홍유 기의에 향응.
11월 기의 실패 후 피포, 동지 47000여명과 함께 처형.
요문우, 각지에서 용화대회를 개최하고 10여년 간 3차의 천불회 거행.
1623 산동 대동인 왕보광, 무리를 모아 용화회 구성.
왕삼 3자 왕호현, 서홍유와 주인과 기의 모의.
섬서 마원휴와 양문 기의 발각.
1624 용화회 교수 김과, 마영 기의 도모.
동대승교 교주 왕삼 3전 제자 장천연(궁장조) 대승천진원돈교 창립.
1625 양환, 양종유 기의 도모.
1627 천계 7년, 용화회 청허 왕장생, 요문우와의 분열로 종주 황천도의 장생교 창립.
1629 숭정 2년, 4월, 서홍유의 여당인 유사현, 장가령, 손인각, 왕운, 왕인덕 등 기의 도모.
11월, 산동 백련교수 동대성 이성명 기의.
서홍유 여당 주병남 기의 도모.
1630 북직예 봉황산 운봉사 백련교도 기의 도모
개봉과 귀덕 일대의 백련교와 금선교 기의 도모
1633 서홍유 여당 왕익륜 기의.
1637 금당교 제2대 교주 동응량 투옥 및 邪敎惑衆의 죄로 처형.
1638 복건, 강서 하남 등지의 백련교도 소요 진압.
1639 하남 백련교수 이구순 기의.
1642 관외 청 정권, 동대승교 이명인 심양선우회 간부 16인 처형 및 금교.
1644 숭정 17년, 노문휘, 삼일교 주요 경전인 林子三敎正宗統論 편집.
용천도 경권인 家譜寶卷 발간.

淸

1645	순치 2 년, 산서 삭주 장가곡등 촌 선우회 신도, 청조의 탄압에 맞서 청군을 퇴각시키다.
	섬서 동대승교수 호수용 기의
1646	5 월, 절강 처주 수장 양정신에 의해 요문우 사망.
	7 월, 대성교를 따른 조고명 조만은 조응향을 처형시키다.
1647	산서 대성교수 정등계 왕월천 주매천 등의 기의 도모
1650	산동 상하현 동가림촌인 동즙승 천지문교 창립.
1652	대승천진원돈교 창시인 궁장조의 제자 李某(木人 혹은 目人) 저술, 古佛天眞考證龍華寶卷.
1654	목인 저술. 쇄석목인개산현교명종보권
1655	동사승의 스승 진충유 삼전제자 삼일교 주지로 숭앙받음
1656	동대승교도 주자순 반청기의
1659	광동 당국, 동대승교 전파자 주유 처벌.
	목인, 청조 민간종교에 많은 영향을 끼친 이조삼부경 저술 완료
	쇄석접속련종보권 (앞서 나온 두권의 책인 佛天眞考證龍華寶卷와
	쇄석목인개산현교명종보권 에 이은 것)
1660	왕삼의 원손인 장문 왕호례의 손자 왕민적 청 당국에 피포.
1662-1671	강희초년, 산동 단현 유좌신 收元敎 창립.
	왕훈도 또는 팔괘로 나누어 제자들을 받았기에 팔괘교라 칭함.
1681	운남 경동부 장보태, 대리부 명족산에서 대승교를 공부한 후
	자칭 49 대 수원조사요 미륵불 당관천하 주장, 이개화를 황제로 추대.
1682	용화회 경권, 삼조각인유부권 간행
1690	천지문교 창시인 동즙승 서거.
	그의 유언에 따라 고명형이 교권을 이어 35 년을 인도한 후 1725 년 서거.
1682-1701	강희중엽, 유좌신 장자 유여한이 팔괘교 2 대 교주 승계.
1716	청정 엄금 삼일교.
	삼일교 사당 철폐로 인해 여러 사당들이 문창각 혹은 옥황전 또는 서원으로 개명.
1717	하남 백련교수 이설신과 원진 기의.
1719	청정에 의한 팔괘교 안.
1713-1722	안휘남릉현인 무위교도 반천승, 자파회 창립.
1723	옹정원년, 사교 엄금령.
1724	직예 당국, 순천교 교수 유언기 피포.
	라교 엄금 옹정제 특명.
1725	절강 당국 무위교 온주 교주 범자성과 복주 교주 왕문치 진립소 등 구속.
1727	7 월, 산서 백련교수 적빈여 장진두 혁광 등 처형
	10 월, 청당국, 무위교 조사 라청 7 세손 라명충 체포.
	산동 수원교주 유여한의 경전을 전파하던 산서 수원교도 한덕영 체포.
	절강 당국, 장생교 엄금과 장생교암을 보제 육영 2 당으로 개편하고
	전지를 몰수 경비를 충당.
1728	소주 당국 무위교 경당 11 처를 단속.
	산동 당국, 空子敎 간부들 구속.
1729	강서 용화회 교수 요환일, 당국의 추적을 피하기 위해 一字敎로 개명.
1732	3 월, 강서 라교수 황삼관 자칭 미륵불 자미성 재당을 건조하고 삼황성조교를 설립.
	백양회라고도 한다.
	5 월, 摸摸敎라고도 불리우는 儒理敎 단속, 교수 이은의 발배.
	직예 당국, 청초 동일량이 창건한 의법교 단속.
	운남 당국 대승교수 장보태 체포, 1741 옥사.
1734	강서 당국, 삼황성조교와 교주 황삼관 체포.
	강남 당국, 삼승교(자파회) 단속, 작고한 교주 반천승의 아들 반옥형 무리 체포杖斃(장폐).
1735	직예 당국, 황천도 교주 이복과 교도 상발 체포.
1736	건륭원년, 유여한의 아들 유락, 팔괘교 계승 3 대 교주.
1740	하남 복우산 백련 여교수 일지화 피포.
	직예 사하현인 胡二引, 收緣會 건립.
1742	산동 당국, 용천도 신도 근숭우 조사.
	산서 당국, 收源會 교수 전금대 체포.

1746 4-6 월, 청 당국, 장보태대승교 모의 정보에 의해 전면 조사.
장보태의 계자 장효와 위재파, 오시제, 유기 등 여러 교수들이 구속.
능지처사 및 효수형에 처하고 장보태의 스승 양붕익은 무덤을 파 헤침 – 장보태사교안.
9-11 월, 직예 순천부 당국, 홍양교 사안. 동응과, 련옥혜, 임일괴, 유씨 등 련관.
10 월, 복건 당국, 라교 교수 정래구, 사통천 등 구속.
직예 당국, 무위교도 동사우, 교주 라명충 구속.
청 당국, 홍양교 전습한 경성 거주민 조종보와 그의 처 왕씨 구속.
1748 정월, 산서 수원교수 한덕영, 전대원 구속.
복건 노관재교 여수령 普少 기의.
9 월, 강서 일자교수 요문모 구속.
10 월, 복건 라교도 엄옥 기의 투옥된 라교수령 엄우휘 구출.
절강 당국, 자손교 즉 장생교 교인 축사화 등 10 여인을 구속.
1749 광동과 호남 라교 경당 7 처와 경권 적발.
1752 백련교수 마조주, 이개화의 이름을 빌려 호북에서 기의.
1753 6 월, 절강당국, 용화회 교도 주희길 전습 삼승공부 적발.
7 월, 산서 당국, 혼원교수 마진경 적발 杖斃(장폐).
8 월, 직예 당국, 혼원교수 왕회, 장폐.
재리교 창시인 양재 133 세로 서거.
하남인 張仁 榮華會 설립. 10 자합동 작성.
1755 유각의 아들 유성과 팔괘교 4 대 교주 승계. 內安九宮 外立八卦로 20 년 인도.
1756 영화회 교수 장인과 제자 왕오균 피포 처형.
직예 수연회 여교수 胡二仁進 장인을 구하려 옥에 침입. 이후 수연회 멸실.
1759 윤래봉, 천진에서 毛來지로부터 羊祖大法을 전달받고
양재 제 6 대 전인이 되어 재리교를 부흥시키다.
1763 3 월, 영화회 교도 서국태, 교명을 收元教로 바꿈.
황천도 사안. 벽천사 이빈의 묘를 훼파하고, 이빈 일가를 공개 좌시형에 처함으로
200 년 황천도 쇠락.
1764 왕삼 7 세손 왕충순, 자칭 미륵불, 조부 왕역이 건립한 청정무위교를 백양교로 개명.
1765 윤래봉, 천진에 사로공소 설치.
1766 의화권, 백련교 일파가 됨.
1768 건륭 33 년, 하남 당국 수원교수 서국태 피포. 능지처사.
직예 라명충 사후 손자 라덕림 라교조 화상 및 경권 보유 적발.
강소 당국, 대승교와 무위교도 70 여인과 경당 11 처 적발.
대승교수 주문현과 무위교수 성해 구속.
직예당국, 황천도 부흥을 시도한 최유발 적발.
강소당국, 장생교 적발. 장생교 발상지 서안현을 대규모 사찰.
교당을 중건한 교도 육첨여 교살.
1769 직예당국, 홍양교를 부흥시킨 홍양교수 桑文을 오로무치로 발배.
1770 산서원돈교 교수 위자명 장책.
1771 백양교수 왕충순과 지도자 피포 후 피살.
1772 팔괘교 사안. 교주 유성과 능지. 진괘교 일지 괘장 왕중과 제자 후경태
그리고 감괘교장 공만림 치죄.
1773 원돈교도 왕휴림 하주 왕가파에서 초초회 창립.
1774 8 월, 청수교수 왕륜 반청복대순 기치 산동 기의.
1775 건륭 40 년, 2 월, 직예 홍양교 사안.
9 월, 하남 청양교수 조문세와 문도 80 여명, 조문세 참.
혼원교 교수 울명덕 능지처사.
1776 관외당국, 홍양교 습득 왕중흥 등 단속.
1777 유성과 차자 유이홍, 팔괘교 제 5 대 교주.
초초회 교수 왕휴림 기의 도모.
1780 복건당국, 라조대승교인 심본원 단속.
1781 호북, 대승교도 진기재등 단속.
1782 수원교를 부흥시킨 전항업 참수.

1783	직예 홍양교도 이문명, 산서 홍양교수 왕증원, 양국보 등 단속.
	팔괘교 분지 감괘교 수령 어문, 서무림등 백련교와 의화권 수련 처벌.
	강서인 오자상 오반교 창립. 구속 후 석방 이듬해 병사.
1784	호북인 손귀달 수원교 부흥.
1785	건륭 50 년, 호북 수원교수 손귀달 피포 능지처사.
1786	안휘 수원교도 전항실 유문교 창립.
	팔괘교도 단문경 기의. 교주 유대홍, 유이홍 참수.
1787	천지문교 창시인 동즙승 5 세손 동지도 피포.
1788	3 월, 혼원교도 유송, 제자 유지협과 사안으로 명성이 떨어진 교명을 삼양교로 개명.
	10 월, 호북 수원교도 요응채, 사금을 피해 수원교를 삼익교로 개명.
	섬서당국, 초초회 교수 뇌득본 살해.
	삼일교 재차 사금으로 쇠퇴.
1789	건륭 54 년, 하남 삼익교 사안.
	강서 오반교도 하약 피포. 귀주 발배.
1791	진계교수 유조괴 피포. 신강 전교 진괘교수 왕자중 피포 북경 압송 후 처형.
1792	진계교수 유조괴와 포문빈 처형.
	수원교도 왕응호와 그의 스승 애수 수원교 부흥.
	호북 수원교도 송지청, 자칭 미륵불 전세, 서천대승교 창립.
1794	삼양교수 유지송과 아들 유사아와 서천대승교수 송지청, 수원교수 왕응호 피포.
	10 월 왕응호 능지처사. 유송 능지처사. 아들 유사아 참수, 송지청 능지처사,
	골간 송현공 재림 등 19 인 참수.
1796	가경원년, 정월, 호북 삼양교도 섭걸인과 그의 스승 장정모, 천왕유지협 기치 아래
	천협초 백련교 대기의 개시.
	2 월, 서천대승교 장교 요지부와 여교수 왕총아 호북 기의.
	3 월, 섭걸인 투항, 6 월 장정모 투항.
	10 월, 서천대승교 사천 교수 서천덕 기의.
1797	요지부와 왕총아가 이끄는 의군과 서천덕 사천 의군 합류.
	하남 백련교도, 투옥된 수령 손인과 주병의 구출.
1798	3 월, 요지부와 왕총아를 비롯한 10 여명의 여전사들, 투항을 거부하고 산정에서 투신 자살.
1800	가경 5 년, 감숙 초초회 교도 마재성과 양등괴 초초회 부흥 운동.
	오반교도 오청원 피포, 발배 흑룡강 노비.
1801	3 월, 초초회 교수 양생재 기의.
	5 월, 서천덕 기의. 전투 중 익사.
	복건인 이능괴 양반음반교 창립.
1802	안휘현인 유유현의 무의교 가르침. 후일, 제자 김종유 수원교로 개명.
1803	자칭 후당천자전세 이능괴, 기의 도모 피살.
	양반음반교 기의 진압.
1804	천초섬 백련교 대기의 진압. 9 년에 걸쳐 50 만 농민 참가. 청조의 몰락 시작.
1805	가경 10 년, 감숙초초회 교수 왕화주와 석자, 부녀 간통사건으로 처형.
1808	홍양회를 전습하던 직예 순천부인 송문조, 당국에 적발되자 영화회로 개명.
	안휘인 김종유, 유유현이 전하던 무위교를 수원교로 개명.
1810	삼양교도 왕삼보, 신강 유배중인 숙부 왕발생을 미륵불로,
	흑룡 유배중인 당형 왕쌍희를 자미성으로 선전하며 삼양교를 부흥시키며 교주가 됨.
1811	년초, 직예 감괘교수 임청 하남에 전교갔다가
	진괘교수 이문성 및 리괘교수 빙극선과 결의 의형제 천리교 창립.
	40 년 분열 팔괘교 통일하며 중신.
	4 월, 손유겸대승교 사안. 교수 손유겸 처형 및 골간 발배로 당해 교 멸실.
1812	가경 17 년, 겨울, 이문성 직예 대흥현 송가장에서 임청과 회합,
	이듬해 9 월 15 일 직예 산동 하남 동시 기의 약속.
	금단팔괘교 교수 동회신 처형.
1813	하남 노산현인 왕태평, 부친이 남긴 경전에 입각해 전교.
	경전 내에 육림혼원이란 용어 때문에 육림혼원교라 칭함.

9 월 3 일, 천리교 기의 사전 발각 이문성 하남 활현 당국에 피포.
양 다리를 지지고 때려도 종내 함구.
9 월 10 일, 임청이 약속에 따라 300 명 교도를 두 그룹으로 나누어 경성에 잡입.
홍양교수 유흥례도 문도들을 보내어 임청의 황궁 습격 계획에 합류. 이문성 구출됨.
9 월 15 일, 궁내태관의 협조로 천리교도 자금성 침입. 신속히 진압됨.
9 월 17 일, 임청 황촌에서 피포.
9 월 23 일, 가경제 풍역원 친신 후 임청 능지처사.
10 월, 리괘교 6 대 괘장 고첨우 천리교 사건에 연류 처형.
11 월, 이문성 의군 퇴각 중 태행산 자락의 사색에서 항전하다가
마지막 수십 의군 이문성을 따라 불 속에서 자분.
12 월, 직예 당국, 용천도 12 대 조사 유공씨 유복안 모자 체포. 장 100 에 회개 석방.
청당국, 청다문교 발상지 석불구와 안가루 대규모 척결.
형부 백양 백련 팔괘 금지.
산서 당국, 청다문교 전습 왕삼 후예 왕삼 피포 옥사.

1814 정월 12 일, 천리교 기의 수령 빙극선, 우량신, 서안국, 구궁교수 양건충 북경에서 능지처사.
3 월, 강서 호북 대승 전 장기곤 피포 처형.
절강 당국, 항주 자파 조사 중 용화회 2 대 교주 요문우 후예 요영송 요해사 검거.
청다문교 활동, 왕삼 후예 왕봉태, 왕여개, 왕소영, 왕렬, 왕병균, 왕근학, 왕형중 등
검거 처결.

1815 가경 20 년, 2 월, 수원교수 방영승 하남 강서 강소 안휘 지방 문도 파견 반청 기의 선동.
6 월, 청당국, 직예 동안현 홍양교 혼원경 적발.
8 월, 안휘 당국 방영승 역모 안.
9 월, 방영승 35 지도자 처형.
하남 당국, 홍양교 전파 왕원인등 적발.
직예 순천부 당국, 홍양교 전파 형련지 적발.
10 월, 직예 당국, 홍양교 전파 송문조, 마양씨 주왕씨 등 적발.
12 월, 직예당국, 청다문교 교도 왕극근 삼교응총관통서 경전보유전파 죄로 처형.
삼양교 교수 왕삼보와 왕쌍희 처형.
산서 강남 호북 호남 청다문교도 왕삼 후예, 왕교태 왕삼락 왕삼외
왕전괴 왕시옥 왕병형 왕규영 왕하 왕조만 왕흥건 등 구속 처결. 청다문교 멸절.

1816 2 월, 산서 리괘교도 왕영, 스승 엽생관의 도움으로 先天教 건립. 收源教라고도 불리운다.
3 월, 용천도 12 대 조사 유공씨 처벌.
4 월, 직예 순천부, 홍양교 전습 조칠, 조충, 조문승 조사.
6 월, 직예 홍양교 전습 소경 적발. 산동 당국 홍양교 전습 진근 적발.
왕영과 스승 엽생관 교형.
7 월, 산동당국, 대승교도 장동안 구속.
9 월, 산동당국, 홍양교 전습 송우자 적발.
12 월, 직예 경주인 영첨성, 조일봉, 무색현에서 홍양교를 전하다 적발.
순천 당국, 왕삼 후예 왕삼고 청다문교 전파 적발. 능지처사.

1817 8 월, 종실 해강, 홍양교 전습 적발.
12 월, 산동 덕주 당국, 홍양교 12 대 전인 유화 적발.
한태호로부터 유화까지의 12 대 전승표 및 여러 경권 압수.
산동 직예 팔괘교 단속. 팔괘교 6 대 교주 유성림 처형.
강남 동산현 당국, 수원교수 耿志元(경지원) 처형.

1818 산동 덕주 하서 고해장 청수관 내에서 강희 36 년간 홍양교 경권 적발.

1819 산동 상하현에서 홍양교도 왕신 등 적발.

1820 가경 25 년, 대승교도 용연해 사건.

1821 도광원년, 4 월, 직예 리괘교도 마진충 明天教 건립.
오반교, 청정에 의해 철저 조사. 이후 멸실. 이후 교수 양수일, 청련교 창립.
산서 당국, 황천도 전습인 임시복 등 적발. 경권과 도상 압수.

1822 하남 신채 백련교수 주봉각 기의. 실패 후 捻軍(염군)에 합류.

1823 8 월, 대승교수 주첨명 산동 기의.
12 월, 직예 당국, 명천교주 마진충과 아들 마만량 능지처사.

	570 여명 교도 처벌로 명천교 멸실.
1824	도광 4 년. 진괘교 괘장 왕순, 청정에 의해 교형.
1825	홍양교도 이가학, 장빈, 양득서, 우삼도 등 적발.
	감숙 안화현인 종왕화, 사교음보록 발간.
1826	사천 홍양교수 왕첨봉, 주전순, 뇌덕휘 반역 도모.
	길림 당국, 홍양교수 신존인 구속.
1827	도광 7 년. 5 월, 청련교 창시인 양수일 피포. 이듬해 4 월 피살.
	12 월, 산동 당국, 이성문을 비롯한 33 인 리괘교 교도 적발.
	절강 당국, 요문우 후예 요해사 처형.
1828	2 월, 안휘 당국 조중신 백련교안.
	4 월, 직예 무극현 天香教 교수 장락웅 구속.
	8 월, 직예 未來教 교도 88 명 구속.
	산동 즉묵현 당국, 간괘교 이명인 根化教 교수 곽정진 발배.
	강남 收元教徒 섭사정 등 20 여명 구속.
1831	청당국 경남 해자 서대홍문외 홍양교 전습인 가청운 구속.
1832	년초, 백양교 교수 왕법중 교형.
	직예 리괘교 교수 윤노항 능지처사. 500 여명 연루.
	2 월, 직예 홍양교수 주응린 충군.
	직예 收源教 양관 등 신도 적발.
	3 월, 직예 순천부 홍양교수 장견산 적발.
	6 월, 직예 당국, 원돈교 한흥 등 구속.
	12 월, 복건 당국, 강서대승교도 14 인 적발.
1833	4-5 월, 길림 요양당국, 천지문교 교수 함희령, 진공옥 구속.
	12 월, 하남 남양부 공생 이림 등 입경 天竹教 전파. 청정 사금과 함께 교수 재의 구속.
	산동 리괘교도 이방춘, 자칭 미륵불 전세, 직예 리괘교수 유공의 유언에 따라 교수가 된 후, 문무 이교로 나눠 전교.
1834	정월, 직예 관리 황육변이 자비로 파사양변 간행.
	8 월, 청 당국, 북경 백련교도 장광발 조반 모의 적발.
	직예 당국, 홍양교도 유문부, 교수 동문괴 적발.
1835	도광 15 년, 3 월, 산서 월성 선천교수 조순 기의.
	월성 함락 지현 양정랑 살해. 죄인 석방. 진압됨.
	강서 장영현 재교도 공생 사봉사, 호북 동교인 황노수와 황시태의 충동으로 가재를 팔아 수천인을 도원 기의.
1836	2 월, 호남 신영현 청련교수 람원광 기의.
	천지문교 조사 동읍승 7 세손 동탄 옥사.
1837	산동 안구현 첨주교(감괘교 이명) 교수 유휴취 기의.
	산동 즉묵현 근화교수 노문선 구속.
	직예 당국, 홍양교수 장진충, 왕락증, 변락등 구속.
1839	산동 고밀현 당국 사금 곤단회.
1840	도광 20 년. 호남 호북 홍양교도 장덕휘, 여유상, 양준빈 등 21 인 구속.
1843	2 월, 청련교수 이일원, 진옥현, 팽덕원등 청련교 중흥.
	12 월, 청련교 牛八(우팔) 암호, 총교수로 주중립 옹립. 진옥현 호북에서 피포.
1844	청련교수 유의순 사천 중경에서 燈花教(등화교) 건립.
1845	청정 대흥 청련교안, 이일원, 안의성, 송토도등 청련교 령수들과 이미 투옥된 진옥현 처형.
1849	강서 장생교도 진중희 중희조언보권 서술.
1821-1850	도광년간, 강서 대흥 장생교, 유석도 삼교합일의 민간종교로 등장.
1855	함풍 5 년, 유문교 창시인 劉沅(유원) 서거. 장자 유송문 교권 계승.
	유원의 6 자 유패문의 시대를 거쳐 청말민초에 이르면 유문교는 학술단체에서 출발하여 강력한 영향력을 지닌 교문으로 발전한다.
1856	태곡학파 창시인 주태곡의 양대 제자 중 하나인 강소인 장적중, 산동을 이거한 후 비성경내의 황애산에서 황애교를 창립.
1857	2 월, 사천 등화교 기의. 교주 유의순 도피.
	12 월, 유의순이 이끄는 귀주 백호군 기의.

1858	등화교 제안단 수령 호생해 귀주 황호군 기의.
1861	산동 리괘교 여교수 고요씨 기의. 격전 3 개월.
1862	동치원년. 강서 공주인 료제빙 황사산에서 진공교 창립.
1865	호북 등화교 기의.
	호남 일자교도 진광명, 강서 기의 도모 실패.
1866	2 월, 복건 재교도 기의.
	10 월, 황애교수 장적중 기의.
	11 월, 강서 홍련교 기의. 이관분 외 12 명 지도자 피포. 교수 양환장, 증국재 도피.
	등화교 호북 기의 도모.
1867	6 월, 등화교 호북 교수 유한충 피포. 8 월, 능지처사.
1868	등화교 호군 기의 실패. 교수 유의순 피포 능지처사.
1871-1879	동치말 광서초. 산동 평원현인 조만질 귀일도 창립.
1875	光緖(광서)원년. 황천도 조사 이빈 묘지 벽천사 중수락성 후 보명사 명명.
1875-1879	광서초년. 왕각일, 말후일착교 창립.
	廣西(광서) 전림현 대보촌인 오행린 普渡道(보도도) 창립.
1883	3 월, 왕각일 기의. 실패 후 도피.
1886	劉淸虛(유청허), 왕각일 교주직 승계 후 교명을 一貫道(일관도)로 변경.
1891	열화금단도 총수 양예춘 기의. 길림금단도 향응 기의.
1892	광서 상림현 주보명, 우팔이라 칭하면서 용화대회 설립 재액을 피하기 위한 입교를 권함.
	사도혹중의 죄목으로 진공도 교주 료제빙과 교도 뢰인장, 장성견 등 피포.
	이듬해 뢰인장은 옥사하고 나머지는 교도들의 노력으로 석방.
1893	산서 수읍현 任老師(임로사), 직예 만전현 조가양촌으로 가서 황천대도를 전파함.
1894	광서 20 년, 산동 단현인 유사단, 대도회 건립.
1895	광서 21 년, 복건 고전 재교도, 화산촌 습격 11 명 외국 전교사와 가속 살륙.
	큰 규모의 반양교 의화단 사건 발발.
1896	대도회 반양교 기의 가세.
1897	대도회, 산동 거야현 장가장교당 습격, 불란서 전교사 2 인 살해. 거야교안 발생.
1898	9 월, 조삼다와 閻書勤(염서근)의 영도 하에 산동 관현 이원둔 의화권 정식으로 무장 기의.
	진공도 황사산 도당 낙성.
1899	의화권 경진지구 진입.
	9 월, 신권 수령 朱紅燈(주홍등), 산동 평원현에서 정식으로 천하의화권흥청훼양 기치 올림.
1900	광서 26 년. 의화권 항쟁. 청정의 진압과 8 국 연합군의 외세 침략에 맞선 의화단 운동.
1905	광서 31 년. 로중일, 유청허를 이어 일관도 교주 승계.
1906	광서 32 년. 사천 영천현 용수진인 팽여진 同善社 창립.
1904-1908	오대산 남산 극락사 승 보제(속명 이향선) 九宮道 창립.

中華民國

1913	民國 2 年. 산동 장산현인 마사위, 一心堂 창립.
1916	民國 5 年. 홍창회, 산동에서 흥기한 후 신속히 하남 직예 산서 협서 동북 제성 및 서남 사천등지까지 확산.
1917	民國 6 年. 동선사, 북양정부의 인가를 얻은 후 북경에 총본부를 차리고 洪信祥이라 부름. 후일 사천 영천현 용수진으로 이전.
1920	民國 9 年. 동선사, 한구에 총사무소 설립.
1921	民國 10 年. 산동 지방 군벌, 관료 劉紹基(유소기), 오복삼등 제남에서 道院 창립하고, 천진 북경 제령 세 곳에는 분원을 건립. 당시 제남 도원을 총원이라 불렀다.
1922	民國 11 年. 도원은 以慈爲用을 지향하는 가운데 홍만자회는 제남총원과 천진 북경 제령 삼처의 분원으로 운영되었고, 당시 명칭은 濟南紅卍字會 총회, 여타 세곳의 분원은 홍만자회 분원이라 불리웠다.
	일심당, 산동 산서 직예 내몽고 하남 강소 사천 감숙 상해 남경 장춘 등지에 분회 설치.
1923	民國 12 年. 도원 총원은 북경으로 이전되어 중화총원으로 개명.
1926	民國 15 年. 군벌의 폭정에 항거한 결과, 직노예 3 성의 홍창회가 크게 발전.
	중국공산당, 홍창회 결의안 가결. 정치성을 배재하고 반제반봉건과 타도 탐관오리부호를 지향하는 혁명단체로 키움.

	구궁도외구천도수 이서전 북경에 京師普濟佛敎會 설립.
1927	民國 16 年. 북벌군 동선사 활동 조사.
1928	民國 17 年. 구궁도 중회도수 양만춘 북평에서 오대산보제불교회 설립.
	일심당 총부, 산동 장산현에서 산서 오대산으로 이전.
1930	民國 19 年. 張光璧 일관도 도통 승계. 제남에 충노 동진 리화 금강 천일 오대 제단 설립.
	구궁도 남회도수 왕홍기 북평에 五臺山向善普化佛敎會 설립.
	도원, 홍콩 분원과 홍만자회 분원 건립. 남양 일본 조선 구미 제국으로 진출.
1932	民國 21 年. 일심당 북평에 보화구세불교회 설립. 마사위가 회장.
1933	民國 22 年. 재리교, 전국 조직인 중화전국리교연합회를 남경에 설립.
	회장에 장일진. 각지에 분회와 3 천여 공소.
	동선사 사승 팽여진, 제자 팽보선을 보내 푸의와 비밀회동.
1933-1935	民國 22-24 年. 마사위, 천진에서 일본 경찰서장과 특무를 만난 후,
	일심당을 일심천도용화성교회로 개명하고 대동아불교연합회도 조직.
1935	民國 24 年. 장광벽, 천진에 백여개 불당과 도덕 문화 호연단 건립.
	도원경국민당, 산동성당부로부터 정식 허가를 받아 공식 합법 조직으로 발전.
1936	民國 25 年. 장광벽, 일제와의 협력 문제로 국민당 당국에 의해 100 일간 구금 후 석방.
	구궁도 여구천 도수 이영, 正字慈善會 설립.
1937	民國 26 年. 항일전이 시작되면서 홍창회의 역할이 커짐.
	중국공산당과의 합작으로 수많은 조직적 항전 전개.
1938	民國 27 年. 장광벽의 활동과 해외 영향력 증대로 왕위 정권의 외교고문 역할
1940	民國 29 年. 도원, 국내외 400 여 분원 설치. 매 분원에는 홍만자회 분회가 조직.
1942	民國 31 年. 구궁도외구천도수 이서전, 일제와 협력하여 제남에 미래화평교회 설립.
	또한 천진에 분회를 설치함으로 명확한 친일 활동 전개.
1944	民國 33 年. 이서전, 일본 특무를 고문으로 한 미륵총회 설립.
1946	民國 35 年. 구궁도 여구천 중회 등 지파도수, 국민당 군특무의 비호로 만선연합회 조직.
1947	民國 36 年. 장광벽, 성도와 서남 지역 전교에 힘쓰다가 가을에 성도에서 소천.
	일관도 분구 명칭에 문제가 있어, 천진 지구 일관도를 發一大道로,
	북평과 동북지구 일관도는 孔孟大道, 상해지구 일관도는 眞理大道로 개명.
1948	民國 37 年. 진공도 도수 료예포. 진공도를 眞空慈善會로 개명.
1949	1 월, 화북인민정부, 봉건 회도문에 대한 포고문. 각지 정부 뒤따름.
	中華人民共和國 성립 이후, 당 중앙 지시 또는 중화인민공화국 징치 반혁명조례에 의거 반 혁명 회도문 금지.
	인민정권의 사회주의 건설 사업.
1992	파륜대법 발생